BRIGITTE BARDOT

Un mythe français

Aux Éditions Gallimard

Portrait de Gabriel, *roman*.
Le Bal des débutantes, *roman*.
Les Abîmes du cœur, *roman*.
Les Petites Annonces, *roman*.
La Favorite, *roman*.
Triomphe de l'amour, *roman*.
Kidnapping, *théâtre*.
Soleil, *roman*.

Aux Éditions Mazarine

Histoire de Jeanne, transsexuelle

Aux Éditions Ramsay

La Nuit de Varennes

Aux Éditions Denoël

Tentation

Catherine RIHOIT

BRIGITTE BARDOT

Un mythe français

Olivier Orban

ISBN 2.85565.314.2

Petite fille de Français moyens

Brigitte Bardot naît le 28 septembre 1934 aux alentours de midi. Elle contrebalance sa naissance d'automne en choisissant, pour son arrivée sur terre, l'heure de la plus grande lumière. La plupart des enfants naissent la nuit. Mais elle, elle s'arrangera toute sa vie pour avoir rendez-vous avec le soleil.

Le Petit Parisien, ce jour-là, annonce : « Les producteurs de films ont confiance. » Ils peuvent, en effet...

Celle qui incarnera la France naît dans une famille très française. Le père s'appelle Louis, prénom de roi bien choisi pour celle qui sera Marianne sur les dessus de cheminée des mairies de France. La mère s'appelle Anne-Marie, Mucel de son nom de jeune fille. Anne-Marie aussi, c'est un prénom typiquement français, mais un prénom petit-bourgeois. Toute sa vie, des gens traiteront Bardot de reine et d'autres de petite-bourgeoise. Il y a en elle l'alliance des allures aristocratiques et moyennes qui caractérise le rêve français. Rien de populaire. Chez nous, des concierges républicaines rêvent dans *Point de vue et Images du monde* sur la comtesse de Paris qui proclame que tout lui est bonheur. Mais c'est le président de la République qu'elles souhaitent voir débarquer pour déjeuner. L'enfant Bardot qui naît ce jour-là dans le lit parental se rebellera contre la tradition, pour mieux s'en proclamer l'héritière.

En 1934 se font entendre les murmures d'une certaine révolte. L'année précédente Hedy Lamarr, actrice hongroise qui prendra bientôt le chemin d'Hollywood, a choqué les

7

foules en se montrant nue folâtrant dans un bois, dans *Extase*. Si le film est resté célèbre à une époque qui en a vu d'autres, c'est parce qu'il y a dans le jeu de Lamarr ce mélange d'innocence, de naturel et de perversité qui produit le mieux l'érotisme. A ses débuts, la nudité publique tire sa caution du naturel. On est déjà dans la civilisation de l'urbain, grèves et forêts vont devenir exotiques, « champ » signifiera bientôt « vacances », « bonheur » et non plus « travail ». A moins de deux ans du Front populaire, la France veut le droit aux vacances et elle l'aura.

Donc les deux parents, Louis et Anne-Marie, donnent naissance à cette enfant lumineuse qu'ils vont d'ailleurs appeler Brigitte, prénom d'origine allemande qui désigne la déesse du feu. Comme souvent, les parents désiraient pour premier-né un garçon. La petite fille qui vient au monde se surpassera dans l'espoir de compenser cette déception.

La légende veut que, à la naissance, elle ait eu très peu de cheveux (« trois et tous noirs », disent les mauvaises langues). Elle se rattrapera par la suite.

Petite enfance choyée dans un cercle de famille attendri. Le père, la mère, la grand-mère et le grand-père sont en adoration devant la beauté magnétique de Brigitte, la force de sa personnalité. On ne s'étonne pas que l'enfant soit belle, les parents le sont. Surtout Anne-Marie, la mère, une femme élancée, élégante, à l'allure distinguée, au regard un peu mélancolique. Beaucoup plus que Brigitte, Mijanou, la seconde fille, lui ressemblera. Mais BB, elle, héritera de la grâce et de la noblesse de gestes de sa mère. Ainsi que d'un sens aigu de la repartie...

D'Anne-Marie Bardot, Vadim dira : « C'était une très bonne mère, rétrograde, mais qui se croyait moderne. »

Brigitte naît dans un quartier attachant de l'ancien quinzième arrondissement. Il y règne un calme de province, un charme désuet, mais le quinzième n'a pas alors le côté nouveau chic qu'il prend aujourd'hui...

Dès le départ, tout est comme il faut. Brigitte, qui sera tout, commence par tout avoir. Un grand-père dans les assurances — ce qui, dira-t-elle plus tard, lui donne son bon sens — un autre dans l'industrie. Le père est ingénieur dans une société familiale d'air liquide, à une époque où l'ingénieur, comme le médecin ou l'industriel, est un rêve social. La

8

famille Bardot est de la région parisienne, la famille Mucel d'origine lorraine. Louis est plus âgé qu'Anne-Marie. Cette supériorité d'expérience l'aidera à jouer les chefs de famille. Le siège de la société qui l'emploie se trouve rue Vineuse, dans le seizième, mais Louis Bardot se rend chaque jour à l'usine située à Aubervilliers, rue du Pilier. Aubervilliers, à l'époque, est banlieue pauvre et industrielle, pas le no man's land bigarré d'aujourd'hui.

M. Bardot a un beau visage sévère, les cheveux plaqués en arrière et des lunettes. Sa silhouette, comme celle de son épouse, est mince et élancée. Sa femme dit de lui qu'il traverse la vie une rose à la main. C'est un vrai poète du dimanche et s'il n'a pas laissé de souvenir dans les anthologies, il a suffisamment d'impact pour voir son recueil, *Vers en vrac*, primé par l'Académie française.

Mme Bardot est, elle aussi, une bourgeoise artiste. Jeune fille, elle a souhaité devenir ballerine et est allée danser jusqu'à Milan. A-t-elle, pour continuer, manqué de talent ou bien du caractère ascétique, presque fanatique, des étoiles ? En tout cas, elle s'est rangée, mariée, et cette vocation sacrifiée fait d'elle une mère de star : ces ambitions auxquelles elle a dû renoncer, elle les reportera sur sa fille aînée.

Une mère qui rêve de Degas devant la grâce de sa fille, un père qui lui écrit des poèmes. Mais aussi une mère parfaite maîtresse de maison, très bien élevée, bien habillée et qui sait tenir son rang ; un père qui commande à l'usine et se fait respecter à la maison. Il y aura toujours chez Brigitte ces deux courants apparemment contradictoires, mais dont la coexistence sera une des raisons du succès et du charme d'une personnalité complexe. Ce mélange de bohème et de convention annonce la nouvelle bourgeoisie qui ne sera plus celle de l'austérité et du bas de laine, mais de la jouissance bien tempérée. Une bourgeoisie qui saura prendre le meilleur de tous les mondes.

Ce côté aérien des parents n'empêche pas la solidité. Meubles Louis XV, canapés confortables, bibliothèques chargées de livres sérieux dans l'appartement. On n'en est pas encore aux baby-sitters, cet ersatz domestique : Brigitte a une nounou qu'elle adore, à qui elle restera fidèle jusqu'à la mort de la vieille femme — la première de toutes les vieilles dames dont elle s'occupera. On ne méprise pas le troisième âge chez les Bardot, le cercle de famille est solide. Le dimanche, on va voir les grands-parents dans le chalet de Louveciennes, rappel suédois de l'Exposition Universelle. A cette époque, la banlieue, c'est encore la campagne. Brigitte a dû y être heureuse. Au fond du jardin, dans la remise où elle range ses trésors secrets, elle passe des moments solitaires. Elle, si sophistiquée, ne sera jamais un animal urbain. Là aussi, les Bardot sont à l'avant-garde. La France ne se retrouve pas encore sur les autoroutes le vendredi soir. D'ailleurs, il n'y a pas d'autoroutes. Le dimanche, c'est plutôt la messe, le déjeuner guindé et le chocolat-brioches de quatre heures.

Chez les Bardot, on évite de se prendre trop au sérieux. On se donne des petits noms. Le père, c'est Pilou — un nom qui deviendra à la mode avec la fameuse chanson de Bécaud. La mère, Toty. Brigitte, c'est Bri-Bri — mot qui évoque le bruissement d'ailes et les dégâts — ou même Bricheton, nettement moins joli. La seconde fille, qui naîtra cinq ans plus tard, ne sera que brièvement Marie-Jeanne pour devenir Mijanou. Toute sa vie, Brigitte aimera attribuer des diminutifs un peu ridicules à ceux qu'elle aime...

Une première photo de Brigitte la montre couchée sur le ventre et le cou dressé, mais très convenablement habillée. La brassière ne laisse rien augurer des décolletés futurs. Les cheveux courts, raisonnablement abondants, manifestent déjà le désir de s'envoler par mèches coquines, malgré le peignage à l'eau de Cologne qui n'a pas dû manquer de précéder la prise du cliché. Elle est nettement plus potelée qu'elle le sera plus tard : la peau fait des plis replets au cou et aux poignets, les mains aux poings serrés dans un geste volontaire s'égaient de fossettes.

Mais c'est déjà elle. Les yeux en amande sont immenses et très écartés, comme écarquillés sur le monde. Elle aura toujours cet air d'apercevoir quelque chose d'extraordinaire qui reste invisible aux autres. Le regard est très brillant, les sourcils relevés par une espèce de surprise. Le nez est petit, un peu aplati — on dira plus tard qu'elle a le profil d'un pékinois. Personne n'a le même dans la famille et ailleurs non plus. Il fera la fortune des chirurgiens esthétiques ravis de procurer à leurs clientes de faux nez Bardot, cette allure rabotée dont tout le monde s'accorde à dire que ce n'est pas vraiment beau, mais donne un tel charme...

Et puis la bouche, cette bouche entrouverte — toujours la surprise, ou bien des difficultés respiratoires ? En fait, les dents de devant avancent, comme chez tous les enfants qui sucent leur pouce, et soulèvent un peu la lèvre supérieure, nettement ourlée, et la lèvre inférieure un peu épaisse.

Elle est née sous le signe de la Balance — la diversité dans l'équilibre. Son horoscope lui prédit une carrière artistique. La naissance a été dûment annoncée dans *le Figaro* : c'est le premier élément d'un dossier de presse à faire éclater toutes les armoires.

A quoi rêve Mme Bardot pendant les premières années de la vie de sa fille ? Voit-elle pour son avenir un destin de mère de famille rangée, à l'instar du sien propre, ou bien souhaite-t-elle en secret que l'enfant aille jusqu'au bout dans le chemin de la scène et de la beauté exhibée auquel elle-même a renoncé ? A quoi a-t-elle pensé en lui décernant les fameuses initiales jumelles ? Ces initiales dont Brigitte dira qu'elles la protègent, qu'elle se cache derrière elles.

La petite fille a à peine un an quand son père achète une caméra pour réaliser des films à usage domestique. Encore une fois, c'est à l'avant-garde. Les Français délaissent l'atelier du photographe avec ses fonds de colonnes romantiques pour les séances de petit oiseau maison, mais ils n'en sont pas aux « home movies ». Louis Bardot sera le premier metteur en scène de BB, elle sera la première et la seule star de son père. Les gens qui l'ont vue tourner à ses débuts s'étonneront de la rapidité avec laquelle, sans avoir jamais pris de cours d'art dramatique, elle acquiert le sens du naturel devant une caméra ; on l'attribuera à la pratique de la danse. Les chefs opérateurs qui vont travailler avec elle diront qu'elle est extraordinairement facile à filmer. C'est qu'elle a d'abord été filmée par l'homme qui a compté le plus dans sa vie : son père. On ne saurait s'étonner que, plus tard, elle traite ses photographes et metteurs en scène préférés comme s'ils faisaient partie de la famille.

C'est une petite fille qu'on regarde beaucoup. La naissance de sa jeune sœur ne changera rien à l'affaire. Mijanou connaît dès le début le sort des seconds rôles souvent dévolus à ceux qui occupent sa place dans une famille, encore amplifié par la force de la personnalité de sa sœur. Mijanou est une très jolie petite fille, elle deviendra une jeune fille charmante. Ses traits sont classiques, il lui manque le côté « beauté du diable » de son aînée.

De même que Clark Gable s'est gardé de faire recoller ses grandes oreilles et Sophia Loren d'obéir aux producteurs en faisant raboter un nez un peu trop patricien, Bardot affolera parce que sa beauté n'est pas tout à fait... Enfin, pas vraiment... La lèvre trop grosse, le nez trop plat, les joues trop rondes... Ce qui fait sa beauté, dit Christine Gouze-Rénal, c'est l'épaisseur de ses traits : tout ce qui condamnerait une autre. Cela lui donne quelque chose d'unique et de vrai qui la rend exceptionnelle. Elle est typée, sans doute la première « beauté de caractère », et ce caractère, on ne le retrouve pas chez d'autres.

Dans le documentaire *Telle quelle* réalisé pour la télévision par Alain Bougrain-Dubourg en 1982 et qui marque le retour à la bardolâtrie médiatique après quelques années de relative éclipse, on peut voir quelques extraits des fameux films réalisés par M. Bardot. Brigitte n'est plus tout à fait un bébé, et déjà très nettement une petite fille à cet âge charmant où se définit le sexe des enfants. Ce que les photos figent, ces films le révèlent. Les gens qui ont travaillé avec elle disent que Bardot, c'est l'art du mouvement. Filmée nue, bébé, sur une couverture, l'on voit déjà la grâce des gestes, et surtout, l'éclat triomphant du sourire. Sans doute n'est-ce pas encore la caméra qu'elle regarde avec cette joie si confiante, avec cette conscience et ce désir de séduire, mais l'homme qui se tient derrière. En voyant ces yeux illuminés, on se demande si toute sa vie, derrière toutes les caméras de rencontre, elle ne cherchera pas à apercevoir le fantôme du père.

Commentant ces films, elle dit de lui deux choses : « Il avait le sens du devoir » et aussi, avec la simplicité de ton des émotions profondes : « Je l'ai beaucoup aimé. » En prononçant ces mots, elle oublie la diction Bardot, si caractéristique. C'est une autre femme qui parle.

Lorsqu'elle raconte son enfance, on retrouve la complexité et les contradictions qui la caractérisent. Dans *Telle quelle*, son visage se ferme à l'évocation des premières années, il devient grave et même douloureux. Elle se décrit comme « une petite fille secrète, timide, craintive », ce qui est sûrement vrai, mais contraste avec l'assurance dont elle fait preuve dans les films. De son éducation, elle dit qu'elle fut très austère et très rude. Elle semble avoir considéré comme un poids son rôle d'aînée, sa responsabilité par rapport à sa sœur. Elle n'a pas d'anecdote heureuse à raconter, seulement le célèbre épisode de la potiche cassée dans un moment de folie, les coups de cravache qui ont suivi et dont elle se rappelle le nombre, et surtout la phrase des parents : « A partir de maintenant, vous êtes des étrangères », l'injonction à dire vous.

Cette scène semble sortir d'un roman de la comtesse de Ségur. La sévérité montre l'importance accordée aux valeurs bourgeoises : on ne s'attaque pas à la propriété, *a fortiori* à la propriété familiale. Brigitte, aujourd'hui, relie à ce souvenir pénible sa passion des maisons, son goût de les acheter, de les arranger. Ne se sentant pas chez elle chez ses parents, elle a très tôt voulu en partir, avoir un lieu qui lui appartienne.

Toutes les enfances, même les plus paisibles, recèlent de ces moments terribles où les parents bien-aimés se transforment en étrangers. Aucune mémoire ne peut manquer d'être assombrie par des scènes dont la force obscure est telle qu'elles peuvent masquer des années entières de bonheur. La cravache pour les enfants contribue aux vertus de l'éducation à la dure. Punitions et coups doivent contrebalancer l'amollissement redouté en raison d'un confort matériel considérable. Trop de parents, aujourd'hui encore, éprouvent des difficultés à distinguer un enfant d'un jeune animal, à différencier éducation et dressage.

C'est brandissant une canne que le père apparaît filmé à son tour. Mais il trébuche, pointes des pieds écartées, chapeau melon posé sur le crâne, endossant un veston trop court : il imite Charlot. Il fait le beau, lui aussi, devant la caméra, comme Brigitte plus tard amusera des amis, une équipe de tournage, en imitant Chaplin. Ce père était donc à la fois, bien qu'en amateur, poète, metteur en scène, cameraman et comédien. « Il est merveilleux, mon père », disait Brigitte dans une interview accordée à *Match* en 1962.

En 1974, *Ciné-Revue* publie une photo d'elle en petite fille sagement coiffée, avec barrettes et raie au milieu, portant l'uniforme des enfants modèles, robe à smocks, chaussures à brides et chaussettes blanches au genou. Elle regarde avec un

13

sourire tendre son ours en peluche costumé en écossais. Elle remercie ses parents pour « cette simplicité qui lui a été inculquée ». N'ose-t-elle pas dire la vérité sur son enfance, afin de ne pas les peiner ? Interviewée par Jean Cau, elle attribuera le goût de la rébellion, qui a fait sa gloire, à une réaction contre l'éducation qui lui fut donnée : « J'ai été élevée d'une façon très bourgeoise, très sévère. J'allais dans une école catholique. J'étais surveillée par une gouvernante. Je ne sortais jamais dans la rue toute seule. J'ai été très tenue jusqu'à l'âge de quinze ans. Et c'est peut-être à ce moment-là que j'ai voulu réagir contre cette éducation. Tout d'un coup, j'ai eu envie de me libérer, de gommer cette tache bourgeoise... qui s'étalait en moi... »

Une tache, juge-t-elle alors : c'est un mot terrible. Mais la rébellion n'a pas été précoce. La petite fille à l'ours semble docile, consentante. De la part des parents, il ne s'agit pas de manque d'amour, ni de stupidité. Sans doute un attachement à des principes d'un autre âge, adoptés soit parce qu'ils craignent leur propre tendance à une vie une peu bohème, soit parce qu'ils devinent en cette enfant solaire des dangers obscurs, des forces sauvages.

Dans une interview accordée à *Marie-France* en décembre 1958, alors que sa fille est en pleine gloire, Mme Bardot constate avec regret que le remède envisagé a sans doute été pire que le mal. Elle se reproche une éducation trop stricte, trop laborieuse. Celle-là même qu'elle avait reçue, à peine revue et corrigée. Elle dit : « J'étais en retard d'une génération. Il faut être de son temps. »

Elle n'a pas imaginé le destin de sa fille : « C'est indiscutable, les deux petites ont toujours été remarquablement photogéniques ! Mais de là à supposer qu'elles deviendraient vedettes de cinéma ! »

D'autant que Brigitte manifestait avant tout, dès le plus jeune âge, d'étonnantes dispositions de maîtresse de maison, ajoute le journal, et une anecdote vient illustrer ce tableau touchant : « Brigitte avait trois ans. On introduit au salon un visiteur attendu, mais en avance. Ses parents ne sont pas encore rentrés. Brigitte est consciente de ses devoirs. Elle ne connaît pas ce monsieur, mais elle doit lui tenir compagnie, puisque papa et maman ne sont pas là. Elle a dit bonjour très gentiment, sans timidité. Elle s'est hissée dans un grand fauteuil comme elle a pu, et puis elle s'est installée

14

bien droite, a croisé ses jambes, ensuite ses mains. Et avec un petit air d'amabilité raisonnable : "Alors ? Comment va votre mère ?" et a fait la conversation jusqu'au retour de sa mère. »

Cette histoire a le parfum des légendes familiales, dans lesquelles les exploits du rejeton sont magnifiés jusqu'à tenir de la chanson de geste. On y retrouve aussi le ton des magazines féminins de l'époque, « telle mère telle fille » avec les patrons de robes pour madame et sa rejetonne, le souvenir de Shirley Temple singeant les dames bien élevées à six ans.

L'anecdote paraît vraisemblable : l'enfant sait déjà jouer un rôle, instinctivement. Elle cherche à conquérir l'adulte avec cette séduction gentille, précoce mais finalement bien élevée qui l'a fait malgré tout accepter des Français comme leur symbole.

Car BB sera toujours une petite fille qui joue à être grande. Elle n'est pas à prendre trop au sérieux, elle ne fait pas trop peur. Plus tard, Vadim racontera comment, avec lui aussi, elle voudra jouer à la maîtresse de maison comme on joue à la poupée.

Et elle ne manque pas de femmes pour lui servir de modèle. Brigitte enfant semble avoir été entourée de femmes. Il y a sa mère et les amies de celle-ci. Il y a la nounou, la nannie anglaise, « canotier de paille, parapluie et talons plats » selon *Cinémonde*, qui escorte l'enfant chaque fois qu'elle sort. Il y a sa chère grand-mère de Louveciennes et la fidèle cuisinière de celle-ci surnommée Dada — encore cette manie enfantine des petits noms et des redoublements de syllabes. Tout un gynécée vu duquel les hommes, ces inconnus rares et donc précieux, doivent paraître fascinants. Pas de frère pour les rendre plus proches, plus réels et moins merveilleux. Le père lui-même, avec sa poésie fantasque, apparaît un peu absent, un peu « Pierrot lunaire ». On ne s'étonne pas de constater qu'elle les idéalisera toujours. Et qu'elle semblera ne jamais pouvoir trouver celui qui coïnciderait durablement avec son rêve.

La passion de la danse

La famille n'habitera pas longtemps place Violet. Les Bardot, nostalgiques de quartiers plus cossus, reviennent en terrain de connaissance : sur la rive droite, à Passy. Brigitte quitte sa chambre de bébé toute blanche de soie et de dentelles, mais elle emporte avec elle la collection d'animaux en peluche commencée par sa mère et à laquelle elle ne cessera, aux cours des années, d'ajouter des pensionnaires : c'est sa première ménagerie.

Le nouvel appartement est situé au coin de l'avenue Paul-Doumer et de la rue de la Pompe. Une des adresses les plus élégantes de Paris. C'est le Passy des grands appartements à baies vitrées, escalier de service, concierge à gilet rayé, marbre et colonnes, tapis rouge. Partant du Trocadéro, l'avenue Paul-Doumer domine Paris. A Passy, on a l'impression d'avoir une loge sur le spectacle de la capitale, les bateaux sur la Seine, les monuments et le petit peuple. Les touristes ne vont pas à Passy, le musée de l'Homme est leur frontière. A Passy, on est tranquille, on vit entre soi. L'exotisme est fourni par le personnel des ambassades et par les bonnes, qui ne sont pas encore espagnoles, plutôt bretonnes comme Bécassine, et leurs patronnes sont des clones de « Madame de Grand-Air ».

Passy est un des lieux verts de Paris. Par endroits, des avenues se rétrécissent soudain, font place à des remparts, des escaliers, des ruelles pavées entre de hauts murs d'où dépassent les feuillages de marronniers. On s'y sent en sécurité. Diplomatie oblige, c'est bien gardé.

Dans ses débuts, l'avenue Paul-Doumer est triste, bordée d'immeubles style Daladier, à peine égayés de quelques bas-reliefs austères et de quelques arbres. L'austérité diminue à mesure qu'on se rapproche du cœur d'un chemin de fer miniature à peine sorti de sa boîte. On atteint Passy-shopping, le village des jolies madames qui se parfument chez Houbigant et portent le bibi sur l'œil. On s'habille encore aujourd'hui chez Franck et fils de choses éternelles. Plus étroite, la rue de la Pompe est d'aspect plus intime. Elle est égayée par les bandes d'étourneaux échappés de Janson-

16

de-Sailly, pas encore mixte. Mais on y trouve aussi des jeunes filles dont la démarche dansante contredit les yeux baissés. Elles fréquentent plutôt les cours privés, où on sait les « tenir » et où on se garde de les informer des choses de la vie.

« Elle était très seizième », disent les gens qui ont connu Brigitte enfant et jeune fille. Cela peut s'entendre péjorativement, mais ce n'est jamais le cas lorsqu'on parle d'elle. Par « seizième », ils suggèrent bonne éducation, savoir être à sa place et faire les choses comme il faut. Brigitte d'ailleurs, à ses débuts, insistera dans les interviews sur une innocence voulue par sa famille. L'oie blanche, c'est l'idéal d'alors, il faut préserver les filles de tout ce qui pourrait leur donner des idées et diminuer leur valeur sur le marché du mariage. Elle dira n'avoir pas été très curieuse de la sexualité. Lors de sa « Radioscopie », elle confiera à Jacques Chancel : « Je pense que je suis très bien élevée... J'en suis sûre. Mes parents m'ont donné une éducation parfaite, ce qui me sert énormément. Il est très important d'être bien élevé dans la vie.(...) Les choses solides de la vie, c'est la famille, ce sont les vrais amis. » Mais fidèle à elle-même... c'est-à-dire changeante, elle déclare juste après : « Les principes ? Je les déteste. » Et un peu avant : « Quand j'étais petite, j'en avais moins conscience que maintenant, mais j'ai toujours été moi-même... Un gentil animal. J'ai toujours été très franche, très directe. Aucune hypocrisie. »

Pourtant, l'éducation parfaite d'une jeune fille de bonne famille à l'époque, ce sont les principes, les apparences, donc l'hypocrisie. Ce qu'il y a eu de rigide dans son éducation tient aux formes : le vouvoiement des parents (plus tard, elle lancera la mode du tutoiement facile), les domestiques qui infiltrent la famille et séparent les enfants de leurs parents ; l'absence de liberté due à la crainte des débordements. Que l'ignorance dans laquelle elle a été consciemment maintenue ait contribué à faire d'elle ce « gentil animal », c'est probable. Mais elle n'a pu faire d'elle le genre d'animal qu'on attendait — un animal domestique.

Brigitte, à cinq ans, galope à travers les neuf pièces de l'appartement de l'avenue Paul-Doumer. On ne l'emmène plus en promenade au Champ-de-Mars, mais au bois de Boulogne où elle s'intéresse aux chevaux, aux jardins du Ranelagh où elle peut monter sur de petits ânes — elle aura toujours une tendresse pour les ânes. Elle ne se satisfait plus de ses peluches, elle veut de vrais animaux ; on lui offre un chat baptisé Crocus et des oiseaux. C'est une petite fille pleine de vigueur et de santé, qui aime les courses, les jeux de ballon, les promenades au grand air du jeudi. Sa sœur Mijanou est la compagne favorite de ses jeux. Avec elle, elle s'exerce à l'art du commandement, qu'elle n'oubliera jamais ensuite. Le dimanche, on l'emmène à la messe, où elle s'ennuie.

L'enfance de Brigitte se déroule pourtant dans une époque troublée. L'assombrissement du climat politique se poursuit. En 1936 — elle a deux ans — la France vit l'aventure du Front populaire. La joie éclate à Ménilmontant et à Aubervilliers où M. Bardot a son usine, mais derrière les lourdes tentures des appartements de Passy, on tremble, on écoute la TSF avec des mines renfrognées, on commente avec indignation *le Figaro* et *l'Aurore*. Ce Léon Blum — un brave homme au demeurant, mais inquiétant car manipulé par les bolcheviques et puis, n'est-ce pas, c'est un Juif, un étranger — ne sait pas ce qu'il fait. Derrière les frontières tout va mal, les Espagnols s'entre-tuent. A l'Est, les Allemands — ce peuple mi-civilisé mi-barbare qu'on a pourtant mouché sérieusement en 1914-1918 — se sont entichés d'un rigolo à moustache qui porte le romantique prénom d'Adolf et qu'on ne saurait prendre au sérieux. Les Juifs allemands, pourtant, fuient. Ça fait encore des étrangers qui viennent manger le pain des Français qui déjà manquent de travail. Sans compter les Italiens qui traversent la frontière à pied pour échapper à Mussolini, autre grotesque qui aime les jolies dames et se fait photographier à cheval pour ne pas avoir l'air d'un nabot. Outre-Atlantique, les Américains se débattent dans la crise et les rouges s'agitent dans les syndicats.

Brigitte n'est pas au courant de ces choses. Elle est trop petite et on ne discute pas politique devant les enfants. D'ailleurs, elle est bientôt très occupée. A cinq ans, sa vie change. Elle entre à l'école, privée, bien entendu : le cours Hattemer, rue de la Faisanderie, un des plus chics de Paris. On y insiste sur l'encadrement donné aux élèves. Il ne s'agit pas uniquement de leur farcir la tête, mais d'appliquer une pédagogie moderne, où l'on privilégie le sport et les arts.

A l'école, Brigitte s'ennuie.

A la maison, au moins, on l'aime et elle aime. Elle est le centre du monde : elle voudra toujours être le centre du monde. La voilà soudain affublée d'un vilain uniforme au milieu de beaucoup d'autres petites filles. On ne s'occupe pas particulièrement d'elle. Brigitte est capable de faire beaucoup de choses par amour, même des choses qui vont à l'encontre de ses désirs, parfois. Or, elle n'aime pas ses professeurs. Le seul cours qui l'intéresse vraiment, c'est le dessin. Elle y dévoile ses dons artistiques : mais le dessin, ce n'est pas très sérieux... « A l'école, les professeurs disaient toujours de moi la même chose : Peut mieux faire », déclare-t-elle.

Elle commence aussi à faire de la danse. Cela fait partie des arts d'agrément recommandés aux jeunes filles de son milieu. Mme Bardot accorde à cette partie des études de sa fille une grande importance. Il ne s'agit pas seulement de demander au professeur d'enseigner à l'enfant un peu de discipline, un peu de maintien. Mme Bardot revit à travers les entrechats de Brigitte un rêve de jeunesse trop tôt envolé pour faire place aux embarras et aux responsabilités d'une mère de famille. A-t-elle vraiment « poussé » sa fille ? La danse est un art austère et difficile. Pour qu'une petite fille s'y accroche, il faut en elle un désir véritable. Mais dans les débuts, lorsque l'enfant est si petite, le désir de la mère aussi est crucial. Les cours de danse, c'est le meilleur moment de la journée, celui qu'elle attend dans la salle de classe du cours Hattemer, l'air ailleurs, pendant qu'on parle de problèmes de robinets et de Croisades. Elle commence avec un professeur particulier, un danseur de l'Opéra qui vient à domicile, M. Recco. Aucun doute : Brigitte est douée, et de plus elle en veut. Elle continue au cour Marcelle Bourgat.

Les Bourgat sont une famille de danseurs et d'artistes. Alice et Marcelle étaient danseuses — il y avait quatre sœurs. Dans les années trente, Marcelle Bourgat avait dansé à l'Opéra avec Yvette Chauviré, Odette Joyeux, Toumanova. L'apogée de sa carrière passée, elle ouvre un cours de danse, pour continuer à vivre avec sa passion, en la communiquant à d'autres. Aujourd'hui, le cours Bourgat existe toujours. On y parvient par la cour d'un immeuble de la rue Spontini :

toute la vie enfantine de Brigitte se déroulait dans un périmètre bien circonscrit. De l'extérieur, le bâtiment a jolie allure, il ressemble à un petit hôtel particulier. La façade, sur deux étages, est aérée par les hautes baies vitrées du studio.

Claude Bourgat vient ouvrir. Il est chorégraphe, dit-il, il a toujours des élèves, il continue le travail de Marcelle Bourgat, morte voilà quelques années.

L'intérieur est un étonnement. Un soleil de printemps dore le plancher du studio au plafond très haut, aux dimensions d'une salle de spectacle. Les murs sont gris, les banquettes de l'entrée, celles où s'asseyaient autrefois mères, gouvernantes ou bonnes venues accompagner les petites élèves, sont peintes en gris perle, et tendues de velours rouge. Les hautes glaces du mur consacré à la barre reflètent le paysage extérieur qui semble entrer dans la pièce, le ciel d'un bleu pâle pommelé de nuages, les branches touffues d'un arbre.

Aujourd'hui, peu de cours peuvent encore se permettre les services onéreux d'un pianiste. Même le vieux pick-up, dans sa mallette aux angles arrondis, n'est là que pour le souvenir. Claude Bourgat glisse une cassette dans un appareil beaucoup plus moderne : la musique d'un tango désuet envahit la pièce.

On se sent dans un de ces lieux privilégiés de Paris où le temps est tout à fait suspendu, comme si l'on venait de pénétrer au pays du rêve. C'est volontairement que M. Bourgat entretient cette atmosphère. Photos jaunies, affiches de spectacles annonçant la prestation d'artistes morts aujourd'hui, anciens programmes, lampes et statues en forme de ballerines, moulage d'un pied de danseuse, selon la mode des années trente. Un portrait de sainte Cécile. Le portrait de Marcelle Bourgat en Joconde par le peintre Serge Ivanoff.

Marcelle Bourgat a noté ses souvenirs de Brigitte : « Quand madame sa mère me confia Brigitte, elle n'avait que sept ans. Douée et jolie, elle a été la plus assidue de mes élèves, elle n'a pas manqué le cours une seule fois et n'est jamais arrivée en retard. Elle aimait travailler. Elle se dépensait beaucoup et la satisfaction se lisait sur son visage. Elle était toujours volontaire pour les exercices supplémentaires. A l'âge où les enfants ont les bras et les jambes comme des clous, elle était agréablement modelée, visage expressif, grands yeux, chevelure abondante, jambes très souples, bien

20

dessinées, pieds cambrés, taille fine, poitrine esquissée. Ses bras prenaient d'instinct des contours harmonieux. Elle avait une petite sœur qui l'admirait et qui se tenait auprès d'elle.

« La tenue de la danse, à cette époque, était le tutu rose. Or, un jour, elle arriva en tunique verte de mousseline. Elle était si jolie que je lui permis de la garder. Pendant la classe, on vit alors une petite tunique verte parmi les tutus roses. »

Les photographies conservées par Claude Bourgat permettent de compléter le portrait. Brigitte à sept ans, vêtue d'une tunique drapée à la mode gréco-romaine, exécute un fondu, un genou plié, l'autre jambe tendue à l'oblique, appuyée sur la pointe. Sa tête au sourire espiègle s'appuie contre la taille d'une élève beaucoup plus âgée, comme un oiseau niché contre sa mère. La jeune fille, les bras levés, ouvre légèrement les mains alors que Brigitte étend maladroitement un bras, les doigts un peu crispés sous l'effort de la pose. Quelques années plus tard, elle est à nouveau à la barre, mais elle a déjà des pointes et se tient en équilibre sur un pied, dans la pose dénommée « arabesque ».

La voilà plus tard encore, dressée sur ses pointes en un relevé gracieux, le port de bras joliment arrondi : c'est, maintenant, une vraie ballerine. D'abord bi-hebdomadaires, les leçons vont rapidement devenir quotidiennes : c'est une seconde journée de travail que Brigitte entame à sa sortie du cours Hattemer. Plus tard, Mme Bardot regrettera cet excès de travail, songeant que sa fille n'a pas eu assez de loisirs ni suffisamment d'insouciance, et que peut-être cela a contribué à lui donner ensuite le goût d'une vie de jeu et de farniente.

Brigitte, qui sera toujours poursuivie par une réputation de paresseuse, y a déjà droit au cours Hattemer. C'est tout le souvenir qu'on y garde d'elle aujourd'hui. « Elle était nulle, ça vous pouvez le dire ! » s'écrie au téléphone une dame de cette honorable institution. Quand on lui a envoyé une invitation pour le centenaire du cours, elle a refusé en écrivant : « Mon passage au cours Hattemer a été un calvaire ! »

Brigitte a fait par la suite assez souvent preuve d'intelligence pour qu'on puisse attribuer ces mauvais résultats à une forte tête qui ne se donne du mal que lorsqu'elle en a envie. Et pour la danse, manifestement, elle trouve que ça vaut la peine.

Et puis quel contraste entre les photos qui la représentent entourée de ses compagnes du cours de danse, et celles du cours Hattemer ! Sur celle-ci, Brigitte, jupe marine et cravate assortie, chemisier blanc très strict, les cheveux tirés en arrière et noués d'un ruban trop sage, regarde devant elle d'un œil éteint. Les lèvres sont serrées en une ligne triste. Toute la vie semble s'être retirée de ce visage si mobile... Qu'est-ce qui a bien pu lui arriver, qu'est-ce qu'on a bien pu lui faire ? Elle porte une paire de lunettes rondes, finement cerclées, des lunettes d'institutrice, d'un modèle qui sera beaucoup plus tard à la mode, mais qui, à l'époque, semble sinistrement utilitaire.

Elle commence à les porter à sept ans : elle a une faible vision d'un œil. Jeune fille, elle les fera disparaître et cela contribuera à donner à son regard le charme caractéristique de ceux qui promènent un œil candide sur un monde flou.

Mais à sept ans, il n'est pas question de telles coquetteries. On comprend le dégoût de la petite fille pour les livres de classe qui, sans doute, l'ont astreinte à ces pénibles carreaux.

La voici posant entourée de deux petites amies, dans un jardin. Chacune d'elles tient un gros poupon à la tête dure, aux yeux de verre et au corps mou de tissu. Ces poupons ont des bavoirs brodés autour du cou, les petites filles essaient bravement de ressembler à des mamans en miniature. Elles portent le même cardigan de laine sombre à gros boutons, à col blanc, et des jupes plissées qui laissent apercevoir des genoux ronds. Toutes les trois tentent de sourire pour le photographe, mais seule Brigitte sait poser et l'éclat de ses yeux apparaît derrière celui des lunettes aux verres bombés. Malheureusement, le sourire s'ouvre sur des dents qui avancent.

Comme si les lunettes n'étaient pas une indignité suffisante, elle devra en plus porter un appareil dentaire. Quelle chose pénible pour une enfant obsédée de beauté ! En 1974, elle confie à *Ciné-Revue* cette anecdote : « Je me souviens parfaitement de ce jour où une amie de ma mère, une très jolie dame, est venue chez nous prendre le thé. J'avais dix ans à l'époque et je fus appelée dans le salon pour présenter mes respects et pour répondre aux habituelles questions au sujet de mes cours de danse et des choses du genre. Je la regardais et elle était si belle que je ne pouvais détacher mon regard d'elle. Soudain, je me suis retournée et j'ai couru dans ma chambre pour me regarder dans mon miroir. Là, je me suis dit : "Brigitte, tu es affreuse !"

« Je me regardai à nouveau : je portais un appareil pour redresser mes dents (depuis trois ans) et des lunettes pour corriger mon strabisme. Je me suis jetée sur mon lit et j'ai pleuré. J'étais tranquille comme une morte. Tout ce que j'entendais, c'était mes sanglots. Je m'interrogeais si sottement que, finalement, je me suis fâchée. Je me suis levée, j'ai lavé mon visage et suis revenue devant le miroir. Alors j'ai dit : "O.K., tu es affreuse et tu le resteras. C'est une chose que tu dois bien te mettre en tête. D'un autre côté, tu dois te montrer amusante, agréable et gentille pour compenser le fait que tu es moche." »

Il n'est pas inhabituel, dans les biographies d'actrices célèbres et de sex-symboles, de trouver des affirmations de ce genre : « Enfant, j'étais affreuse. » L'actrice Liv Ullmann, le mannequin vedette Twiggy, la starlette Britt Ekland, parmi d'autres, l'ont affirmé, photos terribles à l'appui. Ce phénomène apparemment étonnant s'explique de deux façons : d'abord par la volonté farouche de compenser des faiblesses qui transforme des gringalets en monsieur Muscle, des timides en acteurs et des méchants garnements en curés. D'autre part la grande beauté en herbe est déjà hors norme. Au milieu des petites camarades, ces filles semblent souvent trop grandes, trop maigres, trop... quelque chose, on ne sait pas bien quoi.

Brigitte ne peut comprendre alors que les défauts font la personnalité d'un visage. Si elle se trouve laide à en pleurer, cela n'a rien d'étonnant : bien des petites filles se trouvent laides à cet âge, surtout lorsqu'elles ont une mère très belle, très féminine, qu'elles désespèrent d'égaler un jour. Et Brigitte n'est pas comme les autres petites filles, elle veut passionnément être belle. A l'âge où d'autres pensent à leur collection de timbres et aux tartines du goûter, Brigitte pense à plaire, elle réfléchit à des stratégies. Comme il est fréquent chez ceux qui savent triompher de la vie, elle fera de ses faiblesses des armes.

« Tu dois te montrer amusante, agréable et gentille »,

pense-t-elle. De ce jour-là vont commencer à se forger ces traits de caractère que ceux qui l'ont connue ne cesseront de vanter : la simplicité dont elle ne se départira jamais, une gentillesse étonnante et ce côté clown qui fera d'elle la comédienne pleine de drôlerie dont les reparties conquerront les journalistes du monde entier. Ce sera un atout extraordinairement précieux. A l'époque de la femme objet, du « Sois belle et tais-toi », Brigitte ne se taira pas. Les autres actrices des années cinquante ne sont souvent que des corps et des visages. Brigitte, elle, est une personnalité.

« Je suis un caméléon », dit-elle. C'est une des qualités premières d'une actrice. Dès l'enfance, elle est caméléon. Ou plutôt, double. La Brigitte « laide », c'est l'écolière et la petite ménagère. Mais dès cet âge, elle sait se métamorphoser. La Brigitte ballerine n'a pas de lunettes. On ne remarque pas ses dents en avant, son sourire grave et tendre ne laisse pas voir d'appareil dentaire. Au cours de danse, Brigitte n'est pas perdue parmi les autres enfants. Elle est déjà la première. Pas seulement parce qu'elle est douée, mais parce que c'est l'endroit où son charme éclate.

Pendant les vacances, Marcelle Bourgat organise un stage d'été dans une grande maison des environs de Paris. Cela permet aux meilleures élèves de ne pas perdre la main — et le pied — pendant une longue interruption défavorable aux danseuses. Brigitte est de ces séjours qui sont un peu comme des fêtes. La voici devant la maison, avec une dizaine de camarades. Certaines sont disposées sur les marches du perron, le pied dans la main, appuyées à la rampe de fer forgé qui sert de barre. D'autres, plus bas, se donnent la main. Brigitte, bien sûr, est au premier plan, elle a le sourire épuré des danseuses. Une ballerine sourit même dans la souffrance et la difficulté. C'est un atout important pour plus tard.

Une autre photographie montre Brigitte en arabesque, sur le piano à queue qui servait alors à l'accompagnement, entourée de six camarades qui la regardent. Sur la photo, une autre petite fille qui deviendra célèbre : Cécile Aubry. Assise sur une chaise, elle lui tient la main. Aujourd'hui, Cécile Aubry se souvient : « Elle était très mince, incroyablement gracieuse, absolument ravissante. »

A la fin de chaque année, Marcelle Bourgat organise une

fête au cours de laquelle ses élèves en costume dansent sur scène, pour le plaisir des parents et des amis. Les plus douées, bien sûr, ont les premiers rôles et peuvent se croire, l'espace d'un soir, de vraies ballerines. « Une année, dit Cécile Aubry, nous avons dansé toutes les deux dans une même chorégraphie. Il s'agissait de *L'Amour et Psyché*. J'étais Psyché, elle était l'Amour. »

Elle était déjà l'Amour...

Lorsque Brigitte revient au cours Bourgat, pour la préparation de l'émission d'Alain Bougrain-Dubourg, elle se souvient du piano sur lequel elle a posé : « La première chose qu'elle a dit, raconte Claude Bourgat, c'est : "Où est le piano ?" Et puis elle a ajouté : "Vous savez, je vais peut-être devenir professeur de danse..." »

C'est une ambition qui remonte à loin. Très vite, elle a pensé vivre pour la danse, devenir professionnelle. Mais la formation dispensée par le cours Bourgat n'est pas suffisante.

Après y avoir décroché un premier prix, Brigitte, à treize ans, quitte le cours pour entrer au Conservatoire national de danse. Elle veut devenir une grande danseuse. Ses parents, qui la voient virevolter le dimanche, en jupe plissée, au-dessus des plates-bandes du jardin de Louveciennes, décident de la laisser vivre son rêve. Son père pense qu'elle touche à tout mais ne fait rien de vraiment sérieux. Cela paraît convenir à l'idée qu'il se fait d'une jeune fille. Dans quelques années, pense-t-il, le mariage avec un jeune homme sorti d'une grande école y mettra bon ordre. La mère, davantage complice, entrevoit néanmoins pour sa fille une destinée semblable à la sienne : un jour, finis les entrechats, tout deviendra sérieux. Mais en attendant, la dure école de la danse lui apprendra la discipline et l'abnégation, ce « savoir prendre sur soi » et « toujours faire bonne figure » qui sont une partie essentielle de la panoplie de la parfaite maîtresse de maison.

Le 27 octobre 1947, elle est donc admise au Conservatoire, dans la classe de Jeanne Schwartz. Brigitte a l'impression que les années noires sont derrière elle, puisqu'elle va pouvoir faire ce qu'elle aime le plus au monde.

La famille Bardot a traversé la guerre sans encombre. Pourtant, Brigitte est marquée, comme tous ceux de sa génération, par l'atmosphère sinistre de la France sous l'occupation. Elle dit n'avoir eu qu'une seule poupée, une malheureuse qu'elle n'aimait pas beaucoup et qu'elle appelait « la tondue » parce que, à la fin de la guerre, elle avait été frappée par le traitement infligé aux femmes ayant « collaboré avec l'ennemi ».

Brigitte a été terrifiée par les alertes, les brusques descentes de la famille dans la cave, l'attente du bruit effrayant des avions, de l'explosion lointaine qui signifie que, cette fois encore, on a la chance de s'en sortir vivant. Elle attribuera une légère claustrophobie, dont elle ne pourra jamais se débarrasser, à cette période.

Nous avons tous connu des terreurs enfantines, la crainte des monstres qui rôdent dans l'appartement plein d'ombres alors que les parents dorment ou sont sortis. Et nous gardons tous, à l'âge adulte, quelques restes d'enfance qui nous mènent à adopter des conduites absurdes aux yeux des étrangers. C'est encore plus vrai pour Brigitte, si marquée par ses premières années. Au début de son mariage avec Vadim, alors que celui-ci, jeune reporter, devra parfois s'absenter tard dans la soirée, il offrira à sa jeune épouse un chien pour lui tenir compagnie et la protéger de ces cauchemars éveillés.

Dès 1948, elle obtient un premier accessit au Conservatoire, ce qui est inhabituel : il est d'usage de décrocher d'abord un second accessit. De cette preuve d'excellence, elle se déclare très fière encore aujourd'hui. Elle est donc la meilleure de sa classe au Conservatoire, comme au cours Bourgat.

La nièce de Jeanne Schwartz, qui dansait elle aussi, se souvient : « Brigitte allait souvent voir des ballets, accompagnée de son père. Le père et la fille semblaient très proches. » M. Bardot sort sa fille, très fier sans doute de sa jeune beauté...

Brigitte progresse, elle quitte la classe de Jeanne Schwartz. Elle travaille maintenant avec Boris Kniazeff. Folle de joie, elle voit s'entrouvrir pour de bon les portes du monde de la danse. Boris Kniazeff est un danseur célèbre, il n'enseigne qu'à l'élite. Émigré, il représente la grande école russe du ballet qui, pour des raisons de conjoncture politique, a dans la première moitié du siècle influencé la danse en France. Il est jeune et a la séduction puissante, animale et romantique des danseurs, avec en plus le charme slave, les mèches sombres, les hautes pommettes.

Tous les espoirs semblent permis. Et pourtant...

Dans les archives du Conservatoire national de danse, la fiche consacrée à Brigitte Bardot porte bien mention du premier accessit de 1948. Cependant, en face de l'année 1949, on ne trouve que la mention « a concouru », et à la date du 30 septembre 1950, ce mot : « rayée ».

Que s'est-il passé ? Plusieurs facteurs semblent avoir contribué à détruire les espoirs de Brigitte.

D'abord, elle grandit... Et grandit... Et grandit. Sur les photos datant de l'époque du Conservatoire, elle a perdu la grâce tremblante et le charme gauche de l'époque du cours Bourgat. En même temps, elle affirme son goût pour les tenues spectaculaires. Quand ce n'est pas l'ample tutu romantique, elle affectionne les maillots noirs qui lui donnent, déjà, le charme troublant d'une femme, et elle sait mettre en valeur la finesse de sa taille par une ceinture aux lacets apparents. Ses cheveux ont poussé, elle ne porte pas le sévère chignon tiré de la ballerine classique mais une coiffure dont les bandeaux, en venant encadrer le visage, ombrer les joues, l'adoucissent. Elle a déjà compris l'importance de ses cheveux dans l'arsenal de sa beauté. Dressée sur ses pointes, montrant une ravissante ligne de bras, ou bien nouant le ruban de son chausson dans une pose qui met en valeur un beau cou-de-pied de danseuse, elle fait une ballerine superbe. On la dirait plus âgée qu'elle ne l'est.

Ensuite, Brigitte s'étoffe très vite. Si les hanches et les jambes restent très minces — « elle a des hanches de jeune garçon », dit Serge Gainsbourg — la poitrine prend de l'ampleur. Et ce qui est ravissant dans la vie ou au cinéma, cette partie de son anatomie que les photographes et les metteurs en scène prendront bientôt tant de plaisir à cadrer, est un inconvénient pour une ballerine.

Enfin, Brigitte a le trac. Un trac terrible qui lui laisse les jambes flageolantes.

Elle se produit pourtant sur scène, devant un public. La première fois, c'est dans la petite ville de Fougères, en Ille-et-Vilaine. Ce n'est pas un début très glorieux, mais c'est un début quand même. « Le public, c'était vraiment Plouc and

Co, dit-elle dans *Telle quelle*. Mais le public, c'est quelque chose de merveilleux quel qu'il soit... »

A Fougères, elle n'est encore qu'une enfant, mais elle ressent immédiatement le double effet de la présence d'un public — pile, la peur, face, le bonheur — qui va lui poser un problème tout au long de sa carrière.

Le regard des autres

Certains artistes, après le baptême du feu que constitue la première apparition, parviennent à maîtriser leur trac. La terreur ne les quitte pas. Année après année, succès après succès, ils retrouvent ces membres tremblants, cette gorge sèche, ces suées, mais ils dominent leur panique, dès qu'ils sont sur scène. Ils en gardent le positif : les nerfs sollicités, ébranlés, permettent de jouer sur les émotions, ces émotions qui touchent le public et qui déclenchent son amour. Pour d'autres, au contraire, le trac ne se surmonte pas, l'épreuve reste toujours terrible. Et Brigitte est de ceux-là, elle le comprendra très vite.

Une nouvelle occasion de monter sur scène se présente. Une vraie, professionnelle, devant des gens sophistiqués et qui s'y connaissent, et non plus des parents et amis attendris comme lors des fêtes de fin d'année.

Pour la première fois, elle s'éloigne des limites autorisées à une jeune fille de son milieu lorsque, à quatorze ans, elle participe à la croisière du paquebot *De Grasse*, qui emmène en Méditerranée, jusqu'aux côtes portugaises, un public cossu et policé. On n'a pas encore l'habitude de prendre l'avion sur de longues distances. On sait prendre son temps, et les soirées au clair de lune, avec pour accompagnement musical le clapotis des vagues ou les rythmes de fox-trot d'un orchestre en smoking, allient le chic au romantisme.

L'organisateur de la croisière est un ami de la famille Bardot. M. Tarbès s'occupe d'industries de luxe. Directeur des parfums Carven, il a introduit en France la tradition du bal des débutantes qui va devenir, comme outre-Manche, une institution, avec Jacques Chazot et son invention du personnage de Marie-Chantal. Car Brigitte, contrairement à tant de jeunes filles qui se lanceront dans le cinéma, a deux atouts très importants : de l'argent et des relations.

Si M. et Mme Bardot ont un excellent carnet d'adresses, ils ne le doivent pas à leur situation ; celle-ci, comme d'ailleurs leur fortune, est enviable et pas davantage. Mais le couple a du charme, de la vivacité, de l'allure. Les parents de Brigitte prennent leurs vacances en famille, à La Baule, à Méribel ou à Saint-Tropez — où ils s'installent, devançant les masses, en même temps que la bande de happy few qui y mène gentiment joyeuse vie. C'est quand même moins cher que Cannes et Monte-Carlo, et, en plus, on y trouve cette existence à la fois simple et correcte, bohème, artiste et bon enfant qu'ils affectionnent. Brigitte, contrairement à la légende, n'a pas découvert Saint-Tropez : Saint-Tropez fait partie de l'héritage familial.

Lorsque Pierre-André Tarbès voit Brigitte, un jour qu'il est en visite chez ses parents, il est frappé par son allure. « Elle n'avait rien de scandaleux, dit-il, c'était une petite jeune fille de bonne famille, très "Passy", délicieusement bien élevée. Malgré sa timidité et sa réserve, elle était si charmante qu'elle semblait incarner le parfait symbole de la jeune fille de l'époque. J'ai tout de suite pressenti qu'elle deviendrait quelque chose : je n'ai pas pensé au cinéma, plutôt à la mode. Peut-être deviendrait-elle mannequin ?

« A cette époque, je m'occupais de fêtes, de galas, de relations publiques. Il fallait des idées pour distraire les gens le soir. Comme je savais qu'elle faisait de la danse, j'ai trouvé amusant de l'emmener en croisière. Ses parents ont été un peu surpris, mais ils savaient que l'atmosphère d'une croisière était tout ce qu'il y a de convenable, et puis ma présence garantissait que les choses se passeraient bien. »

Brigitte est ravie de cette idée : elle gagnera quarante mille anciens francs pour sa participation, ce qui lui semble un pactole. Elle se jette fiévreusement dans les préparatifs : il lui faut mettre au point des chorégraphies et des costumes, car elle est décidée à présenter de véritables petits numéros. Elle est à la fois chorégraphe, metteur en scène et costumière de son spectacle. Elle montre alors, pour la première fois, sa capacité de faire beaucoup d'effet avec des matériaux très simples. Elle qui remplacera bientôt la mode riche de l'après-guerre par une autre fondée sur la simplicité — vichy, foulard et ballerines — prend plaisir à aller acheter des objets de pacotille, à trouver des jouets d'enfant qui lui serviront d'accessoires afin de se costumer en page ou en petit tambour.

Elle veut que tout soit parfait, d'autant que M. Tarbès s'est livré, afin de pouvoir l'engager, à une innocente supercherie. Personne ne connaît cette demoiselle Bardot, il faut donc lui inventer un *curriculum vitae*.

Elle partagera l'affiche avec Capucine, le célèbre mannequin, et un prestidigitateur chevronné. Toute charmante soit-elle, une collégienne ne fait pas le poids. Brigitte se trouve bombardée danseuse étoile d'une compagnie imaginaire...

A son arrivée sur le bateau, Brigitte est partagée entre l'excitation et la panique. Heureusement, elle se sent très vite dans une ambiance amicale. Elle partage sa cabine avec Capucine, qui se prend tout de suite de sympathie pour l'étoile en herbe. Les circonstances favorisent le rapprochement : entre la garde-robe de Capucine et les costumes de Brigitte, il y a à peine la place de bouger...

Au moment d'entrer sur scène, le trac reprend Brigitte. Elle ne peut se permettre de perdre la face et de voir son rêve s'écrouler. Elle doit danser, et elle danse. Mais à la peur qui fait flageoler ses jambes, s'ajoutent les mouvements du bateau : c'est terrible. Et puis elle doit faire des pointes sur la piste qui sert d'habitude aux tangos et aux rumbas. Le parquet est prévu pour des chaussures de ville, il est ciré et glissant. Brigitte trouve un truc : elle colle du caoutchouc sous ses chaussons pour éviter de déraper. Elle est mal à l'aise cependant, ses costumes et son sourire sont plus applaudis que ses efforts chorégraphiques.

Mme A., qui faisait cette année-là la croisière en compagnie de son mari et qui eut sans le savoir le privilège de voir une débutante qui allait faire fantasmer le monde, raconte : « La petite Bardot... Oui, elle était là... Enfin, on ne peut pas dire qu'elle était extraordinaire, hein, franchement... Elle était mignonne, oui, d'accord, très mignonne, un petit

minois... Mais alors la danse, ça n'avait rien de sensation-
nel ! »

Pourtant, si l'on considère les circonstances, la « future
vedette » s'en est bien sortie. Si les dames « se demandent ce
qu'on peut bien lui trouver, à cette gamine », auprès des
hommes, elle fait un vrai tabac. Ils lui pardonnent volontiers
de déraper un peu et de manquer à l'occasion un entrechat.
Les soirs où elle ne doit pas se produire, Brigitte a le plus
grand succès sur la piste de danse du *De Grasse*, pour des
évolutions moins acrobatiques.

Sortie du cours Hattemer, de la sévérité familiale et des
lunettes, elle commence à entrevoir ce qu'elle est, ce qu'elle
veut. Elle a découvert, sur le *De Grasse*, que la danse n'est pas
la seule voie d'échappée possible. La danse s'est-elle lassée
d'elle ou s'est-elle lassée de la danse ? Il y a sans doute un peu
des deux. Ses études au Conservatoire ne se terminent pas
par un triomphe. Elle pressent qu'elle n'a pas un talent assez
éclatant pour devenir une étoile ; elle n'a pas non plus envie
de travailler d'arrache-pied. Cela exigerait d'elle un renonce-
ment à la vie, à tous les espoirs fous, indécis, qui s'ouvrent à
son âge et à sa beauté ; elle n'en a ni le courage, ni le désir.
A-t-elle compris, sur le bateau, que c'était son sourire qui
plaisait, l'éclat de son regard, et davantage encore, son propre désir de plaire ?

Brigitte a participé au traditionnel concours de bal masqué qui clôt ce type de voyage maritime, et elle a gagné le
grand prix. La croisière passant par le Portugal, on a eu l'idée
de reconstituer un tableau représentant des pêcheurs. Aymar
Achille-Fould tire un filet avec des poissons, et BB, en petite
sirène, ne peut manquer d'attirer les suffrages. Les passagers
du *De Grasse*, admirent, ce soir-là, une jeune fille à la mode,
chaperonnée par Capucine qui se conduit comme une grande
sœur. Le costume de sirène, enveloppant — la morale est
sauve —, moule les lignes d'un corps encore très juvénile
mais déjà ensorcelant, révèle les membres étirés par la
danse. Pour la première fois, Brigitte apparaît, telle Vénus,
sortant des eaux. Elle affectionnera toujours ces poses mouillées, l'érotisme naturel, paradoxe qui la définit très bien.

M. Tarbès se dit que son intuition s'est montrée juste
au-delà de toute espérance : « Sur le bateau, tout tournait
autour de Brigitte. J'ai vite réalisé l'ampleur du phénomène.

Elle était la jeune reine de la croisière. Les hommes mariés rêvaient de l'inviter à danser, leurs femmes étaient jalouses. »

M. Bardot avait raison d'avoir peur pour sa fille : après la croisière, Brigitte est lancée. Plus encore que cette petite notoriété, c'est le changement qui s'est produit en elle qui importe. Elle ne peut plus désormais se contenter de souhaiter la gloire lointaine, incertaine et si chèrement payée d'une ballerine. A-t-elle, comme beaucoup de jeunes filles, rêvé de son professeur Boris Kniazeff, le beau jeune homme russe à la chevelure sombre qui fut son premier mentor et préfigure dans sa vie un autre Russe, Vadim ? S'est-elle détachée de lui comme toutes les jeunes filles un jour se détachent de leur professeur, parce qu'elles découvrent qu'il n'est que cela : un professeur ? Ou bien n'a-t-elle vu en lui que le premier qui pouvait la guider vers la gloire ? Pourtant, celui qui fut un des plus prestigieux professeurs de danse du monde, et qui a formé les meilleures ballerines de l'époque lui répétait, lui aussi, qu'elle était la plus belle, la plus douée, qu'elle serait la plus grande, qu'elle surpasserait Chauviré. Avec cet instinct de Pygmalion que Brigitte sait éveiller chez les hommes, il lui dit : « Je veux faire de toi ma plus belle création. » Était-il trop exigeant ? Être cette création-là interdisait à Brigitte bien d'autres plaisirs que la vie allait lui offrir. Son assiduité aux cours de danse diminue, son enthousiasme se relâche.

« Il n'y a pas de vacances pour les danseurs », dira-t-elle plus tard. Et sur le *De Grasse*, elle a passé d'enivrantes vacances. Elle n'a pas besoin d'être une danseuse, il lui suffit d'être un personnage. Elle est un personnage.

Lorsqu'elle débarque du *De Grasse*, Brigitte est triomphante. Il n'y a pas encore une horde de journalistes à se bousculer et à se marcher sur les pieds tous objectifs braqués, mais elle fait beaucoup parler d'elle. Elle est invitée à se produire à la kermesse aux Étoiles qui a lieu chaque année aux Tuileries, et qui est également organisé par Pierre-André Tarbès. C'est une manifestation publicitaire très populaire à laquelle se rendent des milliers de visiteurs. Un pont d'argent surplombe les Tuileries ; des acteurs y passent, bien en vue de la foule qui souhaite, avant l'ère de la télévision, voir ses vedettes « en vrai ». Celles-ci parviennent jusqu'à un piédestal où elles dédicacent leurs photos pour les « fans ». Les plus grands acteurs du monde sont présents. Brigitte est là, invitée comme une sorte de starlette avant la lettre : elle n'a pas encore tourné...

De retour rue de la Pompe, Brigitte sait que le cours Hattemer, c'est fini, et que le Conservatoire de danse, ce n'est plus tout à fait ça non plus. Mijanou, elle, continue ses études et navigue en eaux calmes vers le bachot. Brigitte cherche un nouveau bateau pour une autre croisière. Une dernière fois, sa mère va la mettre sur la voie. Car celle-ci s'ennuie. Ses filles grandissent, elles ne requièrent plus son entière attention. Elle a le goût de l'élégance, de la beauté, et trouve grand plaisir à s'habiller, à paraître. Elle ne s'habille pas d'un « rien », comme le fera Brigitte ; le temps n'en est pas venu, et ses choix sont plus conservateurs que ceux de sa fille. Elle s'intéresse beaucoup à la mode, elle est une habituée des collections. De plus, elle a eu l'occasion, dans la sphère domestique, de faire la preuve de ses dons de couturière. Dans son milieu, les femmes commencent à travailler ; enfin, quelques-unes commencent, mais les Bardot sont toujours à l'avant-garde. Elle décide de créer une maison de couture.

Avec son sens bourgeois de l'économie et de la mesure, elle se lance avec prudence. La publicité se réduit à des cartes de visite et au bouche à oreille des amies. Mme Bardot effectue à la demande des modèles très proches de ceux des couturiers.

C'est typique de l'époque, où les femmes, après avoir vu les photos des collections dans les magazines féminins, vont demander à une « petite couturière » de les adapter pour elles. Mais Mme Bardot a aussi ses propres idées sur la mode. Elle se spécialise dans la confection de la robe de débutante. Jeunes filles souriantes et gauches se rendant à leur premier bal, frissonnant d'appréhension et d'espoir dans l'air du soir, au seuil de la vie : sans doute Mme Bardot pense à Brigitte, à sa fille qui partira bientôt au bras de son premier cavalier. Elle veut que, pour elle, l'entrée dans la féminité soit parfaite. Et Brigitte, rêveuse, au milieu des étoffes, parmi ce désordre mystérieux et charmant qu'est un atelier de couture, drape un modèle devant elle pour voir comment ça lui irait, comment ça lui ira bientôt.

M. Bardot, lui, n'est pas absolument ravi de ce branle-bas de combat. Il ne croit pas trop à la réussite financière de sa femme, et d'ailleurs ils n'ont pas besoin de ça. Et puis, il préfère l'avoir toute à lui. Mais il laisse faire. Il ne faut pas être trop autoritaire avec les femmes, il faut les laisser admettre leurs erreurs elles-mêmes. Bientôt, tout rentrera dans l'ordre, la vie reprendra son cours tranquille.

Il n'a pas tort. Ce n'est pas que Mme Bardot manque de clientes, au contraire. Elle serait plutôt débordée. Mais elle se fatigue. Elle a joué à la couture comme elle avait, plus jeune, joué à la danse. Elle a montré aux autres et à elle-même qu'elle pouvait, si elle voulait. Elle a rêvé d'aventure, d'autonomie, mais elle se rend compte qu'après tout la vraie vie pour elle, c'est le foyer.

En 1950, Anne-Marie Bardot, fatiguée de tout mener de front, arrête son entreprise pour raison de santé. Elle continue à habiller Brigitte, dans de larges et amples jupes à la taille étranglée et des chemisiers à col haut, imités du new-look Dior, qui sont la marque des années d'après-guerre. Brigitte sait faire valoir un vêtement, habiter une robe, l'animer. Tout sur elle prend de l'allure et de la valeur : Brigitte sera mannequin.

Mannequin junior

Ce n'est que dans les années soixante qu'il deviendra de bon ton pour les jeunes filles d'être mannequin. La profession n'est pas encore soumise aux caprices pervers style *Blow-up* des photographes de mode. A cette époque, le milieu de la mode est beaucoup plus convenable et guindé qu'aujourd'hui. C'est un petit monde où chacun se connaît. Les directrices des maisons de couture couvent les « petites » qui travaillent chez elles comme mannequins-cabine, c'est-à-dire passent des robes et font trois pas au gré des clientes qui souhaitent se rendre compte de l'allure d'un modèle ou font des défilés de gala, allant et venant élégamment sur une plate-forme.

34

L'un des amis de Mme Bardot est Jean Barthet, dont les célèbres chapeaux coiffent le Tout-Paris. La mode est aux « bibis », petites conques brillantes épousant la forme du crâne, coquinement penchées sur le côté, qui donnent l'impression que les dames sont coiffées d'un coquillage, ce qui va très bien avec le genre « petite sirène » de Brigitte. Elle adore les chapeaux, plus tard elle se fera photographier sous une multitude de couvre-chefs, souvent de proportions impressionnantes. Les cheveux de Brigitte, alors courts et bruns, s'adaptent parfaitement au port du chapeau. La danse lui a donné cet art de marcher très droite, d'allonger le cou et de baisser les épaules, qui met en valeur un chapeau. Elle pourrait être porteuse d'eau, la jarre tiendrait. A plus forte raison le couvre-chef...

Jean Barthet n'est pas particulièrement émerveillé par cette petite personne très gamine. Brigitte lui semble gauche, presque empruntée. Sa timidité saute aux yeux. Elle n'ose pas regarder le célèbre modiste en face. Mais Mme Bardot a une idée : pourquoi faire un défilé guindé de plus, pendant lequel les dames du monde bâilleront discrètement ? Brigitte ne marchera pas sur la plate-forme, les chapeaux de Jean Barthet sur la tête, elle dansera.

C'est une idée révolutionnaire. Elle sera reprise, beaucoup plus tard, par des grands de la mode. Jean Barthet, sans doute par amitié, accepte. Il veut bien donner sa chance à cette petite fille.

Et la petite fille défile en dansant sur la musique du *Lac des cygnes*. Les chapeaux portent des noms de pas du ballet. Il n'est pas surprenant que Jean Barthet ait hésité à reconnaître le potentiel de Brigitte. La mode de l'époque est à la femme-femme, sophistiquée, sûre d'elle. Le style « Joan Crawford » est encore au goût du jour.

Brigitte, avec ses chaussettes, sa raie sage sur le côté, son air de gamine boudeuse qui voudrait retourner jouer à la balançoire, n'a rien à voir avec une mode à chapeaux, des chapeaux raffinés pour Parisiennes dans le coup, soirées à l'Opéra, week-ends à Deauville ou au Touquet avec petit chien pomponné. C'est pour cette raison que Mme Bardot a insisté sur un défilé dansé. Elle sait que Brigitte, en marchant, ne ferait pas le poids devant des mannequins belle plante du genre de Capucine. En revanche, lorsque sa fille bouge, elle est transfigurée.

Le défilé Barthet n'est pas qu'un épisode sans lendemain. Brigitte devient le petit mannequin vedette de la maison de couture Virginie Jeune Fille. Comme son nom l'indique, cette maison, très connue à l'époque, habille les jeunes filles dans un style seizième arrondissement. Elle représente quelque chose de conservateur et de très nouveau à la fois. Jusqu'alors, on habillait les jeunes filles dans le style pensionnaire. Lorsqu'elles commençaient à sortir, c'était dans des tenues coupées sur le modèle de celles de leur mère, en plus austère et simple. Virginie, va contribuer à lancer ce qu'on appelle la mode junior ou « collège ». Cette mode tranche sur ce qui s'est fait précédemment : loin de considérer la jeune fille comme une ébauche mal dégrossie de sa mère, elle cherche au contraire à mettre en valeur un type de beauté et de charme particulier à cet âge. Les vêtements seront moins habillés, plus « sport » — le mot fait mouche — la robe le cède à l'ensemble jupe-chemisier, tricot ou petite veste pour la journée. Ce qui apparaissait comme négatif à Jean Barthet est un atout pour Brigitte chez Virginie. On ne veut pas effrayer les mères en proposant à leurs filles une mode qui les ferait grandir et s'émanciper dangereusement.

Chez Virginie, Brigitte est en terrain de connaissance : il s'agit toujours des amis de la famille Bardot. Rapidement, Pierre-André Tarbès, qui suit sa protégée et la trouve parfaite en mannequin junior, lui propose de symboliser « Ma Griffe », l'essence « jeune » et « verte » des parfums Carven, dont il est le directeur.

Mme Bardot joue de son entregent pour aider à la carrière de sa fille. Elle est proche d'une rédactrice du *Jardin des Modes*, l'arbitre des élégances pour les jeunes femmes comme il faut. Mme de la Villehuchet est une parente. Mensuel, le *Jardin des Modes* édite des patrons connus pour leur infaillibilité. Brigitte pose en couverture. Encore une fois, M. Bardot est réticent. C'est là un pas de plus qui éloignera Brigitte de la vie tranquille et familiale qu'il souhaite pour elle. Mais Mme Bardot est enthousiaste. Le conseil de famille, réuni pour l'occasion, décide de la laisser faire.

C'est à l'aurore de cette carrière de cover-girl qu'apparaissent les fameuses initiales BB. M. Bardot ne souhaite pas que le nom de la famille soit galvaudé, ni rendu public. Qu'à cela ne tienne, réplique Mme Bardot. BB, c'est très bien.

Les photos du *Jardin des Modes* sont extrêmement sages. Brigitte porte une robe aux tons éteints, à double rangée de boutons, qui semble avoir été retaillée dans un vêtement de sa mère. Les cheveux châtains, sagement, ont été coupés « en page ». Elle baisse les yeux, et fixe un sac de dame trop grand pour elle, qu'elle serre sur son ventre comme pour le dissimuler. Elle s'enhardit, elle est déjà elle-même sur un autre portrait qui la représente toujours de biais, vêtue d'une grosse veste de laine claire à grand col, un foulard noué au cou. Elle enlève d'une main gantée des lunettes de soleil rectangulaires, très fifties, et éclate d'un rire franc. Elle porte là cette mode sportive, décontractée, qui lui va vraiment, qui fera son style.

Une carrière de mannequin dans les catalogues de patrons *Modes et Tricots*, ce n'est pas très glorieux. Pourtant, Brigitte est remarquée par Hélène Lazareff, qui dirige le magazine *Elle*. Hélène Lazareff est la grande figure de la presse féminine en France qui va conseiller et faire évoluer les femmes. Il s'agit de leur apprendre, particulièrement, comment s'habiller, se tenir. Un processus de démocratisation de l'élégance et de la séduction se met en route.

Contrairement au *Jardin des Modes*, magazine élégant mais conservateur, *Elle* a déjà une image de pointe qui s'accentuera au long des années cinquante. D'une audience plus large, représentant la mode française auprès des observateurs étrangers, c'est un sérieux coup de pouce pour un mannequin lorsque le journal décide de lui consacrer une couverture. Brigitte, jeune fille modèle, ne se trouvera pas transformée en femme fatale d'un coup de la baguette magique d'Hélène Lazareff. D'abord, les Bardot, toujours méfiants, ont demandé des garanties. Ensuite, le journal a très bien su reconnaître le potentiel de la jeune personne. En couverture de *Elle*, notre Brigitte, toujours mannequin junior, est photographiée au second plan, à demi dissimulée par une dame à l'air sévère et au nez pointu. Fille de devoir, Brigitte, derrière celle qui figure la mère, est prise dans une pose jumelle, tenant une tasse de porcelaine qu'on imagine remplie de thé, le mouvement arrêté dans le geste de boire.

Elle tend le cou, mue par une curiosité de gamine et semble dire : « Regardez, moi aussi, je suis là ! »

Par contraste avec la coiffure austère et laide de la dame, Brigitte porte ses cheveux relevés en une sorte de petit chignon fort sage mais orné d'un large nœud de velours redressé en deux ailes, comme prêt à s'envoler. Le nœud de velours, lui aussi, est un accessoire de la mode jeune fille, mais il accentue l'éclat malicieux du regard, et, avec le nez qui se plisse, donne au modèle un air coquin.

La mode junior n'est encore qu'une variante de la mode féminine tout court. Il faudra attendre quinze ans pour voir la mini-jupe et une mode de jeunes déferler sur toutes les boutiques. Alors, on assistera à un renversement. Ce sont les mères qui devront porter des versions un peu plus sages des vêtements taillés pour leurs filles, et s'y adapter au risque du ridicule.

Aujourd'hui, les années ont brouillé les pistes. On a tendance à penser que la mode « teenage » nous est venue d'Amérique. Mais c'est le contraire qui s'est produit. Ce n'est qu'en 1956 que Caroll Baker, suçant son pouce dans un lit-cage pour enfant, lancera la mode « baby-doll ». Le phénomène éclatera d'abord en France avec Bardot, et Bardot influencera le cinéma américain ; elle sera, outre-Atlantique, la plus fascinante des femmes-enfants. L'Amérique, offrant une fois de plus au monde un miroir grossissant, révèlera l'ampleur du phénomène, l'imitera, le magnifiera, et nous le renverra, par un effet de boomerang, sous la forme de la mode teenage et des yéyés. Bien sûr, Bardot n'a pas inventé tout cela : elle a incarné à un moment donné de l'histoire le phénomène et a servi de révélateur à une mutation de société.

A toutes les étapes de la carrière de Brigitte, on trouve des images symboliques qui deviendront significatives à la lumière des événements. Brigitte Bardot deviendra un mythe, une légende, et un mythe, une légende, c'est précisément cela : un personnage, une histoire qui dépasse l'individu et l'instant, pour exprimer toute une époque.

Les années vingt, au sortir de la Grande Guerre, avaient vu les jupes raccourcir, les filles s'émanciper, et les jeunes gagner le droit de s'amuser d'une façon différente de leurs parents. La Dépression mit un terme à ces années folles. De même, au lendemain de la guerre de 1940, sitôt terminées les sombres années de la reconstruction et du rationnement, on vit éclater un frénétique désir de vie, de plaisir, de mouvement. Les adultes traînaient le poids des années de guerre, leur jeunesse à eux avait été assombrie par le nazisme et les massacres. Leur revanche devait s'exprimer par le truchement de leurs enfants. Ils avaient été floués par la vie et souhaitaient passionnément que leur progéniture, elle, échappe aux années noires. Comme devait le déclarer Mme Bardot, dans une interview réalisée par Paul Giannoli, à propos de ses deux filles adolescentes : « Elles ont toutes les deux la rage de l'indépendance, le besoin de secouer des contraintes alors qu'elles n'ont été contraintes par rien, si ce n'est par trop de sollicitude. Leur père les adore et leur cède toujours, leur grand-père de Louveciennes aussi. Vous comprenez, elles étaient enfants pendant la guerre. On avait peur qu'elles ne soient pas longtemps heureuses. Il fallait les gâter. Le pli étant pris, on a continué. Elles se sont affirmées par réaction. »

Par réaction : le mot est juste. On peut voir le phénomène Bardot comme une réaction populaire, d'ampleur étonnante, contre l'ombre persistante de la guerre. Il faut danser au milieu des ruines, aller très vite pour reconstruire le pays, faire du nouveau. Et, surtout, comme après toutes les guerres, se manifeste une gigantesque soif d'aimer, de s'aimer pour se consoler et pour oublier l'horreur.

Sur la couverture de *Elle*, on verra bientôt Brigitte seule, une Brigitte au visage toujours penché et photographié de trois quarts, aux cheveux en natte sage retenus par un nœud de velours noir. Mais cette fois, elle est vêtue de rouge vif, et ce rouge de flamme revient avec le quadruple rang du tour de cou, et surtout le rouge à lèvres violent qui dessine les courbes très sensuelles d'une bouche en cœur : une bouche qui appelle le baiser. Elle tient dans ses bras, tout contre elle, un grand bouquet de fleurs aux couleurs de la moisson. Tout enfant, elle a été photographiée serrant quelque chose dans ses bras, marquant une préférence pour les poses tendres. Ce qui étonne dans cette attitude, c'est le mélange d'enfantillage et de sensualité, d'innocence et de désir de séduire. Cette innocence est réelle : plus tard, Brigitte affirmera que ses parents l'ont laissée dans l'ignorance du fonctionnement de la sexualité. Son éducation s'était arrêtée au pollen et aux papillons. Ses compagnes de classe étaient, dit-elle, « trop gourdes » pour la renseigner, et elle-même n'avait pas une grande curiosité des faits terre à terre de la sexualité, qui sera pour elle toujours liée au sentiment.

Cette innocence, elle ne s'en départira qu'avec la rencontre d'un homme. Vadim, en permettant à Brigitte de devenir elle-même, va l'arracher à l'emprise de ses parents et plus particulièrement de sa mère. Tant que Mme Bardot continuera à être l'influence dominante, Brigitte continuera à ressembler non pas à BB, mais à un bébé. Elle est la poupée Brigitte, le substitut vivant du jouet maternel. Ce style junior qu'elle incarne, c'est Mme Bardot qui en est l'inspiratrice : « Mme Bardot imaginait les robes de sa fille, dit Pierre-André Tarbès. Ce n'était pas une petite fille qu'on emmenait dans une boutique et qu'on habillait. Elle n'était pas une copie, elle ne se contentait pas de suivre la mode ; elle la faisait. Elle était l'original, cette chose si rare et si remarquable. »

Si la carrière de mannequin de Brigitte, comme sa carrière de danseuse, tourne court, ce n'est pas seulement parce qu'on lui offrira mieux. Un mannequin est passif entre les mains des couturiers, des maquilleuses et des photographes. Or, Brigitte n'incarne pas les idées des autres, elle invente des idées et des façons d'être dans lesquelles les autres se reconnaîtront. Et puis, de même que Boris Kniazeff ne peut vraiment satisfaire le désir d'évasion de Brigitte parce qu'il ne représente la danse et que la danse, c'est le domaine de sa mère, de même, travaillant dans la couture, Brigitte reste sous influence. La petite indépendance que lui procurent des cachets gagnés si jeune n'a rien à voir avec l'indépendance véritable, celle de l'esprit et des désirs.

Brigitte n'a pas une vocation de mannequin. Toutefois, les séances de pose lui apportent ce qu'elle souhaite de toutes ses forces : une échappée hors de l'univers trop bien réglé, étouffant, que ses parents, avec la meilleure volonté du monde, lui ont construit.

Avec la couverture de *Elle*, celle que la presse appellera bientôt « la petite princesse des cover-girls » se voit déjà au firmament de la gloire. Assise dans l'autobus, elle regarde en face d'elle une dame qui feuillette le magazine. La Brigitte sur papier glacé sourit à la Brigitte de chair et d'os qui attend, le cœur battant, que la brave dame, levant le nez, ouvre des yeux étonnés et ravis. Mais rien ne se produit. La dame ne reconnaît pas dans la jolie gamine en chaussettes l'adolescente glamour de la couverture. « J'aurais voulu qu'elle me reconnaisse, bien sûr, raconte-t-elle dans *Telle quelle*. Ça m'aurait vraiment fait plaisir. Mais ça dure six mois... après, on en a marre, on en a marre... ou alors, on est un con ! »

La notoriété, comme on l'a parfois prétendu, n'est pas imposée par Vadim à une sauvageonne qui ne rêvait que de parties de campagne et d'un mariage tranquille. La gloire, elle la souhaite, même si, très rapidement, le revers de la médaille doit lui apparaître...

Première rencontre

Si la dame de l'autobus ne l'a pas reconnue, d'autres, en revanche, sont frappés par cette fameuse couverture dont Brigitte n'a pas tort d'attendre beaucoup. Pierre Braunberger, producteur important et connu pour son audace, remarque la nouvelle ingénue. Il montre la photo à Marc Allégret avec qui il est en relation de travail, et qui cherche un nouveau visage.

Marc Allégret, c'est une force dans le cinéma français, un des rares metteurs en scène capable de tourner des films dont la valeur artistique est jumelée aux succès au box-office. Comme beaucoup de réalisateurs, il aime « lancer » des inconnues, et il le fait avec un flair considérable. Simone Simon, Michèle Morgan et Jean-Pierre Aumont sont sortis de ses coups de poker. Mais cette fois, ce n'est pas pour son propre compte que Marc Allégret pense utiliser la jeune inconnue, mais pour illustrer le fantasme d'un autre jeune inconnu, Roger Plemmianikoff, alias Vadim.

Vadim se décrit lui-même tel qu'il était à l'époque dans ses *Mémoires du Diable*. On ne peut, apparemment, imaginer deux personnages aussi différents par leur origine, leur éducation et leurs expériences que Bardot et Vadim à l'époque de leur rencontre. Né en 1927, Vadim est le fils d'un émigré russe, officier de l'armée blanche et musicien qui, fuyant la Russie de la Révolution, épousa une Française et devint pianiste de bar, puis diplomate à Alexandrie. Deux scènes sexuelles semblent avoir marqué Vadim dans son enfance : une bonne musulmane qui, surprise sans son voile par Vadim et son père, se couvrit le visage de ses jupes, découvrant ainsi son sexe ; et une petite fille d'une douzaine d'années, nommée Sophie, que Vadim vit au même âge à Toulon, tuée par une bombe allemande, la moitié inférieure du corps dénudée à partir de la taille.

A Alexandrie, Vadim assista à des émeutes nationalistes dans les années trente, au cours desquelles des Européens furent crucifiés. Plus tard, son père l'emmena vivre en Turquie où il fut le témoin d'exécutions capitales, et fut kidnappé. De retour en France, son père mourut alors que Vadim avait dix ans. Ses conditions de vie furent précaires, il connut la faim. Il était, raconte-t-il dans un roman autobiographique, « un ange affamé ».

Cette existence difficile et colorée fut en fait une excellente préparation à la survie dans la jungle cinématographique. Dans un monde où rien n'est jamais sûr, où l'adulé du jour est l'oublié du lendemain, où les fortunes se font et se défont très rapidement et où le mode de vie se caractérise par l'irrégularité, il se trouve comme un poisson dans l'eau. Il n'a à peu près rien connu d'autre. Il sait que la vie est sans pitié, qu'il faut se battre très durement pour réussir.

Ses armes favorites sont la ténacité, le culot et le charme, surtout le charme, dont il n'hésite jamais à se servir. A l'époque où il rencontre Brigitte, Vadim ne mange pas toujours à sa faim. Cela accentue les ombres d'un visage aux yeux étroits et allongés, aux pommettes hautes, sur lequel la mélancolie slave se mêle à la vivacité parisienne.

En attendant de percer dans le monde du cinéma ou des lettres — Vadim pense d'abord à la littérature, et il écrit un roman que les commentaires d'André Gide le découragent de publier — l'aspect picaresque de son enfance fait de lui un personnage. Ses aventures exotiques fournissent d'excellents sujets de conversation dans une société qui lit *Aden Arabie*, vit dans le climat de la guerre froide et de l'engagement américain en Corée, ne parvient pas à digérer la vérité récemment révélée dans le détail sur les camps nazis, croit encore à la grandeur de Staline et à la nécessité de ne pas désespérer Billancourt. A Hiroshima, les Japonais continuent à mourir des séquelles de la bombe atomique. A Paris, Sartre, en écrivant *la Nausée*, a résumé en un titre le spleen d'une génération dont l'appétit de vivre n'a d'égal que son dégoût. Des sosies de Juliette Gréco dansent le be-bop tous jupons volants au son des trompettes de jazz dans les caves de Saint-Germain. Les bourgeois s'effraient de cette génération de jeunes sauvages aux yeux tristes, au sourire moqueur et aux dents longues qu'on nomme, improprement, existentialistes.

Dans son roman *les Rats*, publié en 1953, Bernard Franck décrit l'espoir d'un jeune homme de cette époque, de ce milieu : « Simplement, on aurait vu dans ses yeux, dans ses gestes, dans ses habits sa valeur et son talent. De temps en temps, il aurait envoyé aux journaux littéraires des lettres, des lettres précieuses, où il aurait contesté l'interprétation erronée que l'on avait fait de telle pièce de Sartre, de tel essai de Simone de Beauvoir. En première page de *Samedi Soir*, on les aurait vus tous les trois. Weil lisait la légende : "L'enfant chéri de l'existentialisme". Weil passerait un coup de téléphone à Sartre : "Vous avez lu cette légende idiote dans *Samedi Soir* ?" "Oui, Oui", dirait Sartre, furieux. Weil enverrait une lettre rectificative : "Sartre n'a pas de disciples". »

Le mot « existentialisme », dérobé au vocabulaire sartrien pour devenir le terme de ralliement d'une génération qui se voulait perdue, dit bien ce qu'il veut dire, pris au pied de la lettre. Ces jeunes gens désirent avant tout une chose : exister. A tout prix. Le personnage de l'aventurier fait toujours recette auprès de ceux qui prétendent ne vouloir ni Dieu ni maître, sauf à penser. Vadim n'a pas encore vingt-cinq ans mais il semble avoir déjà tout vu, tout vécu. S'il n'est déjà plus un ange, il n'est pas encore le Diable. Il est alors un mutant, à la fois naïf et blasé, innocent et pervers, séducteur et potentielle victime. Vadim est parfaitement à l'aise dans

43

cette époque ambiguë et contradictoire : « Miracle quotidien, nous vivions en millionnaires. Ce qui fait courir en
1975 : la voiture, la télévision, le lave-vaisselle, les gadgets,
ne nous concernaient pas. Les gens qui avaient de l'argent le
dépensaient volontiers, ceux qui en étaient démunis
n'étaient pas suspects. Il n'existait pas de préjugé de classe
ou de sexe, pas même de racisme de l'intelligence[1]. »

Celui que Gide surnomme « Désarroi » connaît tout le
monde : les Rothschild, les Lazareff (le monde est petit),
Colette, Cocteau, Genet, Hemingway avec qui il partage une
maîtresse, Kennedy, Brando...

« Les champs du possible étaient plus vastes qu'aujour-
d'hui, écrit encore Vadim, pour caractériser une société
ouverte par la brèche de la guerre et que le boom économique
à venir n'a pas encore refermée. Ce petit monde répugne à
s'enfermer entre les murs d'un bureau, défend dur comme fer
l'insouciance du bel aujourd'hui et survit, en attendant la
gloire, à coups de petits métiers aléatoires, l'intérim com-
biné avec le système D. »

La sœur de Vadim fait de la figuration dans un film d'Allégret. Elle entraîne son frère au studio Francœur, pour qu'il
gagne lui aussi deux mille francs par jour. Vadim ne se
présente que le premier jour. Les suivants, sa sœur continue
à venir toucher leurs deux cachets auprès du caissier qui n'y
voit que du feu. C'est Allégret qui finalement remarque la
supercherie. L'arnaque pratiquée ne rend que plus intéressant ce grand jeune homme brun. Allégret n'en pince pas que
pour les ingénues, il aime aussi les voyous élégants au cœur
tendre. Fasciné par la nouvelle jeunesse, il trouve en Vadim
un héros potentiel doublé d'un informateur précieux. Lorsque Allégret découvre qu'il sait écrire, il lui propose de rédiger le scénario. Vadim est sous-payé, mais il s'en fiche : les
portes de l'avenir se sont entrouvertes. Malade, il rédige dans
son lit un script, *les Lauriers sont coupés*.

Reste à trouver l'ingénue perverse. A nouvelle génération,
nouveau visage. Vadim croise Leslie Caron sur le bateau lors
d'un voyage à Londres. Elle danse dans un ballet de Roland
Petit, il envoie Allégret la voir. Le metteur en scène fait
tourner un essai à la jeune ballerine qui, quelques années

1. *Mémoires du Diable.*

plus tôt, usait ses collants sur la même barre que Bardot. L'essai ne débouche pas sur un engagement, mais permet peu après à Leslie Caron de trouver un billet pour Hollywood. La première découverte de Vadim, selon lui, n'est donc pas Bardot, mais la jeune et gracieuse héroïne de *Un Américain à Paris*...

Sur ces entrefaites, Pierre Braunberger repère la petite Bardot. Il montre la photo à Allégret et à Vadim. Elle incarne la jeune fille française type, pense celui-ci. M. et Mme Bardot, quelques jours plus tard, reçoivent ainsi la carte magique : « M. Marc Allégret serait très heureux de rencontrer votre fille Brigitte pour un projet dont il aimerait vous entretenir. »

Encore une fois, M. Bardot se méfie mais Mme Bardot accepte pourtant l'idée d'une entrevue. Elle dira ensuite qu'elle n'y croyait pas, qu'elle voulait seulement que Brigitte se sente libre. Est-ce vrai ? Est-ce là un alibi que se donne une très bonne mère qui croit que sa fille est merveilleuse et qu'elle doit éblouir le monde ?

En tout cas, le rendez-vous a lieu. Dans un premier temps, Brigitte fait antichambre pendant que, dans le bureau de Pierre Braunberger, M. et Mme Bardot se rassurent en écoutant ce producteur très convenable leur expliquer qu'il n'entraînera pas leur fille vers la perdition. « Il est évident qu'ils s'attendaient à une affaire de traite des Blanches, de film porno plutôt », explique-t-il à Alain Bougrain-Dubourg.

La première épreuve passée, Brigitte a le feu vert pour rencontrer Allégret et Vadim.

De part et d'autre, la rencontre est décisive. La collégienne en chaussettes au visage bien astiqué de bébé Cadum et le jeune homme qui a déjà beaucoup vécu ne tombent pas immédiatement dans les bras l'un de l'autre. Mais chacun est fortement impressionné. « Brigitte était de la race des rois, écrit Vadim. Elle marchait avec la grâce souple et raide des danseuses, bougeait la tête à la façon des chats et le regard suivait le mouvement. » Pour Vadim, pas un coup de foudre, mais un « coup d'admiration ».

Pour Brigitte, il semble y avoir un tel abîme entre elle et le grand jeune homme qui suit attentivement ses mouvements d'un regard perçant, que la jeune fille ne peut même pas imaginer une histoire d'amour. Elle sent seulement que ce qui lui arrive est extrêmement important : elle est en train de rencontrer un homme, un vrai, qui laisse loin derrière lui les étudiants en médecine boutonneux qui lui ont fait la cour, sur la plage, pendant les vacances d'été, ou dans le salon de ses parents. Elle n'imagine rien de précis. Ce n'est pas le cinéma qui la séduit, du moins pas encore. Elle n'est pas cinéphile — elle ne le sera jamais vraiment —, elle ne fait pas partie de ces adolescentes qui couvrent de baisers, avant de les mettre au chaud sous leur oreiller, les photos des jeunes premiers d'alors, Gérard Philipe ou Jean Marais.

Soudain, les autres protagonistes lui semblent de trop dans la pièce. Elle s'éloigne jusqu'au balcon d'où elle peut admirer une belle vue de Paris par une journée souriante. Vadim la suit. Au cours d'une brève conversation sur le charme des terrasses, le mot « aimer » est prononcé, mine de rien, et reste suspendu en l'air, quelques instants, sorti de la bouche de Brigitte comme un message d'avenir.

Vadim s'offre à être le professeur de comédie de Brigitte. Il la fera travailler toutes les semaines. Il s'apprête à succéder à Boris Kniazeff dans son rôle de Pygmalion.

Pourquoi les Bardot ne s'inquiètent-ils pas à l'idée de laisser leur fille entre les mains de ce jeune homme un peu sulfureux et qui, les cheveux trop longs, sans cravate, des sandales aux pieds, a plutôt mauvais genre ? C'est qu'ils ne l'ont pas vu seul. Pierre Braunberger et Marc Allégret, hommes sérieux et de poids, ont servi de caution.

Au studio Wacker où Vadim va la chercher à la fin de son cours, il a la révélation d'une autre Brigitte. La pensionnaire décontractée et rieuse devient une allégorie de la beauté, émouvante, presque tragique. « Là, tout changeait, écrit-il. Elle transpirait dans ses cuissières en laine, fragile et souveraine, faite pour l'envol, écartelée, courageuse. Les danseurs s'observent et se corrigent devant la glace. Avec Brigitte, on avait l'impression que son reflet cherchait à lui ressembler. »

Cette rencontre de quelqu'un qui croit en elle aide Brigitte à évoluer, à grandir. Ça ne sera pas si facile, ni si rapide. Le jour de l'essai, Vadim espère que Brigitte se donnera à la caméra comme il l'a vue se donner à la danse. Marc Allégret apporte une présence amicale, tout devrait bien se passer.

Pourtant, si Brigitte se révèle incontestablement « filmogénique », elle ne vit pas assez, la passion manque, elle est un peu gauche. Pierre Braunberger, en apparence, n'est pas emballé... Aujourd'hui, il raconte : « Elle était éblouissante. Pour *les Lauriers sont coupés*, j'avais convoqué trois femmes, dont BB qui était la meilleure. Mais je n'ai pu l'engager parce que ma femme, qui était très jalouse, a menacé de divorcer. Et j'ai regretté, car ça ne m'a pas empêché de divorcer. J'ai engagé Nicole Berger, qui ensuite s'est tuée en voiture. »

Brigitte et Vadim n'ont donc plus de raisons de se voir. Si le jeune homme parvient à oublier les cours du mercredi qui avaient lieu avenue de Wagram dans l'appartement particulier de Daniel Gélin, son ami, Brigitte n'est pas sortie indemne de cette aventure. Celui qui devait lui apprendre à ressentir toute une gamme d'émotions et à savoir les exprimer a, malgré les apparences, trop bien réussi. Pendant qu'elle prend le thé avec sa mère, qu'elle pose gracieusement en arabesque ou regarde, à travers la vitre, les colifichets d'une boutique de mode, elle pense à Vadim. Elle qui sera toujours très impatiente, elle apprend cette composante importante de la vie d'une jeune fille : l'attente.

Premier amour

Elle ne s'enferme cependant pas dans sa chambre pour pleurer. Absent, Vadim est toujours présent dans son cœur. Il fait partie du rêve de la vie, la vie du dehors, celle du futur. En attendant, il y a les amies, sa sœur qu'elle aime bien, Mijanou studieuse, sportive et introvertie, aussi sérieuse et calme que Brigitte est rieuse et frivole. Et puis les jeunes gens sont toujours là, étudiants en médecine et consorts. Pompeux et maladroits, gentils et blancs-becs, ils sont même de plus en plus là : M. Bardot devrait se rassurer, il n'aura pas de mal à marier sa fille.

Mais, justement, il ne se rassure pas, il s'inquiète même de plus en plus devant la dévotion obstinée que Brigitte provoque chez ces jeunes gens, et dans laquelle il voit quelque chose d'excessif. Il surveille sa fille. Quand elle sort, il se demande ce qu'elle fait, si elle est bien là où elle devrait être. Lorsqu'elle est en retard, il se poste sur le balcon qui fait l'angle de la rue de la Pompe et de l'avenue Paul-Doumer, et il guette, pour voir si par hasard elle ne serait pas accompagnée, et par qui. Il ne semble pas se douter que sa fille, fine mouche, a repéré le manège et le cas échéant, dit au revoir avant le coin de la rue...

Malgré ces occupations suffisantes pour remplir les journées d'une jeune fille ordinaire, Brigitte trouve que, décidément, la vie piétine. Pour Vadim aussi, la vie semble se ralentir. Un samedi après-midi, Vadim est seul dans l'appartement de Gélin. Le téléphone, instrument essentiel de la panoplie du séducteur, est coupé. Insouciant ou fauché, Gélin a oublié sa facture. Vadim a encore un peu d'argent, il descend appeler des amis d'un café. C'est peine perdue, Paris s'est vidé comme par magie. Il ne lui reste plus que vingt centimes, prix d'une communication. Il cherche qui il pourrait appeler, et il se souvient de la petite fille qui aimait tant les terrasses et qui dansait devant les glaces du studio Wacker.

Quelque chose lui dit qu'elle l'a toujours écouté, qu'elle l'écoutera toujours : il appelle. Hasard ou télépathie des amoureux, c'est elle qu'il trouve au bout du fil. Comme si elle comprenait cette espèce de détresse amortie dans laquelle il se trouve, ou bien parce qu'elle l'attendait tellement qu'il serait inconcevable d'attendre encore, elle lui dit de venir. Tout de suite...

Vadim n'aurait pu mieux tomber : M. et Mme Bardot sont à la campagne. Brigitte passe l'après-midi en compagnie d'un de ces garçons qui lui tournent autour et à qui elle accorde une attention distraite. Sa grand-mère lui sert de chaperon. Voyant Vadim arriver, elle craint pour l'argenterie mais laisse les jeunes s'amuser entre eux. Brigitte reconduit Vadim jusqu'à l'ascenseur, et là, affirme-t-il, elle pose ses lèvres sur les siennes.

Ce baiser n'est pas pour Brigitte le premier : lors d'une interview donnée à Paul Giannoli pour *Paris-Presse* le 15 mars 1961, elle dira : « Mon premier baiser, ça m'a sûrement émue, mais je ne me souviens pas très bien. Je ne me rappelle ni le décor ni les circonstances. Mais j'étais comme toutes les jeunes filles, en donnant mon premier baiser. J'avais l'impression de faire quelque chose d'important. A cette époque-là, je n'avais pourtant aucune idée de ce qui pouvait se passer entre un homme et une femme. Cette question ne me turlupinait pas. »

Les premiers flirts ont le flou des amours enfantines. Le premier amour, avec un grand A, c'est autre chose : un décor et des circonstances dont on se souvient. Des détails infimes qui resteront à jamais fixés dans la mémoire. Le baiser qui clôture cet après-midi marque le début d'une longue aventure. Cette aventure, c'est Brigitte — encouragée par Vadim bien sûr — qui en donne le signal. A moins que la vanité masculine de celui-ci, avec le recul, préfère voir ainsi les choses... Pourtant, il y a quelque chose de très « Bardot » dans cette prise d'initiative. C'est une des composantes de la légende de Brigitte : incarnation de la femme-femme, elle se permet de surcroît de se conduire comme un homme, à l'occasion. Quand ça l'arrange, elle s'octroie tous les privilèges, y compris ceux, exorbitants, de la spontanéité du désir et du plaisir.

Sachant qu'elle est une reine, elle se conduit comme telle, fait les premiers pas. Avant même d'être une starlette, elle semble savoir que sa beauté et sa personnalité impressionnent les hommes au point de renverser les rôles... Qu'un mâle, devant elle, a besoin d'être « encouragé »... A l'époque, les jeunes filles bien élevées du seizième sont plutôt du genre à attendre les yeux fermés, la bouche entrouverte, l'arrivée du baiser, en préservant l'apparence de l'innocence, comme le montre Truffaut dans *Domicile conjugal*. Que Brigitte ait cette assurance devant un homme qui l'impressionne autant infirme encore une fois la théorie de Vadim, fabricant de Bardot. Pygmalion, certainement, mais les leçons de Pygmalion ne peuvent porter leurs fruits que si la protégée a de l'étoffe.

Par la suite, on verra se répéter dans les amours de Vadim avec Jane Fonda un schéma comparable. A Jane aussi il servira de Pygmalion, et elle laissera loin derrière elle l'homme qui l'avait formée. Gare à celui qui croit créer un être : car cet être lui échappe et devient une sorte de monstre, même si c'est un très joli monstre. En Brigitte comme plus tard en Jane, Vadim trouve le cocktail détonant qui lui paraît irrésistible : un bébé, une ravissante poupée derrière laquelle, déjà, se profile la femme géniale. Pour Vadim, dans Brigitte telle qu'il la voyait à cette époque, l'essentiel, c'est l'enfant. Le génie et la naïveté de l'enfant. La cruauté et l'égoïsme de l'enfant. Son besoin forcené de présence, d'amour, de disponibilité.

Cette enfant est un prodige : « C'était une jeune fille qui paraissait en avance sur son âge et sur son époque. En révolte contre le milieu et la morale de ses parents, douée pour l'amour sans avoir appris, capable d'humour et d'un grand bon sens, elle avait tout du petit génie. »

Vadim accusera son ex-femme d'être devenue un Mozart qui n'aurait pas grandi. Comprenant que c'est un atout à une époque qui s'apprête, pour la première fois dans l'histoire, à sacrer reine la jeunesse, elle garde son style « collégienne bon genre », qu'elle pimente de touches discrètes d'érotisme : conseils de Vadim, ou, plus probablement, instinct d'une jeune fille faite pour l'amour et qui le découvre avec enthousiasme.

« Ses serre-taille qui l'étranglent, ses bérets basques, ses marinières et ses chaussures plates de danseuse lui composent une gracieuse silhouette de "môme" parisienne malicieuse et insolente », dit la presse de Brigitte à ses débuts. Toute la panoplie composée par Mme Bardot est encore là. Dans peu de temps, Brigitte enverra promener ces éléments, mais pour l'instant, elle se contente de les subvertir, de les pousser à l'extrême, ce qui donne un effet contraire à celui escompté. La ceinture n'est plus là pour boucler la tenue, mais pour accentuer la taille comme à la Belle Epoque. Le béret d'uniforme, penché bas sur l'oreille, donne de la malice au regard. Les chaussures plates de la jeune fille convenable qui n'a pas droit aux talons hauts de sa maman servent à accentuer le balancement d'une démarche qui sera d'abord critiquée par les censeurs, mais ensuite, encensée par les critiques...

Elle porte encore les cheveux courts avec des accroche-cœurs — référence innocente à l'amour — mais elle va les laisser pousser. Le béret basque sera complété par une queue de cheval ramenée sur le devant de l'épaule : la queue de cheval est une coiffure de petite fille, mais le mouvement de côté des cheveux est déjà un élément de la panoplie de la vamp. Brigitte a une façon tellement personnelle de l'arborer qu'elle lui donne une allure jamais vue. « Symbole de ce qui était déjà symbolique », dit Daniel Gélin, qui connaît Brigitte avant l'époque de sa célébrité, grâce à Vadim. Celui-ci, toujours désargenté, vit dans l'appartement de l'acteur avenue de Wagram. Gélin a déjà une carrière, Vadim attend la sienne. C'est le temps des copains.

« En dehors du mythe, Bardot, dit Daniel Gélin, c'était quelqu'un de très simple, très naturel, très libre, très adorable, très gentil, très désintéressé. » « Vadim a créé BB, BB a créé Vadim, » ajoute-t-il pour mettre fin à la controverse : « Qui a créé l'autre ? » Quant à Vadim, « c'était quelqu'un plein de charme, paradoxal, un peu comme Cocteau. C'était un couple formidable, ça fonctionnait très bien à l'époque ».

Vadim raconte que, lors des premières leçons d'art dramatique qu'il donna à Brigitte, il fut un peu déçu de constater qu'elle était capable de jouer toutes les situations, mais à une condition : que le personnage soit elle-même. Ce qui, au départ, pouvait effectivement apparaître comme un handicap pour une carrière de comédienne, Brigitte va en faire un atout. Persister à être elle-même dans n'importe quelle circonstance, ne jamais céder sur son être et sur son désir, voilà précisément ce qui fera d'elle l'idole de la génération à venir, l'incarnation d'une nouvelle époque. Les jeunes existentialistes, malgré leur revendication d'être des sujets libres et responsables de leurs choix, ne pouvaient s'empêcher de se reconnaître un dieu, Sartre, et une grande prêtresse, Beauvoir. Bardot, elle, s'apprête à ne reconnaître qu'elle-même, à être à elle-même sa propre loi. Vadim sut-il immédiatement discerner la force de cette attitude ? Bardot serait bien autre chose qu'une starlette, elle serait une star. Une star d'un nouveau genre, unique entre toutes.

« Brigitte Bardot voudrait beaucoup ressembler à Michèle Morgan ou à Ava Gardner », écrit la presse lors de ses tout premiers pas dans le cinéma. Mais la presse se trompe, elle tente de réduire aux espoirs timides de n'importe quelle jeune actrice celle qui n'aura jamais d'autre ambition que de ressembler à elle-même. C'est pour cela que Bardot la star sera cet événement gigantesque, sans précédent ni point de comparaison.

Si Marilyn Monroe se plaisait à raconter comment on

l'avait presque forcée à se teindre en platine pour reprendre le personnage de Harlow dont la disparition laissait un vide au box-office, si Jane Russell fut fabriquée par Howard Hughes qui créa pour elle le bustier, si Rita Hayworth à ses débuts tenta de ressembler aux actrices latino-américaines en se charbonnant l'œil, Bardot en qui certains vont tenter de voir une postulante à la succession de Martine Carol, la blonde explosive du cinéma français de papa, n'a rien de commun avec son aînée.

A Hollywood, les stars se fabriquent, on leur impose une coiffure, un style de vie et de vêtements, elles tournent des films à formule, toujours les mêmes, dont elles ne s'échappent que difficilement et à grands risques. Bardot, elle, va tout choisir, les coiffures, les vêtements, les rôles, dans le but de fabriquer un objet conforme non pas aux désirs et aux fantasmes du public, mais uniquement aux désirs et aux fantasmes de Bardot elle-même. L'opération aura lieu dans le sens contraire : ce sera elle qui révélera aux hommes et aux femmes par sa façon d'être des désirs et des fantasmes inconscients.

Pour l'instant, l'érotisme n'est encore chez elle que sous-entendu, suggéré en sourdine. Son côté « nature », paysanne en tablier qui serre des fleurs des champs sur son cœur, est présent sur une couverture de *Paris-Match* datée du 10 février 1951. BB y est une fois de plus photographiée de trois quarts, la tête penchée en arrière dans un de ces mouvements de cou qui semblent faits pour mettre en valeur un buste. Le visage est toujours enfantin malgré la bouche ronde et pulpeuse, entrouverte sur les dents du haut, les cheveux sont relevés en un chignon sage que vient seulement égayer une frange très courte. Sa marinière rayée s'ouvre en un col sage. En titre de couverture, cette phrase : « Ce qui va changer en France. » Prophétie qui s'ignore. Ce qui va changer en France, ce n'est pas ce que croit Raymond Cartier, c'est Bardot, bien sûr. En bas de page, une bande vient occulter le sein du modèle. On y lit : « Gaylord Hauser, cinq cocktails de légumes pour conserver un teint de jeune fille. » L'ancêtre de la diététique, l'apôtre de la vie claire et de la bonne conservation, voilà ce que Brigitte à son commencement vient appuyer de son sourire. En fait, elle n'a nul besoin de cocktails de légumes pour entretenir sa bonne mine.

Mais un changement d'image a eu lieu entre la jeune fille seizième bon genre et la Brigitte associée à l'idée de naturel, de simplicité. Une partie du personnage Bardot se met en place, la sauvageonne proche des plantes et des bêtes, animale elle-même. C'est ce qui fera d'elle une vamp nouvelle mode : non pas une créature sophistiquée et mondaine comme Ava Gardner à qui elle n'a, n'en déplaise aux journalistes, probablement pas très envie de ressembler. Brigitte beaucoup plus mûre, apparaît sur une autre photo. Elle porte une robe noire très décolletée, et souligne la finesse de sa taille en encerclant le haut de ses hanches de ses deux mains à la manière des mannequins. Elle regarde en l'air, pose inhabituelle qu'on lui reverra et qui met en valeur la pureté du cou et du menton. Bien qu'encore très convenable — sans doute approuvée par M. Bardot — c'est sa première photo de pin-up.

Pourtant, elle vit toujours en famille. La voici assise sur les marches du chalet de bois peint en blanc de sa famille. C'est une belle journée de soleil, le lierre entoure la balustrade de l'escalier. Boum-papa, le grand-père, sourit benoîtement dans sa barbe blanche en regardant la scène. Mme Bardot, en robe fleurie, fume, une main affectueusement posée sur le genou de son mari. Celui-ci, qui affectionne les tenues sportives, est en short, chemisette, chaussures de marche et chaussettes rayées au genou. Lui aussi sourit, un éclair de malice derrière ses lunettes, en regardant Brigitte sermonner doucement le chien qui, la truffe frémissante, la regarde de ses bons yeux de cocker. Seule, Mijanou semble un peu absente : le visage tourné vers Brigitte, comme tous les autres membres de la compagnie, elle regarde ailleurs : une expression un peu triste barre sa bouche. « Tout le monde adorait Brigitte », dira-t-elle de sa sœur. Cela se sent, sur cette photo, cette adoration familiale. Brigitte est le centre incontesté du tableau.

La différence entre les deux sœurs est flagrante à cet âge. Mijanou apparaît comme une jeune fille de son milieu, sérieuse, un peu « scout » même. Brigitte ne se trouve toujours pas jolie, elle a du mal à s'aimer. Elle croit qu'elle a trop de poitrine — manifestation de féminité qui gêne souvent les adolescentes. Elle aime ses jambes et sa taille, mais déteste son petit nez : « Lorsque je recontre un homme il se fronce comme si je reniflais un bol de lait ! » déclare-t-elle lors de ses débuts au cinéma.

Passions contrariées

Vadim, de mois en mois, exerce sur son amie une influence de plus en plus grande. Elle s'identifie à Sophie, l'héroïne de son premier roman, la Sophie du tramway de Marseille, à qui Vadim dira qu'elle ressemblait beaucoup. Lorsqu'elle lui écrit, elle signe « Sophie ». Sophie est un personnage intermédiaire entre Vadim et Brigitte, la jeune fille imaginaire qu'elle souhaite être pour lui plaire, à un âge où elle craint sans doute la force de ses sentiments, où elle ne se sent pas tout à fait prête à plonger dans la passion.

Mais Brigitte *est* la passion. A mesure que s'écoulent les mois, elle ne peut plus l'ignorer. Ses parents sont inquiets de l'influence de Vadim. Ils avaient autorisé un rapport professionnel ; cela n'a rien donné et maintenant, la jeune fille est envoûtée par ce jeune homme charmant — trop charmant — et bien élevé, mais d'un genre « douteux ». Pour M. Bardot, Vadim est un « zazou ». A cette époque le mot s'est généralisé comme plus tard le terme « hippie » qui sera le même épouvantail pour les parents des années soixante-dix. Vadim n'est pas un zazou, il n'en a ni le costume ni les rituels, mais pour les parents, zazou en est venu à désigner un jeune homme habillé de façon peu conventionnelle, porté à faire la noce et à ricaner des bourgeois, et qui ne juge pas bon de s'astreindre à un horaire de bureau afin de gagner sa vie honnêtement.

Mme Bardot est moins sévère. Vadim affirmera qu'il y avait de sa part une complicité tacite comparable à celle de la grand-mère qui, lors de sa première visite rue de la Pompe, avait laissé les jeunes gens seuls. Peut-être leur amour éveille-t-il chez Anne-Marie Bardot un écho sentimental. Ou peut-être se dit-elle qu'un jour Vadim deviendra quelqu'un et qu'il faut le ménager. Et puis elle sait qu'il y a en Brigitte « la rage de l'indépendance, le besoin de secouer les contraintes ». La contrer serait l'inciter à davantage de rébellion. Elle aussi sent que sa fille est « faite pour l'envol ».

Malgré leurs préventions, ni l'un ni l'autre des parents ne se doute du chemin que Brigitte et Vadim, s'entraînant l'un l'autre, s'apprêtent à parcourir. Vadim pense que l'obstacle principal à ses relations avec Brigitte, c'est sa pauvreté. Les parents Bardot ont fait vivre leurs filles dans l'abondance. Durant les années de guerre, on a pris grand soin qu'elles n'aient pas à souffrir de privations matérielles. Il est impensable qu'une fille comme Brigitte se contente de sandwiches à tous les repas. Le devoir de ses parents est de lui assurer un beau mariage. Or Vadim ne saurait en aucun cas passer pour un beau parti. Si tant est qu'il soit un parti tout court, car ses intentions sont loin d'être claires...

Alors, les parents adoptent une voie moyenne. Interdire à Brigitte de voir Vadim risquerait d'avoir des conséquences catastrophiques. Les jeunes gens se verront sous surveillance. Vadim est accueilli très gentiment rue de la Pompe. Il peut sortir avec Brigitte, mais chaperonnée par Mijanou, qui dans le rôle peu gratifiant de petite sœur enquiquinante, est chargée de « rapporter » tout comportement sortant des limites de la bienséance. Mijanou raconte dans *Telle quelle* comment elle les accompagne au cinéma. Quand, sur le chemin du retour, Vadim vole un baiser à Brigitte, les parents sont informés. M. Bardot convoque le jeune homme dans son bureau, ouvre un tiroir et lui montre un pistolet. Il prévient : si Vadim « touche à sa fille », il n'hésitera pas à se servir de son arme.

BB dévoilée

Ce comportement de père noble introduit une lourdeur dans les relations. De plus, il contraint Brigitte, si franche de nature, à vivre une situation fausse. Elle est obligée de jouer les oies blanches, de se comporter en gamine alors qu'elle se sait maintenant femme.

Dans ses mémoires, Vadim donne de l'affaire du pistolet une version différente de celle de Mijanou dans *Telle quelle*. D'après lui, la scène aurait eu lieu alors qu'il n'habitait plus chez Daniel Gélin. Ce dernier affirme avoir appris, beaucoup plus tard, que l'appartement de l'avenue de Wagram avait abrité les premières amours de BB avec Vadim. Quoi qu'il en soit, Vadim et Brigitte réussissent à se voir en cachette des parents Bardot. Brigitte répugne maintenant à aller passer en famille les week-ends à la campagne. M. et Mme Bardot sortent beaucoup, s'absentent volontiers quelques jours. Brigitte se trouve contrainte à jouer deux personnages : la petite fille naïve et coincée devant ses parents et sa sœur, et l'amoureuse lors de tête-à-tête volés et trop rares.

Brigitte vient d'avoir seize ans lorsque Vadim emménage avec un copain, Christian Marquand, dans un appartement situé au 16 quai aux Fleurs. C'est petit, mansardé, sommairement meublé, mais les fenêtres ouvrent sur une des plus belles vues de Paris : l'île Saint-Louis, qui commence à devenir un quartier à la mode.

C'est toujours la bohème, mais la bohème dorée : avec l'argent touché pour le commentaire d'un film d'Haroun Tazieff, Vadim s'offre un cuisinier chinois, un jeune homme porté sur la boisson rencontré dans un café de Montparnasse, et dont il change le nom trop français de Michel en « Li Phang », lui donnant l'air d'un héros de Tintin ou de Pierre Loti. La cuisine chinoise est alors un goût d'avant-garde. De toute façon, Li Phang n'aura pas beaucoup d'occasions de faire preuve de ses talents car, en fait de cuisine, l'appartement n'offre qu'un réchaud.

D'après Vadim, c'est Li Phang qui répond à l'appareil le jour où Brigitte téléphone pour transmettre les menaces de M. Bardot concernant le fameux pistolet dont il affirme ne pas hésiter à se servir, au cas où ce qui est déjà arrivé arriverait. Pire, affirme Brigitte toujours selon Vadim, sa mère, consultée, déclare que, au cas où, l'impensable se présentant, le père aurait une faiblesse, elle n'hésiterait pas à appuyer elle-même sur la détente, afin de venger l'honneur de la famille. Brigitte conseille à Vadim d'acheter lui aussi un pistolet...

La situation devient à la fois dangereuse, rocambolesque et déplaisante. Un jour où Vadim va chercher Brigitte au studio Wacker, il la trouve en larmes. Boris Kniazeff est en colère : Brigitte manque de concentration. Il se rend compte que son cœur n'est plus à la danse, qu'il est en train de perdre son élève préférée. Brigitte pleure en dansant. Vadim comprend que, si elle ne peut plus trouver de plaisir à la danse, c'est que son amour même de la vie est atteint. Les parents Bardot s'alarment. Les menaces et les interdictions poussent Brigitte à la dépression. Elle envoie à Vadim des lettres brouillées par les larmes. Si Brigitte va mal, Vadim, lui aussi, est affecté par cette atmosphère troublée. Sa capacité de travail s'en ressent, or il doit absolument écrire : un succès professionnel serait la seule issue à cette crise, la seule chose qui pourrait amener M. et Mme Bardot à perdre leurs préventions à son égard.

Il décide de quitter momentanément Paris, lieu de tension où il se sent impuissant, et de se réfugier chez sa mère, qui réside à Nice, afin d'y écrire un scénario. Ses adieux à Brigitte sont bouleversants : elle craint d'être empêchée de revoir Vadim. Elle semble si malheureuse que, une fois dans le train, Vadim pense descendre lors d'un arrêt et revenir à Paris, près d'elle. Mais il se raisonne et aboutit sur la côte.

Quelles sont, à ce moment, les véritables intentions de Vadim ? Quitte-t-il Paris parce que la situation devient trop lourde à manier, qu'il ne se sent pas mûr pour assumer une relation au départ pleine de promesses charmantes et qui commence à ressembler à une histoire de mariage forcé ? Ou bien souhaite-t-il vraiment revenir auprès de Brigitte, ayant fait ses preuves ?

Les Bardot pourraient, de leur côté, prendre le parti d'éloigner Brigitte, l'envoyer un an en pension préparer son bac, peut-être à l'étranger. Mais ils se considèrent comme des parents modernes et libéraux et ne souhaitent pas prendre des mesures extrêmes.

Cette situation est insupportable pour Brigitte, dont le tempérament entier s'accommode mal des cachotteries et des mensonges. Son amour, elle souhaite le vivre au grand jour avec la liberté de la passion. Elle est incapable de se contenter d'un flirt « poussé » ou même d'une liaison dissimulée sous une attitude hypocrite de fausse innocence, comme beaucoup de filles de son époque. Le temps passé loin de Vadim lui semble une pénitence. Qu'attend-elle de lui ? Un miracle ? Que, tel le prince des rêves de jeune fille, il l'enlève sur son cheval blanc ? Mais voilà qu'au lieu de cela, il retourne chez sa mère...

Vadim pense que la jeune fille moderne « a un esprit masculin, elle veut être libre d'aimer comme un homme ». Mais justement, Brigitte n'est pas libre d'aimer ainsi. Elle ne voit aucune issue, elle se sent poussée à bout. Elle désespère. La liberté de la femme, Vadim le sait, diminue le pouvoir qu'elle exerce sur l'homme, cette forme traditionnelle d'emprise féminine qui est celle de l'esclave sur son maître, l'attirance du contraire. En se « libérant », la femme perd de son mystère, de son étrangeté ; en adoptant les stratégies masculines, elle fournit aux hommes des armes puisque la guerre des sexes va désormais se dérouler sur un terrain qui est le leur, et sur lequel ils sont donc plus à l'aise qu'elles.

Avec maturité et expérience, Brigitte saura, comme peu de femmes, allier le masculin et le féminin, garder de la féminité traditionnelle ce qui la rend séduisante, ce qui lui est utile, et prendre au masculin ce qui l'aide à vivre sa vie. L'androgynie chez elle n'engendrera pas un effet de neutralité. Au contraire, comme dans toute sa personnalité, les contraires s'allieront pour donner un cocktail puissant. Mais il lui faudra des années de réflexion et d'expérience pour se forger une stratégie aussi personnelle et révolutionnaire. Pour l'instant, elle a seize ans et n'est qu'une petite fille amoureuse, une enfant gâtée qui ne sait pas très bien se battre parce qu'elle n'a jamais eu à le faire, qui ne connaît pas la patience devant le désir, car elle a toujours eu ce qu'elle voulait. Et soudain, rien ne marche plus, elle ne connaît que des refus ou des fuites.

Vadim reviendra-t-il à Brigitte à son retour du Midi ? C'est probable, mais ensuite il doit accompagner Allégret à Londres pour le tournage d'un film. Allégret a déjà réalisé ainsi *Blanche Fury (Jusqu'à ce que mort s'ensuive)*. Titre prophétique. Brigitte sait que ses parents ne l'autoriseront pas à accompagner Vadim à Londres. L'avenir lui apparaît comme une grande séparation. Elle hésite entre la colère et les larmes. Toty et Pilou, habituellement enclins à céder, restent inflexibles.

Brigitte est malheureuse et pourtant Paris, le Paris d'après-guerre, lui, se remet à vivre. Les monuments sont illuminés le soir. Ce spectacle nouveau est pour beaucoup de Parisiens l'occasion d'une sortie en famille. M. Bardot, justement, propose d'aller en voiture admirer l'Arc de Triomphe et le Palais-Royal éblouissants après les années de couvre-feu. Brigitte refuse de les accompagner ; elle se plaint d'avoir mal à la tête. La famille met ce malaise sur le compte de la bouderie occasionnée par le départ de Vadim. Brigitte reste seule dans l'appartement de la rue de la Pompe, pendant que ses parents et sa sœur partent en voiture. Toutefois, la promenade tourne court. Mijanou insiste pour rentrer à la maison et toute la famille revient avant l'heure prévue. Ils arrivent juste à temps : Brigitte est étendue inconsciente sur le sol de la cuisine.

Appelé d'urgence, le médecin de famille ranime la victime. Mais Brigitte ne sera plus jamais la même. Du moins, Vadim l'affirme : quelque chose en elle s'est cassé. Ce souvenir pèsera désormais comme une ombre sur cette personnalité solaire. Et quand cette blessure se sera refermée, la Brigitte d'autrefois, avec son insouciance naïve, aura fait place à une autre Brigitte : elle va acquérir la dimension tragique, tellement nécessaire à une actrice.

Vadim, alerté, rentre à Paris.

Heureusement pour Brigitte, elle est entourée de gens qui l'aiment et souhaitent son bien.

Les Bardot comprennent que Brigitte ira au bout de ses désirs comme de ses désespoirs. Plus question de penser qu'elle abrite une âme de petite fille dans un corps de femme. Elle est à la fois petite fille et femme. La femme est passionnée et la petite fille, suivant le titre d'un de ses premiers films, est « une sacrée gamine ».

La rebelle qu'est incontestablement la jeune Bardot semble anodine à côté des extrémistes d'aujourd'hui. Vadim s'en plaint, sa conception du monde est celle d'une enfant. Lorsqu'elle est interrogée à « Actuel 2 » dans une émission de Jean-Pierre Elkabbach, elle affirme rester fidèle à ses idéaux d'enfant : « C'est vrai que je me crée un monde à moi qui est intégré dans le monde normal des autres gens et que

59

j'essaie de ne pas trop en sortir. Pourquoi ? Sans doute parce que je conserve en moi l'image que j'avais enfant d'un monde qui doit être joli ; cette image, je voudrais la conserver, mais ce n'est pas toujours facile. Enfin, c'est l'un des buts de mon existence : préserver un monde à moi le plus joli possible, le plus honnête possible. Mon monde à moi est l'objet d'agressions de tous les côtés, venant de l'extérieur, mais je suis là pour le défendre... »

Adulte, elle se constituera le microcosme de la Madrague. Mais ce désir d'un univers clos, protégé, univers d'amour proche des souvenirs d'enfance, elle le ressent depuis toujours. Ce monde à elle, le monde joli qu'elle cherchera à reconstituer par la suite, elle croyait l'avoir chez ses parents, avec son chat et ses oiseaux, les week-ends dans le chalet de Louveciennes que sa grand-mère vieillissante laisse maintenant à sa mère. Elle comprend qu'elle va devoir s'en arracher, le renier parce que l'amour n'est plus là. Il est quai aux Fleurs, sous les toits. L'amour nouveau et l'amour ancien sont incompatibles.

« Il est certain que la façon dont j'ai été élevée ne correspond pas du tout à la vie qui a été la mienne par la suite. J'ai été élevée dans un milieu extrêmement bourgeois, mais ça se retrouve un peu ; je ne l'ai pas tout à fait oublié », dira-t-elle encore à « Actuel 2 », avouant cette cassure en elle et l'impossibilité de rompre complètement avec l'ancien pour vivre le nouveau. Sa vie de femme, Brigitte ne peut y accéder que dans le déchirement. Et le déchirement vient de tous les côtés. Elle ne peut plus se sentir pleinement en accord avec sa famille. Même dans ses rapports avec Vadim, dès le départ, il y a un décalage, une fissure. Vadim, qui se présente dans ses écrits comme une espèce de philosophe, un analyste de la société — et on retrouvera cela dans ses films — n'aime pas trop les intellectuelles. Il attend d'une femme qu'elle sente la vie, qu'elle fonctionne à l'instinct — l'instinct, ou l'intuition, est une des qualités féminines traditionnelles — mais aussi qu'elle agisse d'une façon masculine.

Vadim et sa famille, la bohème et la bourgeoisie, les encouragements à l'amour libre et les injonctions à la virginité : Brigitte est prise entre deux feux. Elle croit que la situation se clarifiera si on lui permet de vivre avec Vadim — ce qui ne saurait se faire sans mariage. Apparemment, elle se trompe.

Brigitte est une femme contradictoire et changeante, et Vadim, lui-même contradictoire et changeant, aime retrouver ces traits chez elle. Mais il voudrait que les contradictions de sa fiancée coïncident avec les siennes... or cela ne pourra être toujours le cas. Même lorsqu'elle aura, par un acte violent, fait son choix en faveur de Vadim, elle se trouvera encore en proie au paradoxe. Vadim la met dans une situation de double contrainte, lui demandant d'être à la fois forte et fragile, enfantine et mûre, libre et fidèle, présente mais légère, féminine et masculine. Lorsqu'elle analyse sa vie en 1973, toujours à « Actuel 2 », elle se montre encore hésitante : « Une femme n'est pas faite pour mener la vie d'un homme et je crois que c'est là que la société dans laquelle nous vivons est complètement déséquilibrée. Parce que les femmes veulent commencer à avoir des métiers et des vies d'hommes, les hommes restant à la maison et s'occupant des enfants... ça donne un déséquilibre, forcément, parce qu'une femme n'est pas faite pour ça. C'est très bien que les femmes se libèrent, mais d'un autre côté, elles ne peuvent pas vivre comme des hommes... Je gagne ma vie, je ne dois rien à personne, mais dans mon existence je me comporte en femme, pas en homme. Je ne suis pas une suffragette. Et je suis faible, vulnérable. »

Cette revendication de la faiblesse est bien caractéristique du phénomène Bardot. Brigitte a sans doute peur que le côté masculin de sa vie efface le côté féminin. Même lorsqu'elle aura acquis la liberté d'un homme, elle insistera toujours sur sa douceur, sa passivité, ses vertus domestiques.

Au bord de l'envol

Pour Brigitte, la première chute a été dure, mais elle obtient au moins quelque chose de ses parents. M. et Mme Bardot sont prêts à lâcher du lest pour éviter que la situation tourne au drame. Le mariage de Brigitte sera leur cadeau d'anniversaire pour ses dix-huit ans. En attendant, on la laissera voir Vadim plus facilement. Et le mensonge, cette atmosphère d'hypocrisie lourde qui pèse tant à Brigitte, lui sera partiellement épargné. Il n'est pas question d'avouer à sa mère qu'elle est une femme : lorsque celle-ci, raconte Vadim, demande à Brigitte si elle est sa maîtresse, elle sait ce qu'elle doit répondre : « Pour qui me prenez-vous ? » Mais au moins, la relation amoureuse entre les deux jeunes gens est reconnue. Brigitte peut se considérer comme officieusement fiancée.

Les Bardot n'ont plus le choix : ils doivent faire confiance à leur fille. D'ailleurs, ils peuvent appliquer à sa vie privée l'argument que le bon grand-père, toujours attendri par sa petite-fille et prêt à la défendre, a trouvé pour faire cesser leurs préventions à propos du cinéma : si leur fille doit devenir une dépravée, elle le deviendra, cinéma ou pas... La question se pose toujours : Vadim a-t-il une intention sulfureuse mêlée à un amour certainement sincère ? Mme Bardot ne manque pas de comprendre que l'éducation bourgeoise de sa fille était un piment pour Vadim. Mais pourquoi s'en étonne-rait-elle ? Si on élève alors les filles en oies blanches, ce n'est pas seulement par goût de la pureté, ou pour les rendre plus facilement manipulables : l'innocence attire les hommes. C'est ce qu'on pense à l'époque. Pourquoi Vadim ferait-il exception ?

Vadim lit beaucoup Sade, alors très apprécié d'une petite élite. Plus tard, il l'adaptera très librement à l'écran sous le titre *le Vice et la Vertu*. Dans ce film, situé sous le nazisme, le rôle de la vertu pervertie, qui sera joué par Catherine Deneuve — une autre fascination blonde et bourgeoise du metteur en scène — semblera avoir été écrit pour Brigitte. Un autre écrivain est à la mode, Roger Vailland, qui va au bordel et adore les « petites filles », ce qui dans son vocabu-laire signifie les jeunes filles bourgeoises. Selon lui, il n'y a rien qui ne pose plus un homme que de transformer une vierge en putain.

Evidemment, Vadim ne fera rien de tel, ce n'est pas son intention. Il affirme que la presse s'est plu à donner de leurs rapports une image douteuse qui ne correspond en rien à la réalité, et il y a tout lieu de le croire. Mais le fantasme est là et il va s'en servir : car il est un des premiers à comprendre parfaitement le rôle que peut jouer la presse dans la réussite d'une actrice. Brigitte doit devenir une vedette. Maintenant, c'est une nécessité. Vadim attend cela d'elle.

Lorsqu'il rentre à Paris, Brigitte a déjà pour lui une autre dimension. Elle est une héroïne tragique, une victime de l'amour, un premier rôle sur la scène de ce grand théâtre qu'est la vie pour Vadim. Le metteur en scène et l'auteur de la pièce qui vient de se jouer, c'est lui. Mais Brigitte a montré le talent des grands acteurs, elle est allée au-delà de ce qu'il lui suggérait, elle a changé le texte et elle a payé de sa personne pour que le spectacle soit davantage que bon : grandiose.

Vadim change d'avis quant aux possibilités dramatiques de Brigitte. Alors qu'il avait été déçu, lors de la préparation de l'essai pour Allégret, par son incapacité à jouer d'autre rôle que le sien propre, il comprend que cela n'a rien d'une limitation, bien au contraire. Brigitte est de ces êtres rares qui sont prêts à prendre suffisamment de risques pour faire de leur vie, selon le mot célèbre d'Oscar Wilde, une œuvre d'art. Et cela, c'est irrésistible pour le dandy aux origines slaves qu'est Vadim. Au lieu de gêner Brigitte en lui faisant jouer des rôles pour lesquels elle n'est pas faite, il va l'aider à interpréter le sien propre, de loin le plus intéressant. Si, pour parvenir à ses fins, il doit en passer par la promesse de mariage et même par sa réalisation, il est prêt à le faire. Brigitte n'apparaît plus maintenant comme un obstacle à sa propre gloire, une diversion sur le chemin de sa destinée. Elle aime les jeunes gens aux dents longues. Elle va être servie.

M. Bardot met deux conditions aux fiançailles officielles. Premièrement, Vadim doit se convertir au catholicisme. Il est impensable d'avoir pour futur gendre un athée ou — guère mieux — un membre de l'Église orthodoxe. Vadim ne fait pas d'objection. Après tout, il y a dans les fastes de l'Église catholique de quoi le séduire. L'autre condition, c'est que Vadim touche un salaire. Cette question d'argent est le principal obstacle. M. Bardot pense que Vadim n'est pas du genre à jamais être riche, ce en quoi il se trompe. Mais après tout, il y a de l'argent dans la famille. Brigitte, si elle ne peut jouir du train de vie cossu dont son père rêve pour elle, ne mourra en tout cas jamais de faim. Seulement, il est hors de question d'avoir un gendre entretenu. Vadim doit prouver qu'il est un homme, et un homme se reconnaît à sa fiche de paie. Or les gains épisodiques de Vadim, qui offre un jour le champagne et ne peut même pas se payer un jambon-beurre le lendemain, ne méritent pas le titre de fiche de paie. M. Bardot, qui rêvait peut-être d'un gendre diplômé d'une grande école, se trouve réduit à exiger le minimum du grand escogriffe dont sa fille s'est éprise.

Vadim déteste les efforts inutiles, et il adore faire d'une pierre deux coups. Parmi la bande de jeunes gens qu'il fréquente se trouvent des photographes et journalistes de *Paris-Match*. Cet hebdomadaire représente alors quelque chose de nouveau dans le journalisme français. Ses héros sont les grands reporters. « Le poids des mots, le choc des photos » qui est devenu le slogan du journal, s'applique encore mieux à ce moment-là car, en la quasi-absence d'images filmées, les photos rapportées à grands risques sont le seul moyen de montrer les événements au public. Comme le *Life* américain, *Paris-Match* est connu dans le monde entier. Les textes sont rédigés par des journalistes brillants tels que Raymond Cartier, dont les opinions font figure d'oracles.

Le journal est prospère, les journalistes bien payés. Dotés de surcroît de généreuses notes de frais, ils mènent grande vie dans un monde où être moderne, c'est être jeune, beau, bronzé, au volant d'une décapotable — rouge de préférence — boire du whisky, fumer des américaines, fréquenter les bars tard dans la nuit en jouant aux cartes avec les copains, et paraître couvert de filles.

Le journal est alors dirigé par Hervé Mille, personnage légendaire, nabab du journalisme qui préfère aux bureaux son luxueux appartement de la rue de Varenne où il se plaît à donner des réceptions somptueuses.

Il n'est pas étonnant que Vadim ait séduit cet homme qui semble vivre au XVIIIe siècle plutôt qu'au XXe siècle. A côté des grands reporters qu'on envoie aux quatre coins du monde couvrir la guerre de Corée ou les incidents du maccarthysme, le journal a besoin, pour la rubrique « société » d'observateurs introduits dans les milieux *ad hoc*. Vadim sait beaucoup de choses, connaît beaucoup de gens. Il s'entend bien avec la bande de *Match* dont il partage le mode de vie. Pressé par Pilou de se trouver un métier respectable, il

n'a aucun mal à pénétrer dans les bureaux du grand hebdomadaire. Hervé Mille se fait un plaisir de l'engager pour
quatre-vingt mille francs par mois. Ce n'est pas un pactole
mais le travail est celui d'un débutant, consistant principalement à rédiger des notes. Vadim ne fait pas la grimace : il
pourra montrer à M. Bardot des fiches de salaire et d'autre
part, confiant en sa bonne étoile, il ne doute pas de parvenir
en peu de temps au poste envié de reporter, qui convient à
son goût du risque et du faste.

Le mariage n'aura pas lieu pour les dix-huit ans de Brigitte, seulement les fiançailles officielles. En attendant,
Vadim la persuade à nouveau qu'il fera d'elle une vedette de
cinéma. Elle est prête à tout pour qu'il l'aime et qu'il s'occupe d'elle. C'est un monde qu'elle ne connaît pas : elle ne
sait pas à quoi elle s'engage. Quand elle s'en apercevra, il
sera trop tard. Le cinéma aura pris pour elle la figure du
destin.

Vadim ne veut pas qu'à la prochaine occasion se renou-
velle l'épisode humiliant de l'essai pour Allégret. Elle va
devoir travailler, apprendre à jouer. Elle se présente chez
René Simon qui règne sur le Paris des jeunes acteurs comme
Hervé Mille sur celui des jeunes journalistes. Franc jusqu'à la
brutalité, mais adoré de ses élèves, il a la réputation justifiée
d'être un découvreur de talents. Vadim pense qu'il ne pourra
manquer de remarquer le feu qui couve en Brigitte. Il n'en
aura guère le temps : c'est Brigitte elle-même qui va lui
tourner le dos. Lorsqu'elle arrive au cours Simon, celui-ci sur
scène, entouré d'une cour admirative, explique qu'un
homme reste un homme tant qu'il est capable de se regarder
pisser. Brigitte craint qu'il ne joigne le geste à la parole.

Pas encore vraiment « libérée » des bonnes habitudes
acquises rue de la Pompe, elle est défavorablement impressionnée. Elle se fait une toute autre idée de l'art dramatique
et ne voit pas ce qu'elle a à gagner en restant là. Son apprentissage de comédienne se termine avant d'avoir commencé.

On peut voir là un geste de rébellion autant qu'un geste de
peur. Bardot ne sera pas une actrice mais une star. Les
Américains, qui ont inventé les stars, ont toujours fait clairement la différence entre la star, qui se montre, et l'acteur, qui
joue. Or, une star peut mener à bien une performance d'acteur. C'est ce que prouvent Lana Turner dans *Le facteur sonne*

toujours deux fois, Joan Crawford dans *Qu'est-ce qui est arrivé à Baby Jane,* ou Rock Hudson dans *Géant.* Certains effectuent un passage définitif d'une catégorie à une autre. Ainsi, Dirk Bogarde fut pendant des années en tête du box-office anglais pour sa participation à des films commerciaux de la compagnie Rank dans lesquels il jouait, par exemple, un gangster mexicain vêtu de cuir et accompagné d'un chat blanc. Il raconte dans ses *Mémoires* comment un jour il en eut assez et devint un acteur, jouant dans les plus grands films de Losey, Visconti et Resnais et vendant sa Rolls pour s'accommoder d'un salaire plus bas. Brigitte Bardot, au cours de sa carrière, démontrera ses capacités d'actrice avec Godard et Louis Malle. Mais dans le cas de Bardot, le sex-symbole l'emportera toujours sur l'actrice.

Plus tard, Brigitte se plaira à dire qu'elle n'a jamais voulu se consacrer au cinéma : elle l'a fait pour Vadim, c'était un acte d'amour. Mais pourquoi n'accomplit-elle pas l'effort de rester dans un cours de comédie, celui de Simon ou un autre ? A « Actuel 2 » revenant sur sa carrière, elle insistera une fois de plus sur cette prétendue passivité : « Je pense que si j'avais eu le désir vraiment profond de faire quelque chose ou d'incarner une héroïne quelconque, je l'aurais fait. Je ne vois pas pourquoi je ne l'aurais pas fait, étant donné que j'avais plus ou moins la possibilité de tourner ce dont j'avais envie. Mais je me suis laissée porter un peu par les événements. » Et elle ajoute : « Je crois qu'il ne faut pas chercher trop loin le secret. Je crois que je suis arrivée dans ce monde du cinéma au moment où l'image de la femme a changé pour une raison ou pour une autre ; il se trouve que c'était moi qui étais là et que je correspondais à cette nouvelle image. Ça a été un cocktail de choses et d'impondérables qui ont fait de moi cette espèce de bombe qui a éclaté comme ça. Ce n'est pas du tout les films que j'ai tournés, ni la publicité qu'il y a eue autour de moi. »

A-t-elle dès le début de sa carrière saisi combien elle était exceptionnelle — comme lorsqu'elle répondra à Jacques Chancel qui lui dit : « Finalement, vous êtes une bonne petite Française », « Non, je suis une grande Française » ?

Brigitte est chez elle dans le cinéma, ce milieu qu'elle méprisera tant, parce que le cinéma, c'est l'image et que c'est en tant qu'image qu'elle se reconnaît. Elle aurait pu se contenter d'une carrière de cover-girl. Mais tous ceux qui ont travaillé avec elle l'affirment : sa beauté exceptionnelle réside dans le mouvement. En attendant, elle continue les photos, et elle travaille maintenant avec *Match*. Elle aura beau déclarer plus tard que la publicité n'est pour rien dans sa réussite, une image n'existe pas si on ne la voit pas. Et Vadim s'applique de toutes ses forces à ce qu'on la voie.

Le passage chez René Simon, si bref soit-il, l'aide peut-être à décrocher son premier contrat de cinéma. Le metteur en scène Jean Boyer l'a remarquée : les efforts de Vadim portent leurs fruits. Cela se passe en avril 1952 ; le film doit s'appeler *le Trou normand*. Il est produit par Cité-Films, le lieu de tournage sera le village de Conches en Normandie. Brigitte doit jouer en face de Bourvil, dans le rôle de l'idiot du village, une jeune paysanne ambitieuse, un peu nigaude et chipie, qui rêve de monter à Paris « faire l'actrice ». Elle est utilisée par sa mère comme appât afin de faire renoncer Bourvil à ses droits sur son auberge, *le Trou normand*. Celui-ci, aveuglé par l'amour, se laisse dépouiller, et Brigitte console le malheureux — et s'en débarrasse.

« Mais alors, dit Bourvil comprenant qu'il a été berné et que Brigitte ne l'aime pas, j'ai tout perdu ?

— Mais non, répond-elle. Tu as tes amis ! Va vite les retrouver ! »

Ce film présente encore la BB première manière : habillée d'une robe écossaise à grands carreaux, égayée par des poignets et un col blanc amidonnés ; le béret de côté dont s'échappe la queue de cheval, c'est la jeune fille du seizième, peu crédible en paysanne normande. Bourvil, en face d'elle, semble être son grand-père et la regarde d'un air affectueux et un peu amusé. On a peine à croire qu'il vit une grande passion.

Brigitte est ravissante, mais l'angoisse de jouer et l'incertitude se lisent sur son visage. Un visage peu mobile, animé d'un petit nombre d'expressions. L'élément de bouderie est déjà apparent dans *le Trou normand*. La moue, c'est l'expression faciale de la rébellion, c'est ce qui évitera au personnage de Bardot de n'être qu'une blonde évaporée et bien gentille, l'héritière de Martine Carol. La moue de Bardot, c'est le mécontentement secret de la femme-enfant-objet, qui se retient de dire ce qu'elle pense des hommes pour ne pas perdre son statut d'idole, on se demande à quel moment elle va décider d'arrêter de jouer le jeu, de se plier aux règles de la soumission féminine pour assassiner en trois phrases meurtrières le mâle qui, en face d'elle, gonfle ses plumes et s'égosille en cocoricos victorieux. Et c'est là, par cette moue et tout ce qu'elle implique, que Bardot va représenter une femme nouvelle, perpétuellement prête à l'envol mais qui ne s'envole jamais. L'oiseau sur le bord de la fenêtre, qui étend les ailes mais qu'une entrave empêche de décoller.

Brigitte débite ses répliques avec application, comme si elle avait du mal à réciter un texte appris par cœur ; on a un peu l'impression d'une composition de récitation à l'école.
« Bardot a fait des progrès, elle est maintenant presque digne du cours René Simon », dira un critique à son deuxième film, se moquant de sa façon de déclamer les textes les plus simples. Or, elle ne parlera jamais juste : elle parlera Bardot. Cette voix un peu nasillarde, un peu métallique, un peu plate — qui contraste avec celle, chaude et modulée, de sa sœur Mijanou — elle ne la reniera pas. Au contraire, elle va la pousser à l'extrême. Elle ne cessera jamais de prononcer les « e » muets comme une enfant appliquée qui récite son premier poème : elle fera de cette « erreur de jeunesse » une marque de fabrique. A Marilyn Monroe, autre actrice très critiquée pour sa diction, elle va emprunter la gémination des consonnes. Qu'on se souvienne de la façon dont Monroe double, voire triple ou quadruple les « d » dans la fameuse chanson My Heart belongs to Daddy. Pour produire cet effet acoustique, la langue s'attarde longtemps, plus que nécessaire, contre le palais, contre les dents — effet des plus érotiques. La prononciation du « e » muet de fin de mot, chez Brigitte, accentue cet accent traînant, qui donne l'impression que l'actrice vient de se réveiller et que sa bouche, au saut du lit, est encore embarrassée de sommeil. Cette lenteur, cette précision extrême de la diction a une autre connotation : celle de la supériorité, de la royauté. Cette façon de détacher toutes les syllabes comme si elle s'adressait à une foule entière suspendue à la moindre de ses paroles, elle la partage avec les souverains, les papes et les présidents.
Le Trou normand n'est certainement pas un chef-d'œuvre du cinéma. C'est une petite comédie naïve, qui ne remporta

pas un grand succès, sauf plus tard, aux États-Unis, lorsque en plein cœur du phénomène Bardot, on ressortira ce film qui n'avait jamais été diffusé outre-Atlantique et qui connaîtra alors une belle carrière.

Jean Boyer, le metteur en scène, a entrevu une des faces du talent de Bardot, qui ne sera jamais totalement développée parce que le côté sex-symbole occupera bientôt toute la place. Le petit visage au nez plissé de la jeune fille, son caractère rieur et insouciant, et même un reste de gaucherie et de timidité, lui avaient sans doute signalé des possibilités comiques. D'autres metteurs en scène chercheront à exploiter cette veine, tel Molinaro dans *Une ravissante idiote*. Le titre même de ce film est un clin d'œil à la tradition américaine du sex-symbole parodique, la « dumb blonde » que sait être Marilyn face à Tony Curtis dans *Certains l'aiment chaud*, Jayne Mansfield dans *la Blonde explosive* et Mae West dans tous ses films. Mais nous sommes en France où une femme qui veut séduire ne peut se permettre de faire rire. Aujourd'hui encore, le rire qui charme n'est pas très bien accepté au féminin, alors même que les femmes ont théoriquement acquis le droit à l'humour. Mais Brigitte est trop appliquée, trop sage. Le comique est involontaire, au second degré, il est provoqué par son malaise.

L'expérience du tournage lui-même, pourtant, n'a pas été trop pénible. Une fois encore, la famille Bardot a des relations dans l'entreprise : Cécilia Malbois, la scripte, est une amie des parents de Brigitte. Elle se souvient que l'équipe du film était bien disposée à son égard : « Jean Boyer savait que c'était une débutante. Il était très gentil, très paternel ; Bourvil aussi. Elle était charmante et consciencieuse, mais le fait de ne pas avoir suivi de cours de comédie la gênait. Elle se cramponnait à son texte et le disait avec tellement de conviction qu'elle tournait le dos à la caméra. Bourvil dut lui expliquer que ce n'était pas lui qu'elle devait regarder, mais la caméra. A la prise suivante, elle obéit si bien qu'elle tourna le dos à Bourvil. Celui-ci, amusé, lui dit : "Là, tu as trop bien compris !" Pourtant, on pouvait voir qu'elle avait le sens du déplacement, très important chez une actrice. Elle était un régal pour les opérateurs, on pouvait la prendre sous n'importe quel angle. Et alors qu'elle n'avait pratiquement rien fait, elle attirait déjà énormément les journalistes : on en a vu débarquer des hordes sur le plateau. En fait, comme l'a montré le numéro de *Match* paru pour ses cinquante ans, elle a été la top-model avant la lettre. Elle se connaissait très bien et bougeait sans arrêt en apportant à chaque fois quelque chose de nouveau. Le photographe n'avait pas besoin de lui dire : "Fais ci, fais ça." »

Le film comporte une scène où Brigitte doit échanger un baiser avec Roger Pierre. Celui-ci détient donc le titre enviable d'avoir été le premier à embrasser Bardot devant une caméra. « La situation n'était pas particulièrement facile, dit Cécilia Malbois. Roger Pierre travaillait sans arrêt, il devait passer tous les soirs dans un cabaret. Après son spectacle, il prenait la route directement au sortir du cabaret. Un copain lui servait de chauffeur, il dormait dans la voiture et arrivait juste à temps pour être maquillé, un peu hagard. Roger Pierre a raconté par la suite qu'il avait été maladroit exprès, faisant faire de nombreuses prises afin d'avoir le plaisir d'embrasser Bardot une bonne vingtaine de fois devant un Vadim mort de jalousie. C'est une jolie anecdote, mais invraisemblable, parce que Vadim n'était pas là. Vadim et Brigitte se retrouvaient le dimanche. En fait, sur le moment, Roger Pierre ne faisait pas trop le fanfaron : Brigitte et lui étaient aussi empruntés l'un que l'autre. »

Cécilia Malbois pense que personne, sur le tournage, ne pressentait l'avenir de Brigitte. « Elle se conduisait en petite fille très sage, téléphonait sans arrêt à ses parents auxquels elle était très attachée. Lorsque Vadim venait la rejoindre, c'était charmant de les voir ensemble ; ils se sont bien épaulés l'un l'autre. Vadim avait des idées, il cherchait quelqu'un pour les concrétiser : elle lui a donné ce qu'il cherchait. »

Cécilia Malbois voit une raison à des débuts qui semblent relativement faciles en comparaison de ceux de beaucoup de vedettes de cinéma : « Comme Brigitte venait d'une famille nantie, elle n'avait pas à faire de compromissions. Elle pouvait dire non quand elle le voulait, ce qui lui a permis de se faire une place à part. »

Aujourd'hui encore, si Isabelle Adjani ou Sandrine Bonnaire sont d'origine modeste, le papa d'Isabelle Huppert est banquier et celui de Gabrielle Lazure ministre. L'argent de la famille permet d'éviter les passages par le « casting couch » et les rôles déshonorants dans de trop mauvais films.

Si Brigitte, qui a bon cœur, dit souvent oui quitte à se plaindre ensuite de s'être fait exploiter par les gens, elle saura toujours dire non dans les circonstances vraiment importantes. Pourquoi, dans ces conditions, avoir tourné dans *le Trou normand* qui ne lui permet pas sur les écrans une entrée fracassante ? C'est que Vadim est pressé ; pressé pour elle. Il s'active en faveur de Brigitte, parle d'elle partout, sans dire que c'est sa fiancée, comme d'un phénomène, d'une fille formidable. Il a déjà mis en branle la formidable machine publicitaire de *Match* qui suivra Brigitte tout au long de sa carrière, car elle gardera un lien privilégié avec le magazine qui l'a « soutenue » à ses débuts. Vadim, qui a compris la puissance des journalistes lorsqu'il s'agit de lancer quelqu'un, sait qu'il est difficile de maintenir longtemps leur intérêt. Il faut leur fournir sans arrêt de la nourriture fraîche. Il s'y applique, mais il faut que Brigitte coopère. Elle doit tourner, même des films médiocres : sinon, elle sera oubliée avant d'avoir été connue. Lors de l'émission *Telle quelle*, Brigitte se plaint d'avoir été considérée, à ses débuts, comme moins que rien. Il faut sans doute relativiser les choses : pour elle qui sera par la suite traitée comme une reine et qui était la petite princesse dans son environnement familial, le mépris dans lequel le monde du cinéma tient toute personne qui n'est pas encore une vedette a dû être très difficile à supporter. L'acteur est à la fois et selon les circonstances, tout et rien, quelqu'un et personne, et il doit apprendre à savoir vivre cette situation difficile. Certains en meurent, comme Marilyn punie par son studio, « suspendue » pour cause d'absences et de retards dus en partie à l'angoisse et à la rancune provoquées par la façon dont on l'avait traitée, et qu'elle ne parvenait pas à admettre ni à oublier. D'autres abandonnent par crainte d'en mourir ou d'être abandonnés eux-mêmes, ce que fera Brigitte au bout de vingt ans de cinéma. Mais elle n'a jamais cessé de garder les cartes en main.

Son jeu, dans *le Trou normand*, a été peu apprécié. Brigitte préfère aujourd'hui ne pas se souvenir d'un membre de sa profession qui osa dire à son propos : « On devrait avoir honte de jouer aussi mal. » Elle a un petit rire triste en affirmant, à *Telle quelle*, qu'elle a bien eu sa revanche par la suite.

71

Il y a deux catégories d'acteurs : ceux qui aiment jouer, pour qui jouer donne un sens à leur vie, et ceux qui aiment se voir, voir leur nom sur une affiche, leur visage sur un magazine. Les premiers préfèrent souvent le théâtre, les seconds sont nombreux au cinéma.

On peut se demander si Brigitte a jamais vraiment connu le plaisir du jeu. Ceux qui le goûtent ne peuvent généralement pas abandonner, ils se cramponnent jusqu'au bout et affrontent, après la gloire, les petits rôles dans les salles de province.

Lorsque Garbo, qui se consacrait à son art avec une intensité extraordinaire, abandonna l'écran, elle avança un motif : les gens qui souhaitaient son retour voulaient seulement lui voir faire des choses qu'elle avait déjà faites, pour pouvoir dire qu'elle ne pouvait plus les faire.

Brigitte semble n'avoir jamais pris le cinéma au sérieux. Ce qui va, d'un côté, la protéger, et de l'autre, limiter ses performances. Vadim déplore qu'elle ne puisse apporter à son travail d'actrice la concentration, l'intensité et le bonheur qu'il avait vus l'animer lors de ses cours avec Boris Kniazeff. On peut penser que Brigitte, tout simplement, souhaite consacrer toutes ses forces à vivre, que rien d'autre à ses yeux ne mérite tous ses efforts et surtout pas cet ersatz de vie, cette illusion en celluloïd qu'est le cinéma. Plus tard, elle va montrer que, dirigée par un grand metteur en scène, elle peut être une actrice considérable. Mais ce ne seront que des intermèdes dans sa vie.

Si Brigitte, au sortir de l'expérience du *Trou normand*, n'a rien vécu d'inoubliable et n'est pas sacrée grande vedette par la presse, elle semble en tout cas avoir pris assez de plaisir a être entourée et photographiée, et s'être assez amusée pour souhaiter recommencer. A Françoise Sagan, elle confie à propos de ses débuts au cinéma : « Je ne comprenais pas ce qui m'arrivait. Je n'ai d'ailleurs toujours pas bien compris... »

Après *le Trou normand*, elle rentre à Paris avec des bleus au cœur et le sentiment que le film est mauvais. Elle n'en a pourtant pas fini avec le cinéma.

A peine un mois plus tard, elle est à nouveau demandée, par le metteur en scène Willy Rozier, cette fois, pour le tournage en Corse, en juin et juillet, d'un film qui doit s'appeler *Manina la fille sans voile*.

On peut se demander pourquoi M. Bardot, habituellement si vigilant, accepte de laisser sa fille s'engager dans un projet qui porte un titre pareil. Brigitte étant à l'époque mineure et pas encore mariée, l'autorisation parentale est nécessaire. Plus tard, les parents, échaudés par leurs décisions difficiles et leurs interventions parfois maladroites, feront émanciper Mijanou lorsque celle-ci se laissera à son tour tenter par le démon cinématographique. Le titre anglais du second film de Brigitte sera *La Fille du gardien de phare*, ce qui évoque plutôt le mélodrame légèrement pimenté d'une pointe de salacité voyeuriste dans le genre *les Deux Orphelines*. Et *Manina* est un joli nom à consonance innocente. Mais comment Brigitte a-t-elle fait le saut de la petite paysanne bêcheuse du *Trou normand* à cette *Fille sans voile* ?

On devine que Vadim lui tient la main. Pressentant lui aussi l'échec du *Trou normand*, il ne veut pas laisser à Brigitte le temps de se faire connaître par un échec dont elle risquerait de ne pas se relever. Mieux vaut accepter tout de suite ce qu'on lui propose. Ainsi, deux films s'enchaînant, si *le Trou normand* ne marche pas, on peut espérer que *Manina* le fera oublier ; sinon, deux échecs à la suite ne seront guère pire qu'un seul.

Willy Rozier est tout à fait le genre de personnage qui plaît à Vadim. C'est un franc-tireur du cinéma, un de ces marginaux qui se font de plus en plus rares mais qui parviennent à survivre, à une époque où le cinéma français en est encore au stade de l'artisanat, et non de l'industrie. Ce singulier personnage, épris d'indépendance et gêné par des problèmes de trésorerie, parvient à faire tout lui-même, mise en scène et scénario, et à tourner avec sa propre caméra, son groupe électrogène... De quoi séduire ceux qui rêvent déjà de casser le système et songent à quelque chose qui s'appellera la nouvelle vague. Un film précédent de Rozier, *l'Épave*, a révélé Françoise Arnoul, qui devient une des principales vedettes françaises, l'une des premières actrices à briser le moule conventionnel de la dame sophistiquée et bien coiffée pour dessiner un nouveau type de femme, plus audacieux, plus « existentialiste ».

Avec *Manina*, Brigitte se trouvera aux antipodes du rôle de comédie gentillet qui lui a mal réussi dans *le Trou normand*. *Manina* est un film construit pour et autour d'un personnage de sauvageonne qui ne fait pas rire mais rêver. Dans *Manina*, Brigitte sera dévoilée. Vadim commence à comprendre : il pense qu'il ne faut pas hésiter à tabler sur ce qui, chez Brigitte, est d'emblée exceptionnel. Dans *Manina*, on ne l'écoutera pas et on ne réfléchira pas sur les nuances de son jeu. On la regardera. Brigitte a-t-elle conscience de la voie dans laquelle elle s'engage ? Les témoins de ses débuts s'accordent à dire qu'un des traits les plus émouvants et séduisants de son personnage est l'espèce de fierté heureuse et innocente qu'elle a de son corps.

Dans *Manina*, songe Vadim, elle n'aura qu'à faire ce qu'elle fait naturellement, poser dans un décor un peu sauvage de bord de mer comme elle les aime, figurer, avec les gestes gracieux dont elle a le secret, une jeune Vénus émergeant des eaux. L'intrigue de *Manina* comporte des points communs avec le schéma qui fera la gloire de Brigitte dans le premier film de Vadim, *Et Dieu créa la femme*. C'est l'histoire de deux plongeurs qui s'acharnent à chercher un trésor enfoui dans le golfe d'Ajaccio. La rivalité pour la possession des trésors du gallion s'envenime lorsque Brigitte, la fille du gardien de phare, qui aime passer ses journées à se dorer en bikini allongée sur les roches rouges, apparaît. L'intérêt des deux hommes pour les pièces d'or se mue en passion rivale, en lutte pour les faveurs de cette naïade. Brigitte, dans ce deuxième film, figure pour la première fois l'objet passif du désir des hommes.

Plus de Bourvil bon papa en face de la jeune actrice, mais un jeune premier qui fait ses débuts au cinéma, Jean-François Calvé. Celui-ci se souvient de son premier tournage avec la débutante comme d'un merveilleux moment : « En sortant du Conservatoire, j'ai été engagé par Jean-Louis Barrault pour jouer au théâtre Marigny. Je suis passé du théâtre au cinéma avec *Manina* ; à l'époque, on ne vous apprenait pas à affronter la caméra, j'ai tout découvert sur le tas. Lorsque je me suis rendu à un premier rendez-vous avec Willy Rozier pour un rôle dans son film, on m'avait conseillé de dire oui à tout : un premier rôle au cinéma était une chose à ne pas manquer, je devais absolument me faire engager. Quand Willy Rozier m'a demandé si je savais plonger, j'ai dit

74

oui. Je pensais que ça ne serait pas très difficile d'apprendre. Or, je devais rester vingt-cinq à trente minutes sous l'eau avec des bouteilles sur le dos. Le fond manquait de lumière, et Rozier devait être économe. J'ai dû vaincre ma peur et le côté positif a été la découverte des fonds marins. Comme il n'y avait pas de fonds en Corse, on a tourné ces scènes-là à Golfe-Juan. »

Certaines séquences du film sont aussi tournées à Tanger ; mais la plupart des scènes entre Jean-François Calvé et Brigitte Bardot sont situées sur l'île de Lavezzi, où sont morts les marins de la *Sémillante*, et où se trouve leur cimetière. Le décor solitaire, ensoleillé et grandiose, est de nature à séduire Brigitte. Un tournage en bord de mer en cette saison a de quoi plaire à celle qui choisira souvent ses films en raison d'une atmosphère de vacances et d'amitié.

« L'île était charmante, raconte Jean-François Calvé. Comme c'était désert, un bateau nous apportait le déjeuner : de la langouste, toujours de la langouste ! A la fin, j'en avais assez, moi, de la langouste !

« Brigitte débutait, et pourtant c'était vraiment une star. Nous avions une bonne relation, très amicale. Malgré son peu d'expérience du cinéma, lorsqu'elle disait : "Il faut refaire une prise", elle ne se trompait jamais. Elle avait une grande connaissance d'elle-même, de son corps. Elle a été accablée dans la presse : pourtant, ce qu'elle faisait était très beau.

« J'ai senti qu'elle avait une dimension singulière, sans comprendre qu'elle annonçait un changement de mœurs. La première fois que je l'ai aperçue coiffée en queue de cheval, c'était pour *Manina*, lors d'un tournage en extérieurs, à Nice. Dans le film, elle avait déjà le style Saint-Tropez. C'était une mode qui commençait ; je me souviens que Simone Volterra, directrice du Marigny, passait ses vacances au Cap-Camarat, près de Saint-Tropez : à cette époque, les Parisiens d'une certaine notoriété y allaient pour échapper à la cohue, être tranquilles entre gens de bonne compagnie qui savaient goûter la simplicité. »

La garde-robe de Brigitte dans le film annonce effectivement la mode Saint-Tropez qui sera lancée entre autres par Vachon. Brigitte ressemble déjà à Bardot, avec ses chemisiers aux manches roulées, col profondément ouvert, aux

75

pans noués sous les seins dans le genre vahiné que les jeunes vacancières de la côte vont bientôt s'empresser d'adopter. Sa large jupe de toile fleurie est à taille basse, autre élément de la mode tropézienne, découvrant le nombril qui va devenir un des points érotiques du corps de la Française en vacances. Brigitte marche pieds nus et abandonne au vent ses cheveux qui ne sont plus contraints par des peignes ou des barrettes. Quelques mèches sont décolorées par le soleil.

A l'époque où le noir et le blanc règnent encore, le blond prend mieux la lumière. Brigitte ne va pas tarder à s'en rendre compte, et à décolorer ses cheveux lorsque le soleil ne peut pas exercer son action bénéfique. Mais ce qui frappe ici, c'est le naturel de sa coiffure. Si Jean-François Calvé est en short de bain, Brigitte est en bikini, un bikini très succinct comme on pourrait en porter aujourd'hui. Certaines scènes donnent même l'impression que la jeune actrice est nue. Brigitte a déjà le talent de paraître nue lorsqu'elle est habillée. Pourtant, le travail de Rozier avec Brigitte n'est ni vulgaire ni salace. Les formes sculpturales de la jeune fille lui donnent l'aspect d'une figure de proue. Sa silhouette élancée se détache sur fond de rochers comme celle d'une jeune déesse païenne. Les yeux mi-clos, elle accueille sur son visage pur et sans apprêt la caresse du vent. On croit goûter le sel sur ses lèvres...

De même que les journalistes se sont pressés sur le tournage du film de Boyer, ils sont au rendez-vous de *Manina*. Avant la sortie du film, des bruits courent sur la prétendue nudité de Brigitte, et ces bruits parviennent aux oreilles de M. Bardot. Qui plus est, dès la période du tournage, des photos de Brigitte peu voilée, sinon « sans voile » paraissent dans les journaux. M. Bardot voit sa fille ravalée au rang de pin-up de calendrier. Il est en colère. Ce n'était pas ce qu'il avait prévu lorsque, négociant le contrat avec les producteurs, il avait exigé une clause stipulant que rien, dans le film, ne choquerait la décence. Les producteurs s'étaient engagés à ce que jamais Brigitte ne paraisse autrement qu'en maillot de bain. Mais la notion de décence, comme les maillots de bain, est élastique. Le mot n'a pas forcément le même sens pour un producteur et pour un père de famille. Les photos du film montrent bien une Brigitte en bikini mais elles sont « suggestives », comme on dit à une époque où la censure interdit de montrer.

Brigitte, sur les photos de *Manina*, n'est pas encore la créature pulpeuse et délibérément provocante qui déchaînera quelques années plus tard les foudres du Vatican. Ce qui frappe le plus dans les photos du tournage, c'est le regard : le véritable regard de Brigitte, provocateur et rebelle, un regard qui semble fixer tous les père-la-pudeur, tous les Tartuffe qui vont venir la voir.

La jeune fille que joue Brigitte traîne, paresseuse, en vacances perpétuelles. Ce personnage de fille qui refuse les valeurs « Travail, Famille, Patrie » de la génération de ses parents fait penser à l'orpheline en rupture de ban de *Et Dieu créa la femme*, et aux traîne-savate révoltés de *Pierrot le Fou*. La « morale amorale » de la Nouvelle Vague s'annonce.

On comprend que M. Bardot voie rouge. Il saisit la justice sans se rendre compte que le remède sera pire que le mal. Une première ordonnance de référé en novembre 1952 signifie à un mandataire de justice de visionner le film. L'huissier, ayant vu, affirme que le film, décent, n'est pas de nature à compromettre l'honorabilité de la jeune actrice.

Tourné à Tanger, *Manina* sort d'abord au Maroc. Là-bas, les services de publicité d'Unifrance, à l'abri de M. Bardot et de ses foudres, s'empressent de joindre l'image aux mots et montrent, dans le style sans nuance et raccoleur propre aux affiches de film, une pin-up apparemment nue sous laquelle le nom de Brigitte Bardot apparaît, en grandes dimensions. C'est du côté de l'Église catholique que la fureur se déclenche. Un prêtre de Casablanca, le révérend père Lagarde, ameute ses paroissiens et prêche de façon imagée contre la pécheresse. Emporté par un succès sans mesure avec celui qu'il obtient en traitant de sujets moins brûlants, il va jusqu'à déchirer publiquement une affiche du film lors d'un meeting. Apprenant ces nouvelles inquiétantes, M. Bardot saisit à nouveau la justice. Il demande à la Chambre des référés d'interdire l'apposition de ces affiches lors de la prochaine sortie du film à Paris.

Le phénomène Bardot est lancé. Brigitte, de gré ou de force, prise dans un mouvement qui dépasse sa personne et sa volonté, s'en-va-t-en guerre contre les pères, que ce soit le sien propre, ou ceux de l'Église. La guerre dans laquelle elle est engagée est double : c'est à la fois la guerre des sexes et celle des générations. La guerre des sexes, car malgré ses déclarations tendant à affirmer que, selon le titre de Godard, *Une femme est une femme*, encore faut-il qu'il se trouve un homme capable de la faire obéir. Et aucun n'y parvient jamais, parce que Brigitte, malgré sa vulnérabilité, est plus forte qu'eux. Elle aura très vite les dimensions de l'idole. Elle ne souhaite pas l'égalité entre les sexes, elle recherche l'extrême différence, savoure les jeux et les batailles qu'elle suscite. Les personnages qu'elle va jouer et qui se confondront avec elle aux yeux du public, aiment les hommes, les recherchent pour les mettre perpétuellement au défi.

Bientôt viendra le temps où les acteurs masculins les plus prestigieux hésiteront à jouer avec elle : ils craindront de ne pas faire le poids dans une bagarre d'où la femme sort blessée, mais victorieuse.

Les termes de la loi invoquée par les avocats de Brigitte, commis par son père pour défendre son honneur, ont de quoi faire sourire. Il s'agit d'un décret de juillet 1939 sur la « protection de la famille et de la natalité française ». Dès le début de sa carrière, Brigitte suscite un débat moral. L'argumentation des avocats accompagnant cette citation est raisonnable. Ils font observer que l'affiche représente une escroquerie au public puisque dans le film le personnage de Manina, joué par Brigitte, n'est sans voile que « moralement ». Et c'est vrai. Bien d'autres filles que Brigitte se montreront nues ou presque, et elles n'auront pas le même impact.

Dans *Manina*, Brigitte incarne une femme qui dit son désir simplement, et c'est ce qui est nouveau, et même révolutionnaire. Qu'on ait voulu le traduire naïvement ou cyniquement en la montrant nue sur une affiche en dit long sur l'impuissance d'une société. Il y a, dans la nudité ou la suggestion de nudité de BB, quelque chose de symbolique à l'opposé de la pornographie.

Vadim se plaindra des images colportées par la presse : « Dans le portrait que la presse faisait de Brigitte et de moi — portrait qui trouvait un large écho dans le public — la débauche, le cynisme, l'arrivisme, le mépris de toute règle morale se mêlaient à l'insolence d'une réussite de mauvais aloi », écrit-il dans les *Mémoires du Diable*. Rien de tel qu'un procès pour mettre de l'huile sur le feu. Vadim dira par la suite avoir été dépassé par le phénomène. C'est probable. Son intention n'est sûrement pas de « vendre son amour aux journalistes pour une photo en troisième page ». Mais il est prêt à tout pour faire connaître Brigitte. Il pense d'ailleurs qu'elle est plus forte que des ragots de bas étage. Ce qui est vrai. Elle finira par se faire pleinement respecter. Mais cela prendra des années.

Brigitte est déçue par sa deuxième expérience cinématographique. Elle avait décidé de renier *le Trou normand*, parlant de *Manina* comme de son premier film. Plus tard, elle reniera aussi *Manina* et refusera d'en parler. Elle a le sentiment qu'on lui a fait jouer une seconde fois un rôle de nigaude inexpérimentée et que son jeu est encore plus mauvais que dans le premier film. Elle ne se sent pas une actrice, mais une starlette.

De quoi a-t-elle honte ? De n'avoir pas encore eu le temps d'apprendre à jouer, ou de l'exploitation de sa séduction ? Ce qui dérange dans ces premiers films n'est pas la qualité du jeu, comparable à celle de beaucoup de débutantes, mais le contraste entre cette qualité moyenne et une force qu'on devine, mais qui ne réussit pas encore à se déployer.

Cette période est difficile pour Brigitte. Dans ces premières tentatives pour se trouver, elle est prise entre Charybde et Scylla : son père et Vadim. L'un et l'autre ont sur elle des vues contradictoires, l'un et l'autre disent vouloir son bien et sont certainement sincères. Qui plus est, l'un et l'autre, chacun à sa façon, vont à l'encontre de ce qu'elle souhaite véritablement pour elle-même, et elle devra se dégager de leur emprise pour le comprendre clairement. Elle ne supporte plus la vie de famille — son père « toujours sur son dos » — et elle pense à son mariage prochain avec Vadim. Mais de ce côté-là non plus, elle n'est pas encore vraiment maîtresse de son destin. Sa carrière cinématographique est ratée, pense-t-elle, le cinéma la dégoûte, ne lui attire que des ennuis. Ce qu'elle veut, c'est être la femme de Vadim. Etre une femme, pleinement. Brigitte a déjà compris le principal danger que court un acteur de cinéma : il n'a pratiquement aucun contrôle sur son propre travail. Par les effets du montage et des campagnes publicitaires, l'intention de l'acteur peut se trouver dénaturée, son image exploitée à des fins vénales. Si l'acteur n'est pas soutenu par le sentiment très fort d'une vocation et même d'un destin, si le plaisir de jouer ne prime pas tout, s'il n'a pas absolument besoin de gagner de l'argent pour vivre, alors la tentation est forte d'abandonner. Brigitte se rend compte que le cinéma, déjà, lui fait du mal. Il cause des soucis à ses parents, déchire sa famille et la dresse contre elle. Il est peut-être amusant pendant quelques jours de pique-niquer à la langouste sur une île déserte, mais à la longue cela devient lassant. Les heures passées à attendre les contraintes d'un travail qu'elle ne comprend pas toujours, les prises à refaire l'ennuient déjà. A Françoise Sagan, elle dira qu'elle n'a pas vraiment aimé son métier : « Au début, oui. J'ai été assez fière. Cela m'amusait. Je n'avais jamais songé à faire du cinéma. Alors, quand tout à coup c'est arrivé, j'étais très jeune, cela m'a paru un peu comme un conte de fées. Mais j'ai vite compris que, en fait de fées, c'était encore et toujours du travail. Au départ, on peut avoir de la chance, mais ensuite, il faut travailler très dur, donner beaucoup. Alors, j'ai essayé de donner, jusqu'à épuisement, parfois. »

C'est le caractère spontané et enthousiaste de Brigitte : elle s'embarque dans les aventures de la vie avec le sentiment de vivre un rêve. Et ses rêves, les uns après les autres, se fracassent sur les rochers de la réalité : d'abord la danse et la découverte qu'il n'y a pas de vacances pour les danseurs ; puis le grand amour et la prise de conscience des contraintes sociales, la constatation que ses parents, qui l'aimaient tant, s'appliquaient en toute bonne conscience à briser un amour qui était sa vie même ; enfin, promue au rang de starlette avec ses apanages, les voitures qui viennent la chercher, la garde-robe, la coiffeuse, la maquilleuse, les photographes, les metteurs en scène épris de son merveilleux reflet, elle découvre les répétitions, les horaires contraignants, les jalousies, les rivalités, les incompréhensions.

Elle pourrait se contenter d'être une jolie fille qui se montre dans des films de seconde catégorie. Mais elle est exigeante et elle a une haute idée d'elle-même. Elle comprend que si elle veut accomplir un travail de qualité, le cinéma ne lui permettra pas de dilettantisme.

Alors elle prend peur et souhaite tout arrêter.

Vadim n'est pas de cet avis. Il connaît assez le monde du cinéma pour se rendre compte que Brigitte, malgré les apparences, est bien partie. Une actrice débutante n'est pas toujours en mesure de choisir ses rôles et ses metteurs en scène. Ce qui est important, c'est de tourner, de faire parler d'elle. Et il sent qu'il se crée autour de Brigitte un courant prometteur de curiosité.

Comme il aime profondément le cinéma, l'aventure lui paraît passionnante. En ce qui le concerne, il n'est pas question d'abandonner en si bonne voie. Après avoir eu auprès de Brigitte un rôle d'initiateur, il va devoir désormais la consoler, la rassurer. « Tant que je serai près de toi, tu n'auras rien à craindre des gens ou de la vie », affirme-t-il. Il l'assure que ce qu'elle prend pour des échecs sont à peine des faux-pas, qu'elle n'a fait que trébucher sur le chemin de la gloire. Qu'elle se remette entre ses mains, qu'elle suive aveuglément ses conseils, et il la guidera vers le succès.

Premières noces

Vadim va s'appliquer à devenir, en quelque sorte, l'entraîneur de Brigitte. Malgré l'échec de *Manina*, Brigitte, cette fois, est remarquée. Quelques critiques indiquent que son personnage commence à se dessiner aux yeux des spectateurs : « En se montrant sans voile, ou presque, la jeune Brigitte Bardot n'est ni effrontée ni provocante. Elle demeure assez proche de l'enfance pour garder quelque chose de chaste, de naturel, d'innocent », dit *Ciné-Miroir*.

Vadim n'a plus d'hésitation quant à la place de Brigitte dans sa vie. Elle est maintenant indissolublement liée à son ambition et à son travail. Il faut qu'elle soit toute à lui. Les fiançailles ont lieu, comme prévu, pour le dix-huitième anniversaire de Brigitte. M. et Mme Bardot taisent leur inquiétude. Au point où en sont les choses, ils préfèrent que leur fille ait le statut de femme mariée. Peut-être sont-ils secrètement soulagés de se voir ôter la responsabilité d'une personnalité qu'ils ne parviennent plus à contrôler. Brigitte est devenue étrange, non seulement pour le public, mais aussi pour sa famille.

Le mariage aura lieu bientôt, au mois de décembre. Mais auparavant, Brigitte à nouveau tournera dans un film. Pour la première et dernière fois, elle apparaîtra à l'écran au côté de Vadim dont la carrière d'acteur ressuscite très brièvement.

Il s'agit du premier film tourné par Daniel Gélin en tant que réalisateur, *les Dents longues*. Adapté d'un roman de Jacques Robert, avec des dialogues de Michel Audiard, c'est l'histoire d'un jeune journaliste extrêmement ambitieux, dont le rôle est tenu par Daniel Gélin. Le rôle d'Eva, qui devient sa femme au cours du film, est joué par Danièle Delorme, l'épouse de Daniel Gélin dans la réalité. « J'ai connu BB à ses débuts dans le seul film que j'ai tourné comme metteur en scène, dit Daniel Gélin. Vadim avait habité la maison pendant deux ans. En tournant *les Dents longues*, j'ai voulu reconstituer mon véritable mariage avec Danièle Delorme qui avait été un mariage pour rire. J'ai demandé à mon meilleur copain de l'époque, qui était Vadim, de jouer le rôle du témoin et je lui ai demandé d'amener sa fiancée Brigitte Bardot pour être le témoin de Danièle Delorme. Elle est venue un matin avec Vadim à la mairie de Saint-Sulpice, juste en face de l'église. Sa première appariton n'a duré que dix minutes ; je crois qu'elle n'a même pas été payée. Ce qui a été charmant comme gag, c'est que plusieurs semaines plus tard, Brigitte et Vadim se sont mariés et nous ont demandé, Danièle Delorme et moi, comme témoins ! »

Ce film marque la première participation de Brigitte comme *guest-star*. Au cours des années, on la verra brièvement apparaître dans plusieurs autres films, dont *Masculin-Féminin* de Jean-Luc Godard.

La scène des *Dents longues* est une sorte de répétition générale à l'envers. Le 20 décembre, Brigitte et Vadim se marient à la mairie du seizième arrondissement, avenue Henri-Martin. Brigitte porte une de ces robes écossaises inspirées par sa mère, avec le col Claudine, qui fait partie de son premier style. Daniel Gélin et Danièle Delorme arrivent habillés en bohèmes de Saint-Germain, vêtus de trench-coats. Ce petit pied de nez à l'ordre bourgeois est de nature à séduire Vadim et Brigitte. Brigitte ne peut s'empêcher d'éclater de rire lorsque le maire, une femme, voyant que le

marié s'appelle Plemmianikoff et oubliant qu'il a la nationa-
lité française, croit intelligent de disserter sur l'alliance
franco-russe. M. Bardot, lui, n'apprécie pas tellement la plaisanterie : ce jeune homme lui vole sa fille...

Les aspects peu conventionnels du mariage civil ne font
pas mollir M. Bardot, jusqu'au bout fidèle à ses principes. Le
soir du mariage, il fait irruption dans la chambre de Brigitte
alors que les mariés sont en train de bavarder, et déclare que
Vadim devra dormir dans le salon. Les jeunes gens ont dix
minutes pour se dire bonsoir... Brigitte est stupéfaite, mais
M. Bardot n'a pas l'intention de céder sur le chapitre des
convenances. Sans doute Vadim et Brigitte le comprennent-
ils, et n'ont-ils pas toute la vie devant eux pour être deux ?

Brigitte semble avoir coupé son mariage en deux, chaque
moitié reflétant des éléments contradictoires de son caractère. La cérémonie civile avec son côté bohème-rive-gauche-
cinéma, c'est le mode de vie qu'elle s'apprête à connaître
lors des débuts de son existence au côté de Vadim.

Elle aurait pu refuser la cérémonie religieuse. Lorsque
Françoise Sagan lui demandera si la religion compte pour
elle, Brigitte se souviendra : « Compté... vraiment je ne sais
pas... j'ai été élevée par les bonnes sœurs, j'ai fait ma première communion et mon premier mariage a eu lieu à
l'église. Mais le Bon Dieu, ce gentil grand-père avec sa barbe
blanche, je n'y ai pas cru longtemps. En revanche, quand
j'essaie de réfléchir, il me semble que le monde doit avoir un
créateur, ou un principe moteur, qu'on ne peut pas tout
expliquer par le hasard. En tout cas, il y a une chose que je
sens profondément : il y a dans le monde deux forces antago-
nistes : le bien et le mal, qui se combattent et je crois que
c'est vrai aussi en chacun de nous. » Le mariage religieux est
alors essentiel pour une famille bourgeoise et Vadim s'est
converti au catholicisme pour faire plaisir à M. Bardot. Mais
pour Brigitte, il y a là sans doute plus qu'une concession : le
plaisir de la fête et du rituel de la fête auquel elle tiendra
toujours. Le mariage est censé être le plus beau jour de la vie
d'une femme et Brigitte, si féminine, pouvait difficilement se
priver d'un pareil souvenir. C'est l'occasion d'une mise en
scène, d'un costume de plus dans lequel elle sera à nouveau
ravissante, admirée et le centre de l'attention de tous.

Même s'il lui fait un peu peur, ce mariage, elle l'a ardemment désiré et elle a, avec l'aide de sa mère, préparé les détails de la cérémonie et de la réception familiale. M. Bardot filme sa fille. Un cliché d'un érotisme charmant la montre les yeux baissés comme il convient à une mariée. Mais ce regard modeste est dû à la difficulté qu'elle éprouve à fermer le bas de la longue rangée de petits boutons blancs qui clôt sa robe sur le devant, de la taille jusqu'au haut du cou. Elle a dessiné elle-même cette robe, fidèle à un genre qu'elle aimera toujours, avec un côté rétro, une coupe près du corps à col officier et longues manches, une forme pudique dont la sévérité est démentie par la tournure qui vient souligner la finesse de la taille et la rondeur de la ligne des hanches en un drapé abondant. Ses cheveux sont relevés dans la fameuse queue de cheval fixée d'un petit nœud noir. Mais lors de la photo de mariage proprement dite, on ne voit que la frange bouclée qu'elle affectionne alors, car Brigitte a sacrifié à la tradition du long voile de dentelle brodé formant traîne ; elle a même, pour protéger ses mains du froid de décembre, un petit manchon de fourrure blanche. C'est une fille voilée qui épouse Vadim, le contraire de Manina.

Le « oui » fatidique est dit un peu après dix heures du matin, dans l'église de Notre-Dame-de-Grâce de Passy. C'est l'église des beaux mariages, faite pour accueillir beaucoup de connaissances et de curieux, pas une petite église de campagne pour amoureux solitaires. La cérémonie prend ainsi une respectabilité propre à rassurer la famille.

A la sortie de l'église, Brigitte, dont le col s'orne de quelques fleurs, a le teint altéré par le froid et la nervosité. Ses mains sont crispées dans les gants blancs, elle a l'air un peu apeuré d'un animal timide. Vadim, en complet à double boutonnage et cravate rayée, la couve du regard.

Plus tard, c'est le portrait de famille. Brigitte est noyée dans le tulle et les fleurs. Des corbeilles de roses et d'arums s'épanouissent sur les fauteuils Louis XV des Bardot. A côté d'une Brigitte au regard grave, fine et précieuse comme un saxe, Vadim est un prince consort légèrement ironique. M. Bardot est de l'autre côté de sa fille, le visage légèrement détourné, la bouche serrée, la mâchoire tendue. Au premier plan, devant Vadim, Mme Bardot porte une robe noire dont le décolleté classique s'orne d'un rang de perles. Jamais la ressemblance d'attitudes entre la mère et la fille n'a été aussi

84

frappante : Mme Bardot penche légèrement la tête dans un geste qu'on voit souvent à Brigitte, mais qui lui est interdit ici par la couronne de fleurs qui soutient son voile et lui fait garder la tête haute dans une attitude hiératique, un peu figée. La mère et la fille ont le même mouvement du bras, la même position de la main.

Voici encore Brigitte félicitée par Marc Allégret. Elle tend les lèvres en une moue tendre, comme dans un baiser. Entre la tête d'Allégret et la sienne, on voit le visage de Vadim, souriant cette fois, plus détendu.

Sur les photos de l'album de famille, les mariés ont souvent cet air grave occasionné par les fatigues de la journée, la conscience du rôle à jouer dans une cérémonie un peu compliquée, la nécessité de trouver les mots pour remercier la tante Machin et M. Chose qui a envoyé un si beau cadeau. Vadim semble être tout entier à sa fascination pour Brigitte. Il a choisi. Il veut cette femme, sa destinée est la sienne. Brigitte, elle, a des expressions mélancoliques, un peu absentes. Pense-t-elle déjà à ce moment, comme elle le fera plus tard, qu'elle aurait dû épouser « un homme stable, un véritable compagnon », qui lui aurait donné « des enfants, une villa à Arcachon, et une vie sans heurts, sans drames » ? Se rend-elle compte que Vadim, qui la « libère de sa prison bourgeoise », la fait entrer dans une autre cage, qui se révélera beaucoup plus contraignante et impossible à quitter, celle de la vie publique ? La gravité du visage de Brigitte au sortir de l'église nous dit que, pour elle, la cérémonie religieuse a malgré tout un sens. La veille, à la mairie, c'était presque un mariage pour rire.

Seule avec Vadim dans la voiture qui les emmène vers les Alpes où ils vont passer leur lune de miel à faire du ski, Brigitte retrouvera-t-elle sa gaieté et son insouciance ? Vadim raconte que, au contraire, elle éclate en sanglots. « J'ai peur ! » se lamente-t-elle...

Vadim est désolé. Il espérait que, le mariage terminé, la famille quittée, Brigitte allait enfin retrouver cette gaieté lumineuse de leur première rencontre. Son horizon n'est plus bloqué par les interdits, ils ont su garder leur entente intacte à travers ces trois années difficiles. Et pourtant, elle sanglote. Il comprend que le désespoir qui l'accompagne comme une ombre depuis le suicide manqué est toujours avec elle, qu'il est devenu une composante de sa vie.

Vadim n'est pas le jeune homme blasé et cynique que la presse va bientôt présenter. C'est aussi un amoureux, un romantique. Apporter le bonheur à cette jeune femme qui a mis en lui toute sa confiance, voilà ce qu'il a espéré. Si Brigitte a compté sur Vadim pour se sentir femme, Vadim a compté sur la joie qu'il croit pouvoir lui donner pour se sentir un homme. Ils sont beaux et doués tous les deux, ils s'embarquent pour leur premier voyage : les pleurs de sa jeune femme accablent Vadim, qui y voit le signe que le mariage n'a rien résolu, ne les a pas sortis de leurs difficultés. « Nous avions trop lutté pour gagner le droit de vivre ensemble », écrit-il. « Sans le savoir, nous étions fatigués. » C'est la coutume des amoureux séparés de se consoler en pensant pouvoir vivre plus tard ce qu'ils ne peuvent goûter sur le moment. Mais le bonheur est une denrée périssable, il ne se laisse pas mettre en conserve, et les rêves perdus le sont pour toujours.

En fait, la crise de larmes de Brigitte est le premier symptôme de ce que son mari appelle « la maladie du bonheur ». Elle veut être heureuse, tout de suite et tout le temps. Pendant ces trois années, elle a rêvé sa vie avec Vadim, une vie faite d'un accord parfait de tous les instants. Le désir d'absolu et de perfection qui fait la force de son caractère lui complique l'existence. Elle est plus belle que nature et elle espère un bonheur à son image, plus beau que nature.

Vadim a joué un jeu dangereux en lui expliquant que, ensemble, ils parviendraient jusqu'aux sommets. Brigitte a fait de lui le Père Noël de sa vie de femme.

Au retour de la lune de miel, le jeune couple s'installe dans un petit appartement acheté par les parents de Brigitte, rue Chardon-Lagache, une voie tranquille à la frontière du seizième arrondissement. C'est un nid d'amoureux, sans prétention, un troisième sans ascenseur, avec soleil, mais, détail moins romantique, avec vue sur le commissariat du quartier. Brigitte est bien gardée, et son pas dansant, lorsqu'elle va faire ses courses panier au bras, tourne la tête aux pandores.

Vadim, pour qui la question de l'ameublement ne se posait même pas dans l'appartement de célibataire du quai aux

Fleurs, ne s'inquiète pas de voir celui-ci réduit, au début de sa vie de couple, à un matelas qu'on leur a prêté. Il n'a pas besoin d'un lit de star pour aimer Brigitte.

D'ailleurs, ils ont peu d'argent, car le salaire de Vadim n'est pas très impressionnant. Mais Brigitte s'amuse à jouer à la ménagère. Elle aimera toujours s'occuper de ses maisons, les décorer elle-même dans un style simple et confortable, avec de bons meubles solides et sans prétention. La petite fille qui aimait à jouer les maîtresses de maison en l'absence de ses parents peut mettre en application les excellents principes bourgeois enseignés par sa mère. Elle prend plaisir à trouver le tissu parfait pour des rideaux et un couvre-lit, et les coudre à son retour. Elle fréquente le marché aux Puces où on peut encore faire de véritables affaires. Elle a un goût pour les meubles d'acajou qui font moins solennels que le Louis XV de l'appartement de ses parents. Elle apprend à faire la cuisine, car elle aimera toujours bien manger. Ses goûts en matière de nourriture, comme en matière de vêtements et de décoration, sont simples, traditionnels, solides. En fait, ses tâches domestiques ne sont pas très lourdes ; l'appartement n'est qu'un petit deux-pièces. Son mode de vie est bien différent de celui de sa mère. Le manque de place et le manque d'argent donnent à Brigitte le sentiment de régner sur une maison de poupée. Et puis Vadim est un peu décevant : en matière de vie domestique, il ne remarque rien, ni les meubles, ni les rideaux, rien sauf sa femme qu'il ne se lasse pas de regarder et qu'il photographie sous toutes les coutures. Brigitte ne s'y oppose pas : après tout, Vadim ne fait jamais que prendre le relais de son père, elle a toujours été le point de fascination d'un regard masculin, photographiée et filmée. Vadim continue son travail de Pygmalion. Il l'observe et lui apprend à connaître encore mieux son corps, à placer ses gestes, à marcher, à sourire, à tirer parti de sa voix. Il lui fait travailler sa mémoire afin d'ôter à sa diction ce côté appliqué de petite fille qui craint d'oublier sa récitation. Brigitte dira qu'à cette époque son mari a été son professeur et son maître. Une photo la montre rue Chardon-Lagache, assise dans un fauteuil Directoire tendu d'un tissu rayé, près de la table à apéritif de métal laqué blanc. Brigitte, une jambe en avant dans une de ces attitudes de danseuse classique qu'elle affecte souvent, une main tenant un livre alors que l'autre est posée sur son cœur, déclame l'amour qu'on lit dans ses yeux. Elle a la mine confiante et un peu étonnée des jeunes filles de Greuze. La fraîcheur rêveuse de l'expression semble en désaccord avec la théâtralité du geste. Cette difficulté à se trouver parmi les rôles et déguisements divers que la vie lui impose la fera beaucoup souffrir : multiple, insaisissable, elle sera toujours l'incarnation du mystère féminin avec son éternelle danse des sept voiles.

Brigitte s'applique à devenir une actrice, quelqu'un d'imaginaire, une femme très belle, sophistiquée et sûre d'elle, qui ne se couvre pas, comme elle, de boutons allergiques au moment de tourner une scène qu'elle appréhende, et qui n'est pas saisie d'épouvante lorsqu'elle se regarde dans la glace pour se maquiller avant de sortir avec son mari. Une femme qui coïnciderait avec son miroir.

L'image que le miroir renvoie à Brigitte n'est toujours pas celle qu'elle espère. Elle est encore la petite fille qui sanglote de se trouver affreuse et désespère d'égaler jamais les amies de sa mère. Maintenant, elle sait qu'il ne lui suffira pas d'être la femme-objet, souriante, docile et gentille, le repos du guerrier, personnage à la mode dont Christiane Rochefort fera un portrait ironique et à scandale et que Brigitte incarnera à l'écran sous la direction de son mari. Elle continue à se chercher dans l'angoisse. Lors de la lune de miel à Megève, au lieu de passer ses journées à skier avec Vadim et leurs copains, elle s'est enfermée dans sa chambre prise d'un accès de désespoir. Enroulée dans les couvertures, elle se trouve atroce. Pas du tout à la hauteur de Vadim, ce jeune homme à la mode qui n'a peur de rien. Il lui avait dit qu'à son côté elle serait toujours heureuse. Enfin, c'est ce qu'elle avait cru entendre. Mais une fois mariée, elle s'est aperçue qu'elle n'avait pas changé et le monde non plus. La citrouille ne s'est pas transformée en carrosse au douzième coup de minuit.

Alors elle est restée au lit, à écouter du jazz et manger des chocolats pour se consoler. Elle se dit qu'elle va grossir mais elle s'en fiche, elle se croit déjà si laide. Elle n'ose plus se regarder dans la glace. Ce matin au réveil elle a constaté sur son nez plein de petits boutons blancs. Juste sous la peau. Cette fois, il cesserait de lui dire qu'elle était la plus belle, il allait bien être forcé de la voir comme elle était vraiment :

affreuse, la plus moche de toutes. Mais ça n'a pas marché. Vadim a regardé son nez, il n'avait pas du tout l'air dégoûté. Plutôt l'air de quelqu'un qui avait envie de l'embrasser.

Il lui a simplement dit que les boutons, c'était le chocolat. Mais elle, elle savait que ce n'était pas cela. C'était l'angoisse. Une angoisse indéfinie. L'impossibilité de faire face à la vie. Le désir de revenir en arrière, de ne pas être née. Le sentiment que tout ce qui se dessinait était trop lourd pour elle. Et en même temps, elle continuait à sucer du chocolat sous les draps, comme si elle tétait un biberon. Le lendemain, les petits boutons avaient disparu. Comme ils étaient venus. Sans laisser de trace.

De retour à Paris, Brigitte se sent plus en confiance. Elle commence à avoir l'habitude de ce grand corps d'homme à côté d'elle, la nuit. Son souffle endormi la rassure. A Megève, elle s'était sentie un peu coupable, coupable de n'être là que pour le plaisir, comme toutes les jeunes filles de sa génération à qui on a appris que le mariage servait à faire des enfants et que les baisers ne pouvaient être que volés, et les moments tendres des moments d'égarement. Dans le petit appartement de la rue Chardon-Lagache, elle va essayer de devenir comme sa mère : une femme impeccable, une femme de devoir.

Vadim observe la métamorphose d'un œil surpris. Il se demande pourquoi Brigitte gâche une journée à traverser Paris pour trouver du tissu d'ameublement moins cher, alors qu'elle dépense en taxi le double de l'économie qu'elle croit réaliser. Il essaie de comprendre, et il voit qu'elle est prise entre deux vies. Qu'elle court de l'une à l'autre, comme une fourmi affolée. Qu'elle fuit loin de ses parents dans les bras de son mari, loin de son mari chez ses parents. Au milieu de cette course, un point d'ancrage : Brigitte, la vraie Brigitte. Elle n'arrive pas encore à s'y arrêter.

Plus tard, elle saura. Elle fera de ses maisons, qu'elle installera elle-même au mépris des conseils des décorateurs, des havres entre deux tournages, des moments de répit quand elle n'a plus envie d'être admirée.

Pendant qu'elle joue à la maîtresse de maison rue Chardon-Lagache, Vadim, au-dehors, s'occupe de sa femme. Son emploi à *Paris-Match* ne l'épuise pas, et il utilise ses relations, un réseau d'amitiés journalistiques, pour fabriquer la machine publicitaire qui servira à lancer Brigitte. Maintenant qu'ils sont mariés, il est beaucoup plus libre. Pilou n'est plus là pour faire des histoires, envoyer des huissiers et parler de l'honneur de la famille.

Au prochain Jour de l'An, Brigitte posera à nouveau pour *Elle*, mais plus cette fois au côté d'une dame figurant sa maman. Au-dessus de la légende « Heureuse et amoureuse année », Brigitte en robe brodée de perles et décolleté mousseux laissant voir la rondeur des épaules joint sur son cœur, dans un geste entre la prière et le ravissement, des mains haut gantées de chevreau blanc. Elle porte chignon et frange en accroche-cœur. Elle est maquillée « femme », les lèvres rouges et les sourcils soulignés. De gros pendants en forme de perle s'accrochent à ses oreilles.

La raison de son air ravi ? Vadim, à demi caché derrière elle, en élégant costume et nœud papillon, qui fête le réveillon en embrassant — sous le gui, on présume — sa jeune épousée. Une main sur un bras, l'autre sur l'épaule, et les lèvres sur l'oreille, il enfouit son visage dans le cou de sa femme avec un plaisir non dissimulé mais élégant. C'est parti : ils sont le jeune couple à la mode. L'amour et le bonheur, comme dit le magazine, plus la beauté, le talent et la célébrité naissante : ils ont tout pour eux.

Toujours photographié avec goût, le couple va poser souvent dans des situations intimes. Les voici dans leur lit avec en légende : « Le petit lever des amoureux. » « Dans le minuscule appartement de la rue Chardon-Lagache, M. et Mme Plemmianikoff déjeunent au lit en parlant du passé et en rêvant à l'avenir », écrit *Paris-Presse*. Il est bien entendu qu'un lit est fait pour parler, manger ou rêver, pas pour autre chose. Le décor est très BCBG. Sur la couverture écossaise est posé un plateau de métal ajouré laqué de blanc. Y trônent théière d'argent, pot de confiture, tasses et soucoupes style bistrot, en porcelaine épaisse. Brigitte tient sa tasse à deux mains, d'un de ces gestes à la fois naturels et étudiés dont elle a le secret. Le drap lui remonte jusque sous les bras, mais apparemment, Mme Plemmianikoff dort enveloppée de son seul parfum, comme Marilyn.

Nue, Brigitte est d'une certaine façon plus pudique que son mari pourtant recouvert d'un pyjama sombre à revers et boutons blancs. Vadim est décoiffé, il a les yeux cernés et la mine quelque peu défaite.

Avec ses airs de jeune premier mal rasé, Vadim fait rêver les jeunes filles. Il apparaît comme le mari idéal, attentionné mais qui inquiète les parents. Et pourtant, rue Chardon-Lagache, Brigitte s'ennuie déjà dans son personnage de sex-symbole convenable.

Bientôt, elle dira à la presse : « Vadim est le plus merveilleux des frères... Mais cela ne suffit pas. » Les journalistes ont des horaires capricieux, et Brigitte supporte mal d'attendre son mari. Parfois, en sortant tard le soir du journal, il la trouve recroquevillée dans la voiture, endormie avec des traces de larmes sur les joues.

Pour l'occuper et lui tenir compagnie, il lui offre un chien, un cocker qui la fait rire et qu'elle appelle Clown. Elle déclare que désormais, au lieu d'avoir peur, elle protégera le cocker. Déjà, les animaux lui donnent une sécurité et une assurance que ni les êtres humains ni ses ressources personnelles ne parviennent à lui apporter. Le chien tient une grande place dans sa vie, elle pose avec lui au lit. Vadim ne semble pas s'inquiéter de ce rival qui « baby-sitte » sa femme quand il n'est pas là.

Jolie madame

Ce que Vadim attend de Brigitte, il le lui dit clairement chaque fois qu'elle doute d'elle-même et de son avenir. C'est la phrase légendaire : « Tu seras le rêve impossible des hommes mariés. »

Dans un article de *Paris-Presse*, Paul Giannoli met dans la bouche de Brigitte cette réplique charmante et cocasse, inventée peut-être mais bien dans le ton des reparties qui vont la rendre célèbre : « Le rêve impossible des hommes mariés... Alors, quand tu es avec ta femme, tu penses à moi ? »

La phrase va plus loin qu'il n'y paraît. Brigitte, déjà, se sent dédoublée. Quand elle est avec Vadim, il la trompe avec elle-même. Ce n'est pas elle qu'il voit, mais celle qu'elle sera, celle qu'elle devrait être, celle qui plaira aux autres. Il est son mari, mais aussi le spectateur inconnu qui a rendez-vous, dans la salle obscure, avec un reflet insaisissable et merveilleux. Ce problème ne la quittera plus jamais. Toujours avec les hommes elle connaîtra ce dilemme : comment leur faire accepter la Brigitte de chair, alors qu'ils ont désiré Bardot ?

L'idée de Vadim — faire de sa femme « le rêve impossible des hommes mariés » — peut sembler curieuse parce qu'il s'agit, justement, de sa femme. Il tient à elle, et un autre, à sa place, aurait pu faire le raisonnement contraire, s'efforcer de tenir dans l'obscurité la créature de rêve pour sa seule jouissance. Or Vadim, justement, ne veut pas la garder pour lui seul. Il parle, partout autour de lui, de cette fille formidable qui va bouleverser le cinéma français. Pour lui déjà, elle ne peut être seulement sa femme, puisqu'elle est *la* femme.

Brigitte s'identifiera à ce personnage à la fois unique et universel. L'acte de séduction et sa jouissance éphémère, et donc toujours à recommencer, deviendra nécessaire. Le cinéma, incomparablement, lui offre ce que rien d'autre ne saurait lui procurer : le sentiment d'être la femme, un songe lumineux sur l'écran d'argent, à la fois inaccessible et présent. C'est pourquoi elle laisse Vadim commencer à construire l'image qui va grignoter, puis dévorer, étouffer la vraie Brigitte. Bientôt, sur les clichés qu'il prend d'elle, elle n'est plus la jeune femme en robe pastel, à la queue de cheval sage, qui joue avec son chien Clown. Par les beaux jours d'été, dans le jardin du chalet de Louveciennes, il la transforme. Bien sûr, elle est toujours photographiée sur fond de nature, comme Hedy Lamarr dans *Extase*. Mais s'il la montre parfois pieds nus dans l'herbe, en short, les seins de plus en plus provocants sous le tee-shirt qui glisse, il la photographie aussi en mules à talons aiguilles, guêpière et bas résille. La guêpière remonte très haut sur les cuisses : on est surpris de voir à cette époque une échancrure qui est celle des maillots de bain des années quatre-vingt, comme on est surpris par ce tee-shirt nonchalant, comme une peau qui mue. Sur un autre cliché, on la découvre à demi dissimulée par une persienne,

92

comme si elle venait à peine de s'éveiller d'une sieste amoureuse. On ne voit du corps que le bras et la jambe, mais on
l'imagine nu. Une nudité rêvée, insaisissable.

Les attitudes, à cette époque, sont celles de la pin-up : les
mains posées sur le haut des cuisses, les coudes effacés, les
épaules rejetées vers l'arrière, une jambe un peu en avant. Si
Brigitte veut « faire femme », elle n'est pas encore assez sûre
d'elle pour se débarrasser des clichés. Mais les expressions
du visage, déjà, se sont modifiées, deviennent celles de BB.
Le regard est appuyé, la mâchoire volontaire ; les lèvres sont
lourdes : la fameuse moue est là.

De tout temps, on a exhorté les femmes à être souriantes et
soumises aux humeurs des hommes ; de tout temps, les hommes ont soupiré devant de belles insatisfaites. A l'époque de
l'amour courtois, pour que le troubadour puisse être élo-
quent, la dame doit se montrer cruelle, indifférente. La per-
missivité des mœurs modernes n'a pas fondamentalement
changé ce comportement. La psychanalyste Françoise Dolto
s'est étonnée de l'indulgence des hommes vis-à-vis de femmes apparemment fragiles, toujours un peu malades, un peu
ronchonneuses. Une femme qui boude rassure l'homme : si
elle boude, c'est qu'il lui manque quelque chose, c'est donc
qu'elle a besoin de lui. Puisqu'elle semble insatisfaite, il
pourrait la combler. Car si elle a l'air comblé, à quoi sert-il et
qu'est-ce qu'il fait là ?

La femme qui boude attise le désir, celle qui s'offre aussi,
mais de deux façons différentes : le génie de Bardot sera de
savoir conjuguer les deux, d'avoir l'air de s'offrir tout en
faisant un peu la tête. A la fois très présente et cependant un
peu absente. Cours après moi que je t'attrape...

La bouche a toujours été une arme puissante pour les plus
grandes stars. La première à s'en servir très consciemment
est Jean Harlow. La bouche de Harlow suggère l'abandon, la
lascivité ; Marilyn, qui devient son héritière aux yeux des
studios, en rend l'invite plus flagrante mais aussi plus enfantine. La bouche de Garbo exprime la pureté et le dédain ;
celle de Crawford, immense, suggère la blessure. Mais la
bouche sexy n'est pas seulement l'apanage des stars féminines. L'androgynie gagne ses lettres de noblesse et les stars
masculines vont se l'approprier. La bouche de Presley,
épaisse et sensuelle, s'entrouvre en une invite puis se relève

au coin comme celle d'un chien qui gronde, celle de James Dean également. Ensuite d'autres stars les imiteront : Travolta, Sylvester Stallone, Billy Joël. C'est la virilité à la fois offerte et agressive. Aujourd'hui encore, Christophe Lambert joue de ses lèvres épaisses, les cover-girls ou boys boudent sur les photos chic. C'est Bardot qui a lancé cette expression.

« Les Femmes aiment les voyous », disait le grand producteur hollywoodien David O. Selznick, qui s'appliqua à donner à ses jeunes premiers suaves un air mauvais genre. Les femmes aiment les brutes au cœur tendre, les hommes, eux, aiment les fillettes dociles au cœur de garce, « jolie vache déguisée en fleur », comme dit la chanson.

« Pour BB, plus de rêves romantiques ni de clairs de lune », écrit *Ciné-Revue* dans un numéro qui titre en couverture : « BB, créature de paradis ou de perdition ? » « BB échappe à la malédiction des vamps », affirme le journal, qui ajoute : « Actuellement, à dix-sept ans, une jeune fille n'est plus la jeune fille romantique d'antan ; le flirt n'est plus pour elle un jeu innocent mais, dans ce jeu, elle garde une innocence de cœur, une ingénuité à la BB. Le badinage amoureux auquel elle se livre n'est plus seulement verbal ; elle sait qu'elle n'est pas un être immatériel ; comme BB, elle ne croit guère en la valeur des mots. Mais il ne faut pas en rendre la jeune vedette française responsable. Cette émancipation est bien davantage due à une émancipation générale de la femme qui, pour découvrir en l'homme un "copain", n'en demeure pas moins amoureuse de lui, mais autrement. »

Ce texte reflète l'ambiguïté d'une époque qui tolère bon gré mal gré l'évolution des rôles féminins. Une jeune fille peut agir comme une femme, mais à une condition : le faire oublier en singeant les petites filles.

Brigitte doit, de plus, se montrer capable de répondre au rêve de Vadim : avoir un esprit d'homme dans un corps de femme. Pas question de lui laisser mener l'existence tranquille d'une ménagère du seizième. Vadim s'est évertué à lui retrouver des contrats ; dès avril elle recommence à tourner, aux studios de Joinville, dans un film américain d'un metteur en scène célèbre, Anatole Litvak.

Vadim a de bonnes raisons d'être content de lui. Ce perpétuel déraciné a très tôt visé l'Amérique, le rêve des errants du monde moderne. Certes, les studios de Joinville ne sont pas

Hollywood, mais c'est une première étape. Cette fois, Brigitte a un partenaire à sa mesure : Kirk Douglas. *Act of Love* raconte une histoire d'amour entre un GI en France pendant la guerre, et une petite Française sans toit ni loi. Kirk Douglas est à l'aise dans un rôle sur mesure de dur au cœur tendre, et Brigitte a de nouveau un rôle de marginale fragile et sexy. Un très petit rôle...

On comprend qu'il soit plus excitant de rencontrer Kirk Douglas que Bourvil : le grand acteur américain est précédé de sa légende de monstre sacré pas facile à manier. Mais Brigitte est émouvante avec son mélange de vulnérabilité et d'assurance. Kirk Douglas protège sa jeune partenaire. Voyant sa nervosité, il la rassure : « Ne vous inquiétez pas, affirme-t-il. Vous réussirez. »

Malheureusement, un autre genre de désillusion attend Brigitte : la majeure partie de son rôle saute au montage. Il reste si peu d'elle dans le film que Mme Bardot, invitée à la projection, dira en plaisantant qu'ayant éternué au moment de l'apparition de sa fille, elle ne l'a pas vue, car quand elle a relevé la tête, c'était déjà fini : plus de Brigitte...

En fait, ces mésaventures n'ont rien d'étonnant au début d'une carrière. Mais Brigitte a l'habitude d'obtenir ce qu'elle veut. Elle connaît, en tant qu'actrice, ses premières graves blessures d'amour-propre. Elle est en train de développer une rancune et un dégoût à l'égard du cinéma dont elle ne se défera jamais.

Pourtant, elle continue à tourner. Pour Vadim d'abord, et parce qu'elle est trop fière pour admettre de rester sur un échec. Brigitte a souvent dit qu'elle avait fait du cinéma un peu par hasard. Mais on peut voir la différence entre sa carrière et celle de sa sœur, Mijanou. A Mijanou aussi, on proposera de tourner, parce que sa sœur est connue et qu'elle-même est charmante. Mais à la suite de plusieurs échecs et de mauvais rôles dans de mauvais films, Mijanou ne s'obstinera pas. Elle montrera beaucoup plus tard, dans *la Collectionneuse* d'Eric Rohmer, film où elle tient le second rôle féminin, qu'elle possède une vraie présence à l'écran. Mijanou aurait sans doute pu persévérer, elle a choisi de ne pas le faire. Brigitte, elle, malgré ses réticences, s'est accrochée. Elle veut montrer à tous ces gens qui la méprisent qu'ils ont tort. Rira bien qui rira la dernière. Elle qui, parmi les saisons de la vie, n'en connaît qu'une seule, la jeunesse, se donne comme date limite de la réussite l'âge de vingt ans. Elle gagnera son pari et sera bientôt, comme l'écrira Marguerite Duras, la reine Bardot. En attendant, elle tourne. Un mois plus tard, elle tient le rôle d'une courtisane dans le film de Sacha Guitry, *Si Versailles m'était conté*.

Pour ce film, l'un des plus éblouissants de sa carrière, Sacha Guitry a vu grand. C'est un film d'époque, avec décors et costumes, et une pléiade de stars qui se succèdent dans des sketches décadents, sympathiques et d'un humour pince-sans-rire comme Guitry en a le secret. On y rencontre Guitry lui-même, Claudette Colbert, Orson Welles, Piaf, Micheline Presle, Jean Marais, Gérard Philipe... et même Bourvil dont la destinée cinématographique semble décidément liée à celle de Bardot...

Les films d'époque ne réussiront jamais à Brigitte. En 1961, elle jouera une paysanne de Bavière à la coiffure médiévale dans le film de Michel Boisrond, *les Amours célèbres*. Ce sera un échec ; et un autre semi-échec en costumes marquera son départ définitif du cinéma avec *Colinot trousse-chemise*, de Nina Companeez.

Avec *Si Versailles m'était conté*, Sacha Guitry donne dans le grandiose. La production de Mondial-Films ne lésine pas. Le tournage dure un an, le temps nécessaire pour rassembler tant de prestigieuses têtes d'affiche. Guitry a l'idée géniale d'ouvrir sur un « portrait de groupe » peu commun dans lequel tous ces personnages illustres descendent un escalier gigantesque comme dans une revue de music-hall.

Brigitte est écrasée par trop de richesse. Dans le rôle de Rozille, bouclée comme un mouton de Marie-Antoinette, elle a eu beau faire l'œil de biche à la caméra, elle passe finalement presque inaperçue. Cette même année, Brigitte tourne encore dans *le Portrait de son père*. Ce n'est pas elle qui est le portrait de son père dans ce film d'André Berthomieu, mais Jean Richard dans le rôle de Paul, un petit gars de la campagne qui quitte sa ferme et sa douce épouse pour la ville : il vient d'hériter du grand magasin d'un père qui se révèle de façon posthume. Brigitte est Domino, la demi-sœur de l'héritier. Elle joue là le rôle d'une jeune nigaude et promène de par le film une moue qui traduit plus l'ennui d'une collégienne collée le dimanche que la sensualité. Et on la comprend : elle n'a pas dû beaucoup s'amuser à tourner cette histoire gentillette qui ne fait guère appel à ses possibilités.

Vadim, lui, a suffisamment confiance en l'avenir pour abandonner son travail à *Match*. Il n'y sera guère resté plus de six mois. De toute façon, il n'avait pris ce travail que pour apaiser le père de Brigitte. Il en a obtenu ce qu'il voulait : davantage de relations dans la presse. Il est entré dans la grande fraternité des journalistes. Il saura désormais à quelles portes frapper. Il s'est toujours débrouillé et pense que, le cas échéant, il pourra travailler comme pigiste ou scénariste. Dans l'immédiat, il a une grande idée : envoyer Brigitte au festival de Cannes et profiter de cette occasion rêvée de rencontres en tout genre pour faire un coup publicitaire.

Le film *Act of Love*, justement, doit être présenté à Cannes. Peu importe que le rôle de Brigitte soit finalement presque inexistant. Au mois de mai, Brigitte part donc pour le Festival avec dans ses bagages des robes du soir et des bikinis. Les stars du film, Kirk Douglas et Dany Robin, sont là pour se montrer souriants dans les soirées, et répondre habilement aux interviews ; leur programme est bien rempli. Brigitte, elle, dispose de beaucoup de temps libre. Ce temps, elle va l'occuper à faire ce qu'elle aime le plus au monde : s'installer sur la plage, fort peu vêtue, et se laisser dorer par le soleil de la Riviera. A Cannes, les journalistes ne voient pas la Brigitte sagement habillée et coiffée du *Trou normand* et du *Portrait de son père* ; c'est plutôt Manina l'inconsciente, la scandaleuse qui réapparaît. La sauvageonne se métamorphose le soir en parfaite jeune Parisienne. Les circonstances sont idéales pour mettre Brigitte en valeur car elle peut ne porter que ce qui lui sied le mieux, le bikini et la robe moulante. Les photographes français la dédaignent, sauf un, Michel Simon, qui restera son ami. Mais elle est repérée par un journaliste anglais, Leonard Mosley, du *Daily Express*. Sa découverte de Brigitte le rendra à jamais célèbre dans la presse de son pays. Il est tout de suite persuadé qu'il ne s'agit pas là d'une starlette de plus. On assiste alors à Cannes au développement du phénomène de la starlette. Aux USA, la starlette a toujours fait partie de l'arsenal des grands studios : à l'époque fastueuse du star-système, ceux-ci prenaient systématiquement sous contrat toutes les débutantes prometteuses qui se présentaient ; on leur donnait des cours d'art dramatique, de chant, de danse et de diction. Lorsqu'on ne leur confiait pas de petits rôles dans des films, elles servaient à la publicité du studio en participant, à travers les USA, à de nombreuses manifestations commerciales, défilés de chars et autres inaugurations de chrysanthèmes.

En France, la publicité n'a pas un rôle aussi important dans une industrie cinématographique qui tient plus de l'artisanat que de l'industrie. De jeunes aspirantes à la gloire imitent leurs consœurs d'outre-Atlantique, mais elles doivent se débrouiller seules. Les journalistes savent que les lecteurs des journaux populaires adorent, sous prétexte d'actualité, se rincer l'œil avec de jolies filles. Ils font tout pour les satisfaire, si bien que le lecteur peu averti peut avoir le sentiment que le Festival se déroule sur la plage, dans une ambiance très décontractée.

Brigitte a une supériorité incontestable sur toutes ces belles. Il s'agit pour elle d'un jeu et non d'une nécessité. Elle n'a pas ce regard pathétique de beaucoup de pauvres filles qui peuvent à peine se payer un sandwich pour le déjeuner. Elle est vraiment ce qu'elle représente : une fille libre et heureuse de l'être, fière de son corps et contente de le montrer. En conséquence, les photos seront exceptionnellement convaincantes.

C'est à Cannes que se dessinera un aspect important du personnage de Bardot : le mélange habillé-décoiffé. Mosley écrira que Brigitte, avec sa moue — mais pourquoi est-ce qu'on me dérange ? — et ses cheveux décoiffés, a toujours l'air de sortir d'un lit défait, et que c'est là une partie de son attrait. « Jusque-là, ajoute Mosley, une femme avait toujours été une femme, et elle en avait l'air. Brigitte Bardot a montré qu'une femme pouvait aussi ressembler à un garçon manqué et se comporter comme tel. Il n'y a rien de faux en elle. Elle est devenue le symbole mondial — à travers ses films et par sa vie privée — de la fille heureuse qui laisse tomber les autres femmes gnangnan et va jouer avec la bande de garçons au coin de la rue. La première des beatniks — c'était ça, Bardot. » Et *Cinémonde* va bientôt écrire : « En incarnant aujourd'hui, elle garde cependant le reflet d'une Eve qui est de toute éternité, et mord quand même dans "demain" comme un chiot dans une guenille : avec l'excitation d'un jeu. Elle est la grâce aussi. Elle dessine ses joies avec des gestes de ballerine et raconte ses peines avec une âme d'enfant...

« Au physique, un fruit tout gorgé de soleil, avec un corps aux lignes d'arbuste, un corps qui s'impose, se régale de lui-même... Un corps d'ange, ce qui n'existe pas !

« Elle a un regard où se lisent les sept péchés capitaux et une bouche maquillée de confiture. Une élégance de pur-sang où la chair colle à la parure. Bref : la plus jeune Eve de ce paradis terrestre pour les hommes qui ont encore des illusions :... le cinéma ! »

Brigitte, dans les années cinquante, ne sera qu'une porte entrouverte sur le désir : la porte d'une chambre qu'on pourrait pousser, et derrière laquelle se trouve le jardin des délices. Seulement, on ne parvient jamais à y pénétrer vraiment. C'est à Cannes que s'affirme un autre élément important du personnage : la démarche. Celle-ci, avec la bouche, est caractéristique des stars du désir. Le déhanchement de Presley (surnommé en Amérique « Elvis the pelvis ») et celui de Marilyn, révélé dans *Niagara*, sont restés particulièrement célèbres. Mais la démarche lança également Lana Turner, qui éclata dans un petit rôle d'écolière, grâce à une séquence où on la voyait avancer de dos. On la surnomma « The Walk », la démarche.

Bardot sait marcher, puisqu'elle sait danser. Elle se déhanche d'une façon très marquée, dans un mouvement latéral auquel répond, plus haut, l'oscillation de la chevelure. Mais la particularité de la démarche de Brigitte tient en ce que le mouvement n'est pas seulement latéral : il va aussi de haut en bas, comme si elle rebondissait. C'est une démarche en spirale, unique, qui combine le déhanchement lascif de Joséphine Baker et le pas de parade d'une danseuse de l'Opéra. Cette démarche emballe les photographes, mais elle va choquer les critiques bien-pensants : ils vitupéreront cette fille qui se dévisse comme un tire-bouchon !

A Cannes, Brigitte retrouve son image de sirène. Après avoir charmé les Anglais sur la plage, elle impressionne un reporter de *Paris-Match* lors de la soirée d'accueil aux stars offerte par les membres de l'équipage du porte-avions de la marine américaine, le *Midway*. Lorsqu'elle monte à bord, elle ressemble à une figurante, une figurante dans une tenue étrange : un imperméable ! Mais au moment voulu, l'imper glisse des épaules de Brigitte, révélant une robe moulante qui, paradoxalement, accentue la jeunesse de la starlette. Brigitte, cheveux au vent, est un mélange de collégienne et de gitane et des photographes se précipitent, apercevant là quelque chose de nouveau. L'imper sur la robe décolletée : c'est un nouveau concept de la mode que ce mélange des genres. Jusque-là, il y a des heures pour les tenues : les femmes ont des robes d'après-midi, de cocktail, de petit dîner, de soirée, de bal. L'imperméable appartient au côté sport de la tenue du jour ; il est impensable de le porter sur une robe habillée. Brigitte anticipe sur les années quatre-vingt qui verront des mélanges vestimentaires, jeans et strass, joggings de soirée. Elle affirme son assurance, son sens de la liberté : elle porte ce qu'elle veut, comme elle veut ; elle ne suit pas la mode, elle la fait.

Brigitte en robe du soir sous un imper est aussi spectaculaire qu'une fille nue sous une fourrure. Les années cinquante et surtout soixante feront grand usage de cet effet, exploiteront la sensualité des tenues sportives et masculines pour les femmes, jusqu'à la vogue des vêtements de travail genre « Adolphe Laffont » dans les années soixante-dix.

Désormais, finies pour Brigitte les robes sages à col Claudine de maman. Sa garde-robe ne comportera plus que des tenues très sport et d'autres hypersexy, les deux opposés ayant en commun un côté décontracté. Brigitte ne représente pas la sexualité des bars et des boîtes de nuit ; avec elle, l'érotisme français sort de l'obscurité de l'alcôve pour célébrer les joies du plein air et du soleil. Le sexe, désormais, ce n'est plus la maladie, l'épuisement, la dégénérescence mais au contraire, la santé... Marilyn photographiée par Milton Greene porte une casquette d'homme avec des bas noirs et des talons aiguilles. Brigitte et l'imper sur sa robe, c'est déjà la génération d'après.

Cinecittà

Ce mois de mai 1953 marque un véritable tournant dans la carrière de Bardot. Avant son départ pour Cannes, le 17 avril, elle a, toujours sur le conseil de Vadim, pris une initiative audacieuse : elle a écrit à Olga Horstig pour lui demander d'être son agent.

D'origine yougoslave, ayant émigré à Paris à l'âge de douze ans, Olga Horstig avait débuté sa carrière par le journalisme. Son sens des relations humaines et publiques lui valut de pouvoir ensuite exercer un métier extrêmement difficile, celui d'agent de stars de cinéma. Olga Horstig a de grands noms sur sa liste et normalement, elle aurait dû refuser la demande d'une starlette. Mais elle est séduite par l'allure de Brigitte, et elle reconnaît en elle ce qui fait une star potentielle. Elle se rend compte que partout où elle va, Brigitte fait tourner les têtes sur son passage. « Qu'elle marche dans la rue ou qu'elle entre dans un restaurant, on ne voit qu'elle. Non pas parce qu'on la reconnaît : elle n'a pas la notoriété suffisante. Simplement parce que, dit Olga Horstig, elle était absolument superbe et elle avait une sorte de magie intérieure. »

L'agent n'est pas aveuglée par les critiques médiocres de films de seconde zone ni par la publicité donnée aux formes de la jeune femme : 90 — 50 — 89 proclament les journaux à une époque où les hommes sont apparemment obsédés par « les mensurations » féminines. Olga Horstig accepte donc de s'occuper de la carrière de Brigitte. Et c'est très important, car il va se nouer entre les deux femmes une relation qui dépasse le rapport d'affaires. Olga Horstig s'occupera d'autant plus activement de sa protégée qu'elle se prend pour elle d'une affection vraie très vite réciproque. Aujourd'hui, alors que Brigitte ne tourne plus depuis longtemps, Olga Horstig reste son amie très proche et la conseille dans ses rapports — parfois houleux — avec la presse. « Vous savez, j'ai beaucoup de mal à parler de Brigitte, dit-elle aujourd'hui. Elle est un peu comme ma fille. »

Brigitte se situe toujours, avec les gens qui l'entourent, dans ce type de rapports. Sa vulnérabilité et son rayonnement juvéniles provoquent chez les autres, du moins chez ceux qui l'aiment, des réactions protectrices. Et c'est heureux dans ce cas précis : la confiance filiale qu'elle met en son agent — elle l'appelle « Mam'Olga » — la rendra attentive à ses conseils. De son côté, Olga Horstig comprendra, grâce à l'attention qu'elle lui porte, les « caprices de vedette » d'une Brigitte affolée par une célébrité qui la dépasse et qu'elle ne parviendra plus à contrôler.

Olga Horstig entretient des relations avec les producteurs américains et européens, tout particulièrement avec l'Italie dont le cinéma est en plein développement.

Sous la houlette d'Olga Horstig, BB descend vers le soleil, dans la banlieue de Rome, à Cinecittà, la ville trompe-l'œil qui se prend pour un Hollywood latin. Gina Lollobrigida et Sophia Loren sont les étoiles montantes dans ce firmament aux teintes de coucher de soleil.

A Cinecittà, on adore les femmes-fleurs, les filles à taille de guêpe et à poitrine généreuse, aux boucles folles, et la blondeur est un atout supplémentaire. Malgré l'influence du Vatican — ou peut-être à cause d'elle — on les dénude avec une facilité qu'autorise l'ardeur du climat...

1954 sera pour Brigitte une année italienne. Elle tourne d'abord *Tradita* dont le titre français sera *Haine, Amour et Trahison*. Comme on peut le deviner, c'est un mélo. Brigitte y est une fois de plus confinée dans le rôle de la fille simple, nature mais irrésistible, qui fait se déchirer deux hommes. *Haine, Amour et Trahison*, dans lequel Brigitte est coiffée « à la teigneuse » — une coiffure aux mèches coupées dans un savant désordre, lancée par Leslie Caron — ne laissera guère de trace dans l'histoire du cinéma. On remarquera davantage Brigitte dans son deuxième film italien, *Hélène de Troie*.

Cette fois, c'est sérieux : un budget de six millions de dollars, une distribution assurée par la Warner, technicolor et cinémascope, un metteur en scène américain, Robert Wise. *Hélène de Troie* se situe au tout début de la vague des péplums, genre qui connaîtra une vogue considérable. On s'est aperçu que les costumes de l'époque gréco-romaine permettaient de montrer beaucoup de jambes et d'épaules avec un alibi historico-culturel en béton ! Un homme qui sait se tenir a toujours de l'allure en toge, et puis, c'est connu, les Romains mangeaient couchés, gouvernaient couchés, d'où justification d'un nombre étonnant de scènes à l'horizontale. Trois ans de préparation, un scénario hollywoodien débouchent sur des dialogues entre la belle Hélène (Rosanna Podesta) et le hautain Pâris (Jacques Sernas) d'une flamboyante inanité. Pourquoi ne remontre-t-on pas aujourd'hui cette œuvre « kitsch » qui ferait sûrement notre bonheur ?

102

Brigitte, dans cette histoire, joue Andraste, l'esclave d'Hélène. Elle a failli tenir le rôle d'Hélène, finalement attribué à Rosanna Podesta, plus expérimentée. *Hélène de Troie* ne fait pas la gloire de Brigitte : à nouveau, c'est un demi-échec.

Toutefois elle se plaît à Rome pendant le tournage. Vadim vient la rejoindre, envoyé en repérage par Marc Allégret pour son film *Fémina*. Il constate que Brigitte est en train de faire connaissance avec cette race particulière de photographes italiens dénommée « paparazzi ». Plus tard, Brigitte les détestera, ils lui empoisonneront la vie. Pour l'instant, elle est contente d'attirer leur attention.

Même lorsque Vadim n'est pas à Rome, Brigitte ne s'y trouve pas seule : elle y a une amie en la personne d'Ursula Andress. Celle-ci a dix-sept ans, elle est suisse et de milieu bourgeois. Prise de passion pour Daniel Gélin, elle s'est enfuie de sa pension pour le rejoindre. A la suite d'une dispute, elle se réfugie dans la chambre de Brigitte. Celle-ci est ravie d'avoir une amie avec qui lécher les vitrines de la Via Veneto et manger des glaces sous l'œil allumé des photographes. On imagine l'effet produit par ces deux filles se promenant ensemble...

Dans ses *Mémoires*, Vadim se fait un plaisir de raconter qu'Ursula leur aurait également tenu compagnie la nuit dans leur chambre, et que la chaleur de l'été romain aidant, ils dormaient tous les trois dans le même lit, mais très chastement, car Brigitte n'aurait pas toléré autre chose. Il semble avoir gardé un souvenir ému des petits déjeuners pris sur le balcon de leur hôtel de la Via Sistina. Brigitte et Ursula, nues et bronzées, s'amusent à jeter des croûtes de pain sur les passants.

Beaucoup plus tard, lors d'un entretien accordé à Gilles Jacob, BB donnera une version moins romantique de cette période. Elle se souvient d'Ursula Andress : « Je la connais, parce qu'on était toutes les deux à Rome, il y a dix-sept ans, et que personne ne voulait ni de l'une ni de l'autre. On habitait dans une minable chambre de bonne qu'on partageait pour payer moins cher. Et le soir, quand on rentrait toutes les deux bredouilles avec nos cartons de photos sous le bras, et que personne n'avait voulu nous engager, on était un peu penaudes. Maintenant, ils doivent s'en mordre les doigts jusqu'au coude, les Italiens. C'était tellement mauvais, ce que j'avais tourné en France, qu'il avait fallu s'expatrier. J'avais tourné *Manina, la fille sans voile*. Vous l'avez vu ? eh bien, vous avez dû passer une joyeuse soirée. Et *le Portrait de son père*, c'était quelque chose d'assez gratiné aussi. »

Brigitte rit beaucoup à cette période. Les peurs d'autrefois se sont apaisées. Elle commence à s'habituer au cinéma ; elle sait maintenant ce qu'on attend d'elle sur un plateau. L'attention dont elle est l'objet lui fait plaisir, car elle ne l'empêche pas encore de vivre comme elle le désire. Elle voyage, rencontre des gens.

Vadim, empêché d'être le diable par respect pour sa femme, s'en tire par l'imaginaire. Fasciné par les histoires de vampires, passionné de fantastique, il passe sans protester du personnage de Don Juan à celui de papa-gâteau en racontant aux deux ravissantes des contes d'horreur pour les empêcher de dormir. Il tire un plaisir un peu pervers du résultat. Brigitte et Ursula, affirme-t-il, poussent des cris de terreur et se cachent sous les draps. Le succès qu'il remporte avec ses histoires aura des suites : plus tard, il réunira des contes noirs qui seront publiés d'abord en Italie, puis en Angleterre sous le titre *The Vampire*. Et il adaptera l'une de ces histoires dans son film *Et mourir de plaisir...*

Brigitte et Vadim sont très beaux, tous les deux, à cette époque. Ils n'ont jamais été aussi beaux. Une photo les représente à Rome, assis sur ces sièges pliants de toile et de bois qui ont été mis à la mode ensuite sous le nom de fauteuils de metteur en scène. Brigitte porte des ballerines, une courte jupe plissée qui remonte sur ses genoux croisés, un chemisier de coton à manches courtes, au corselet lacé. Sa peau est bronzée, ses cheveux blondis par le printemps romain. Ses yeux sont fortement maquillés, les cils alourdis d'une épaisse couche de rimmel. Par terre, à côté d'elle, une boîte de maquillage et un chapeau de paille — autre élément de sa panoplie champêtre. Vadim porte un pantalon de toile blanche, des espadrilles, un pull sombre en V, des lunettes cerclées d'écaille ; il lit une lettre. Le couple donne une image d'intimité sereine qui étonne lorsqu'on découvre au fond du cliché une forêt de pieds. La presse parlait beaucoup d'*Hélène de Troie*, de l'importance du budget, du luxe des décors. Venir voir le tournage était devenu pour les Romains un but de visite familiale. Vadim, sur la photo, paraît poser, jouer au calme, avec un brin de tension dans le sourire. Brigitte, elle, a déjà appris à vivre au milieu de la foule, à feindre le repos si bien qu'il en devient réel, comme un animal qui semble dormir en présence de l'ennemi.

De retour à Paris, la vie du couple intéresse de plus en plus la presse. Sous le titre « Brigitte Bardot a déjà réussi son mariage » (pourquoi déjà ?) *Ciné-Révélations*, fidèle à son nom, la photographie à nouveau en maillot de danse, à jupette cette fois, pointes noires et collant résille. « Elle soigne amoureusement ses fleurs », affirme le journal qui la montre dans cette surprenante tenue de jardinage, examinant pensivement un géranium. Il est vrai que Brigitte n'est pas un personnage « réaliste ». Les querelles de ménage du jeune couple sont mises en relief. Elle n'est pas une épouse soumise, ce qui rend les moments de réconciliation plus doux. Dans les années cinquante en France, le divorce est toujours mal vu, mais la barque conjugale n'est plus obligée de naviguer en eaux calmes. Les dessins humoristiques traduisent ce nouvel état d'esprit. Bellus raconte des histoires de belles-mères, et Faizant les mésaventures comiques d'un couple appelé « Adam et Eve ». La famille est toujours la préoccupation centrale et le pivot de la société, mais le grand bouleversement des années soixante se prépare.

« Vadim a une patience angélique avec moi, fait dire *Ciné-Révélations* à Brigitte, et je sais que j'ai un caractère impossible. Il a fallu pas mal de nuages pour que je comprenne qu'un mari n'est pas heureux parce qu'il a épousé une fille qui lui plaît, qu'il aime et qu'il trouve câline à certaines heures et détestable à d'autres. » Ainsi le public prend conscience d'un élément essentiel du personnage de Brigitte : les sautes d'humeur. Plus tard, Vadim insistera sur son côté dépressif, comme beaucoup de ses amis.

Mais au-delà des disputes — qui sont après tout « normales » chez un jeune ménage — le couple Vadim-Bardot, à l'épreuve des réalités quotidiennes, est en train de se forger une profonde complicité, une entente faite de tendresse et de respect mutuel qui durera bien après que la passion aura cédé la place à l'amitié : « J'ai pris peu à peu connaissance de Vadim parce que j'ai pris connaissance de moi. J'ai soumis mon entêtement de mule à sa raisonnable autorité, à sa connaissance de la vie. Il aime ma franchise, mon exactitude.

Il m'a donné conscience aussi de la dignité. Il a fait de moi une femme dont la solidité se stabilise de jour en jour. Je suis sa femme et je le sais. Ça, c'est pour les grandes lignes. Pour les petites choses, évidemment, nous nous accordons toutes les indulgences. Il sait que je suis sujette à de curieux sauts de tempérament, qui me font, pendant huit jours, sortir tous les soirs en tenue de gala — j'adore les robes de soirée — réclamer des spectacles de boîte de nuit et des dîners au restaurant. Mais, ensuite, pendant six mois, je suis capable de refuser de marcher, à huit heures du soir, pour aller jusqu'au cinéma qui est au coin de la rue. Ce qu'il y a de merveilleux, entre nous, c'est que maintenant nous savons que nous pouvons tout nous dire. Nous sommes des amis. »

Les invectives de Brigitte à Vadim (« Tu es un sale type... Tu es odieux... Va baisser le chauffage ! ») font le bonheur de la presse. Brigitte se prête d'autant mieux à jouer le personnage de la petite fille rebelle qu'il correspond à une vérité. De Vadim, elle aime « la raisonnable autorité ». De plus en plus, Vadim est qualifié d'ami, de frère, de conseiller. « Elle aime son mari et son petit chien », dit *France-Dimanche*, et Vadim reprendra cette idée en faisant une liste des choses qu'aime Brigitte et en se mettant tout à la fin... Juste après le chien !

La fin de cette année lui apporte une vraie satisfaction professionnelle. On lui propose un rôle dans la reprise de la pièce d'Anouilh, *l'Invitation au château*, au Théâtre de l'Atelier. La pièce est mise en scène par André Barsacq. Brigitte tient le premier rôle, celui d'Isabelle. Pour une comédienne comme elle, qui n'a pas suivi de cours d'art dramatique, le théâtre est plus impressionnant que le cinéma. Elle ne peut refuser cette chance, après des semi-échecs à l'écran. Elle va débuter dans un grand théâtre, dans une pièce d'un auteur célèbre, avec des comédiens chevronnés. Et le rôle d'Isabelle a bonne réputation dans le milieu théâtral : il paraît que les comédiennes qui le jouent réussissent toujours... « Je porte chance », écrit Anouilh dans le mot qu'il lui envoie en accompagnement d'une gerbe de fleurs destinée à encourager son ingénue.

Aujourd'hui, Antoine Bourseiller se souvient que Brigitte était charmante dans *l'Invitation au château*. Sa fraîcheur et sa spontanéité séduisent en effet le public du théâtre : la pièce est une réussite. Le rôle convient tout à fait à Brigitte.

La jeune Isabelle fait partie des chœurs de l'Opéra. Elle a l'innocence de Brigitte. Lors d'un bal de la bonne société, elle est la cible d'un séducteur cynique, mais elle s'en tire très bien. Le rôle avait auparavant été joué par Dany Robin — comédienne plus expérimentée — qui se trouvera parfois dans ces années en concurrence avec Brigitte. Mais la gaucherie même de Brigitte séduit la critique, la faiblesse de sa voix sert le personnage. Anouilh, qui avait été surpris par sa naïveté, pensera ensuite qu'elle aurait pu faire une grande carrière au théâtre. Finalement séduit, il écrira plus tard un texte pour elle, *la Chatte*. Mais ce projet n'aboutira pas. Pourquoi ne renouvellera-t-elle pas une expérience intéressante ? Elle aura, bien sûr, d'autres propositions, dont une de la part d'Antoine Bourseiller qu'elle connaîtra à travers Jean-Louis Trintignant et Samy Frey, avec qui Godard la réunira dans *Masculin-Féminin*.

« J'ai toujours cru que Bardot aurait dû jouer Célimène, dit Antoine Bourseiller. J'ai même réussi à la convaincre d'essayer. J'envisageais de le faire au TNP, à Chaillot en 1964. C'était Georges Wilson qui dirigeait. On avait pris la décision de faire des essais et on s'est retrouvé sur la scène énorme du TNP. On a travaillé *le Misanthrope*, avec Samy Frey dans le rôle d'Alceste. Elle était assez extraordinaire. Malheureusement elle n'avait pas confiance en elle ; et puis il y a eu des erreurs de la part de certaines personnes du théâtre même, qui lui ont fait prendre peur. Donc le projet ne s'est pas réalisé... »

La peur de jouer, réelle chez tous les comédiens, est accentuée chez Brigitte par un accident qui eut lieu lors des représentations de la pièce d'Anouilh. Un soir, Brigitte a un trou de mémoire et au lieu de la réplique prévue, elle en donne une autre située dans l'acte suivant. Panique sur le plateau, mais le comédien qui lui fait face enchaîne comme si de rien n'était. Les spectateurs trouvent la pièce un peu obscure et un peu courte, mais n'ont pas compris ce qui s'est passé. Simplement, ils sont rentrés chez eux plus tôt que prévu. C'est une erreur de débutante, mais Brigitte exige d'elle-même la perfection. Et puis le théâtre, c'est se retrouver sur scène chaque soir à la même heure, en passant par-dessus ses états d'âme. Or elle a toujours été gouvernée par ses états d'âme, et elle trouve difficile de se plier de façon durable à la discipline théâtrale. C'est à la fois la force et la faiblesse de Brigitte de revendiquer d'être elle-même dans les moindres détails. C'est sa force, parce qu'elle annonce le retour aux valeurs romantiques de la subjectivité, l'ère du narcissisme et les années que les Américains vont appeler « the me-decade », la décennie du moi. C'est un peu à travers Bardot que les Français vont essayer de s'aimer eux-mêmes, en refusant tous les carcans imposés par la religion et la famille.

Sans faire une carrière au théâtre, elle aurait pu envisager d'y revenir de temps en temps, avec un rôle sur mesure. Celui de Célimène, qui fait souffrir les hommes et souffre elle-même malgré sa façade brillante et légère, avait tout pour lui plaire. En la faisant jouer face à Samy Frey, Antoine Bourseiller lui permettait de travailler dans les conditions qu'elle aimait, entourée d'amis. Mais dans les années soixante, sans doute, il sera déjà trop tard. On imagine le théâtre rempli de gens qui ne viendraient pas voir la pièce mais Bardot, dans l'espoir qu'elle se casse la figure. Elle dira, après avoir quitté le spectacle, que c'est le rôle du Misanthrope qu'on aurait dû lui faire jouer...

Fille de... Caroline chérie

Dès cette époque, Brigitte noue avec le public une relation d'amour et de haine mêlés, de recherche et de repli. « Le cinéma convient à des gens comme moi, parce qu'il met un écran entre celui qui le fait et ceux qui regardent », a dit un jour François Truffaut. Et il est vrai que le cinéma, s'il expose terriblement d'un côté, protège de l'autre. La personne même de Brigitte est absente lors de la représentation : seule son image apparaît. La prestation est médiatisée. D'ailleurs, Brigitte va tellement se dédoubler que, dans les interviews, elle parlera à la troisième personne de Bardot l'actrice.

108

Vadim écrit maintenant pour Marc Allégret un scénario adapté d'un roman de Vicky Baum, *Futures Vedettes*. Vadim et Allégret ont pris l'habitude de travailler ensemble, leur équipe est bien rôdée, et Brigitte n'est plus une petite inconnue timide. Vadim tient beaucoup à ce projet, car s'il n'est pas original, il lui offrira enfin l'occasion de travailler avec Brigitte, ce qu'il a toujours rêvé de faire. La réalisation de ce rêve prend pour lui de plus en plus d'importance alors que dans le privé, tout ne va pas pour le mieux.

Auparavant, Brigitte tournera en 1954 un film intitulé *le Fils de Caroline chérie*. Réalisé par Jean Dewaire, cette adaptation d'un roman de Cecil Saint-Laurent fait suite au *Caprice de Caroline chérie*, qui sous sa forme cinématographique, avait fait la gloire non seulement de Cecil Saint-Laurent alias Jacques Laurent, jeune auteur soudain propulsé en plein milieu de la scène parisienne, mais aussi de Martine Carol, qui avait trouvé là un grand rôle. Déjà, à cette époque, Martine Carol — comme Bardot plus tard — doit affronter la difficulté de vivre une gloire médiatique aliénante. Et certains, en France, commencent à voir en Brigitte la candidate au titre de « blonde évaporée », alors que Martine se laisse glisser dans l'alcool. Prise au piège de l'éternelle jeunesse qu'elle est censée incarner, elle ne parvient pas à établir sa carrière sur d'autres bases. Le public supporte difficilement de voir ses stars changer d'image et producteurs et metteurs en scène ne sont guère prêts à assumer des risques aussi considérables. Seul Ophuls donnera vraiment sa chance à Martine en montrant qu'elle est capable d'assumer un grand rôle tragique. Martine Carol, dans *Lola Montès*, sera très proche de son propre drame ; mais le public ne lui pardonnera pas d'avoir dévoilé l'envers du décor. Elle s'enfoncera dans les somnifères, la solitude, la déchéance, la mort.

Au départ, les deux personnages présentent des similarités étonnantes. Physiquement d'abord, le petit nez, la fraîcheur du teint, la décoloration agressive des cheveux — à une période de sa carrière, Bardot aura les cheveux presque platine, comme Martine Carol —, l'étroitesse de la taille, l'ampleur du buste. Toutes deux ont une beauté à la fois douce et piquante. Comme Brigitte, Martine invite les Français à se « libérer » en vivant une sexualité déculpabilisée car bon

109

enfant. Brigitte fuira à la Madrague, Martine Carol ira panser ses blessures jusqu'à Tahiti. Elle mettra à la mode les paradis à cocotiers et les Français, après elle, attraperont des lumbagos en se déhanchant sur les rythmes exotiques du tamouré. Martine connaît une vie aventureuse. Elle suit jusqu'en Amérique le propriétaire du cirque Barnum, qui finit par la séquestrer dans un des wagons de son train d'animaux, voyant apparemment en elle une splendide création de la nature à l'instar de ses tigres et de ses panthères. Enfin Martine, comme Brigitte, a été une star davantage qu'une actrice ; *Lola Montès* fut pour elle l'équivalent du *Mépris* pour Bardot, l'occasion de prouver ce qu'elle pouvait faire bien dirigée. Notons au passage qu'Ophuls, comme Godard, crut bon de dissimuler les cheveux blonds de la vedette sous une perruque noire, afin de faire oublier le personnage au profit de l'actrice...

On ne peut s'empêcher de penser que Martine Carol a été l'esquisse de ce que Brigitte s'apprête à représenter pour les Français. Les deux actrices sont séparées par l'espace d'une génération, et cela suffit. Certes, l'une comme l'autre sont victimes de la vogue de la femme-objet. Mais Martine Carol se soumet totalement au : « Sois belle et tais-toi » ; Brigitte, elle, ne se tait que si elle en a envie. Martine Carol n'est pas seulement gentille, elle est trop gentille. Elle aime les journalistes et ne sait pas s'en protéger ; lorsqu'elle commet une tentative de suicide en se jetant dans la Seine d'où la repêche un chauffeur de taxi, elle pousse la courtoisie jusqu'à se laisser filmer sur son lit d'hôpital et consent même à poser les pieds dans un baquet...

Là où Bardot joue le naturel à fond, Martine Carol est figée dans une beauté artificielle, contraignante. Jamais aucune brise ne dérange l'ordonnance de ses boucles. Ses chaussures à talons très hauts sont assorties à son sac et à sa robe, ce qui lui donne un côté « dame ». Enfin Martine Carol garde, en dépit de tout, un perpétuel sourire de bonheur extasié alors que, les années passant et les blessures s'accumulant, son regard se fait de plus en plus fixe, de plus en plus désespéré, à l'instar de celui de Joan Crawford. Martine Carol est moderne dans la mesure où elle contribue à démoder l'image de la vamp dangereuse, de la femme de mauvaise vie. De la vamp style Mae West et Lana Turner, elle a encore les relations douteuses : Barnum et surtout Pierrot le Fou qui, ne parvenant pas à coucher avec elle, la fait « marquer » par ses hommes et le lendemain lui envoie une gerbe de roses dans lesquelles sont dissimulés des biftecks, cadeau précieux en temps de guerre. Brigitte se gardera bien de se laisser entraîner sur la pente des mauvaises fréquentations. Martine se fera enterrer avec ses bijoux — cadeaux de ses hommes — et, dernier outrage, des voyous violeront sa sépulture. Comme si elle n'avait pas mérité d'être heureuse, d'être une femme choyée. Brigitte — sauf brièvement, à la période Sachs — ne fera pas étalage de belles voitures, de fourrures et de bijoux. Entre Martine et Brigitte, il y a toute la différence entre la femme « de mauvaise vie » et la femme libre mais honnête. Brigitte enterre la mode des demi-mondaines.

Ainsi, l'âge seul n'explique pas la victoire de Brigitte dans la rivalité qui va un instant opposer les deux blondes du cinéma français. Et pourtant, au départ, la lutte semble inégale et dure pour Brigitte. Martine Carol jouit alors en France d'une renommée énorme, elle est « notre Martine nationale », la première star à jouer le rôle de mascotte des Français. Lors d'un tour du monde, elle remportera un succès fabuleux en ambassadrice du cinéma français à l'étranger. Brigitte, elle, est encore une débutante bien qu'une débutante remarquée.

Jean-Claude Pascal se souvient avec admiration de celle qui fut sa partenaire dans *le Fils de Caroline chérie* : « Elle venait au théâtre. Elle avait pris un certain plaisir à jouer la pièce d'Anouilh, mais tentée comme tous les jeunes gens par la célébrité, par le succès, elle préféra faire du cinéma... Au départ, pourtant, rien n'était acquis, car les producteurs et les metteurs en scène lui trouvaient une façon de parler qui n'était pas très orthodoxe pour une actrice. Elle parlait d'une façon qui paraissait un peu enfantine, un peu plate. Les metteurs en scène et les producteurs hésitaient à croire en son personnage. Et puis soudain elle est devenue Bardot, elle a renversé tous les tabous, elle a fait trembler Martine Carol, Michèle Morgan, tellement elle existait... Je ne crois pas qu'elle ait été l'héritière de Martine Carol, pas plus que Martine Carol n'a été l'héritière de Michèle Morgan. Ce sont trois personnages qui ont régné sur le public un peu de la même façon, mais elles n'avaient rien à voir les unes avec les

111

autres, dans leur façon de jouer la comédie. Brigitte avait du talent, instinctivement, mais elle n'était pas fascinée par la caméra. La gloire lui est tombée dessus, alors qu'elle ne s'y attendait pas tellement. D'autres autour d'elle, qui s'y attendaient, ont poussé les choses.

« Je pense qu'elle a été surprise la première par cette énorme notoriété qui renversait tout. Au temps où je la fréquentais, c'était une fille très intelligente et charmante, et je ne crois pas qu'elle ait beaucoup changé. Je comprends très bien sa façon de vivre, la difficulté d'être pour quelqu'un qui a eu le monde entier à ses pieds. Derrière toutes les personnalités publiques, il faut prendre en compte le quotidien, la difficulté d'assumer le quotidien. Elle n'a pas pu aimer comme tout le monde. En faisant l'amour, elle devait se demander si on faisait l'amour avec elle ou avec Bardot, c'est extrêmement désagréable pour une femme...

« C'est quelqu'un de sensible, de vrai, d'authentique. Je ne crois pas qu'elle ait jamais triché, ou si elle a triché, c'est parce qu'on l'a obligée à tricher. Je la crois foncièrement honnête. Le jour où elle en a eu assez, elle est partie. A ce moment-là elle n'en pouvait réellement plus, ni physiquement, ni moralement, ni psychiquement.

« J'avais une option avec la Gaumont, et j'ai tourné avec elle *le Fils de Caroline chérie*. C'est une histoire compliquée : Martine Carol a tourné le premier *Caroline chérie* ; puis, j'ai tourné avec elle, et une autre distribution, un film qui s'appelait *le Caprice de Caroline chérie*, où j'étais son caprice. Jacques Laurent a écrit une suite où Caroline chérie avait un fils. On ne savait pas très bien de qui était ce fils, et c'était un peu embêtant que je joue le rôle : j'avais été son amant dans le film précédent. Enfin...

« Le contrat était signé depuis longtemps quand on m'a envoyé à Londres faire des essais. J'ai dû me décolorer en blond, parce que les producteurs disaient que le fils de Caroline chérie ne pouvait être que blond. Après avoir vu les essais quelques jours plus tard à Paris, je me suis empressé de me reteindre en brun, ma couleur naturelle...

« Le film n'avait qu'un intérêt limité, en tout cas pour ce qui concerne mon personnage. Ce personnage se promenait à travers différentes scènes pour lesquelles le metteur en scène avait pris la précaution d'engager des acteurs très solides et extrêmement connus. L'histoire d'amour est assez rocambolesque. Il s'agit de deux jeunes gens qui sont soi-disant frère et sœur et qui s'aiment ; mais évidemment, ils ne peuvent pas se marier. Puis on s'aperçoit, à la fin du film, qu'ils ne sont en fait pas frère et sœur et donc que finalement ils peuvent se marier... La fausse sœur, là-dedans, c'est BB, et le frère, c'est moi.

« Les producteurs auraient aimé que Martine Carol acceptât de faire une réapparition dans ce film. Mais elle ne pouvait pas — du fait que nous avions tourné ensemble *le Caprice* comme amant et maîtresse — se transformer quelques mois plus tard en maman de Jean-Claude Pascal...

« On s'est bien amusés pendant le tournage. On riait beaucoup en dehors des prises de vue. Nous tournions les scènes dans une très grande détente. Brigitte était irréprochable, toujours à l'heure, toujours prête à recommencer une prise. Je ne l'ai jamais vue taper du pied ni contrarier le metteur en scène. Elle était particulièrement docile, disciplinée, sachant son texte. Elle n'a jamais manifesté aucune humeur... Elle a été professionnelle très tôt, tout de suite... Irréprochable... C'est quelqu'un de très bien, Brigitte...

« J'ai beaucoup d'admiration pour elle. L'avoir en face de soi, c'est très motivant pour un comédien, et pour un homme. C'est un personnage absolument adorable, infiniment séduisant, troublant... Tant de qualités réunies... Vous savez, j'ai tourné avec toutes les comédiennes de France et de Navarre. Eh bien, Brigitte, je ne peux en dire que du bien... »

Lorsque, pour profiter du succès d'un film populaire on y accroche une suite, puis encore une suite, le résultat est souvent décevant. Les films du genre « Le fils de... » étaient une invention hollywoodienne : elle permettait d'exploiter à fond un thème profitable et de changer la distribution. L'absence de Martine Carol fut regrettée par une partie de la critique et du public car elle semblait indissociable de Caroline chérie. Pourtant, cette entreprise fut un succès pour Brigitte. Ayant sans doute tiré profit de son apprentissage théâtral, elle se montre tout à fait capable de composer un personnage. Elle a maintenant conquis assez d'assurance pour qu'apparaisse une de ses grandes qualités d'actrice : une spontanéité étonnante, bien connue de son entourage, mais qui éclate pour la première fois à l'écran.

Brigitte s'est donné jusqu'à l'âge de vingt ans pour prendre sa revanche sur ceux qui l'ont méchamment critiquée et se sont moqués d'elle lors de ses deux premiers films. En 1954, elle a vingt ans et elle parvient à prendre cette revanche. Elle prouve qu'elle est une véritable professionnelle. Il y a loin de la petite fille venue au cinéma par hasard à la comédienne irréprochable dont Jean-Claude Pascal se souvient. Elle ne se laisse pas tourner la tête par ce qui lui arrive. Elle a conscience d'être au début d'un long chemin. Elle dit dans une interview donnée en janvier 1955 : « On ne peut pas parler encore de carrière véritable avec moi. Je suis trop jeune. Il me faut tellement travailler encore... Vous savez, je ne crois pas le moins du monde que "c'est arrivé". »

En 1955, Vadim va enfin avoir sa première chance avec elle. Marc Allégret est prêt à commencer le tournage de *Futures Vedettes*. Vadim a consacré beaucoup de soin à l'écriture du scénario. L'intrigue du roman à succès de Vicki Baum paraissait vieillotte. Mais Vadim se faisait fort de mettre au goût du jour cette histoire dont certains thèmes l'intéressaient directement. L'ambition d'abord, et le milieu de la danse, avec la participation des danseuses du corps de ballet de Roland Petit. Pourtant Brigitte n'y tient pas un rôle de ballerine mais celui d'une chanteuse, jeune étudiante du Conservatoire, qui tombe amoureuse d'un homme plus âgé, chanteur d'opéra. Celui-ci est incarné par Jean Marais. Brigitte a donc en face d'elle un partenaire solide et séduisant. Si elle est encore confinée dans un rôle d'écolière, Vadim n'hésite pas à affirmer sa sensualité par une scène de nu qui fera sensation.

Le rôle a été écrit pour elle. Puisque Allégret avait eu des doutes quant à sa diction, sa façon de s'exprimer, Vadim porte à ses répliques une attention toute particulière en allant jusqu'à faire participer Brigitte à l'écriture du scénario. Il est essentiel qu'elle ne donne pas l'impression de parler faux. Pour en être absolument sûr, Vadim lui fait dire les choses à sa manière, avec son propre vocabulaire. Il affirmera : « Les mots qu'elle prononce dans ce film, comme dans plusieurs des films que nous avons faits ensemble, sont vraiment les siens. Ils sont écrits pour elle, parce qu'elle les a plus ou moins dictés. Elle parlait et j'écrivais », ajoute-t-il, indiquant par ces mots que le rapport de forces a changé : c'est maintenant Brigitte qui domine.

France Roche a également participé à l'écriture des dialogues du film : « A vrai dire, je n'ai pas eu grand-chose à faire. Allégret et Vadim voulaient juste que je donne un point de vue féminin sur les dialogues, parce qu'il s'agissait de faire parler une femme et qu'ils voulaient être sûrs que ça sonne vrai. En fait il était difficile de les arranger, parce que le roman était démodé et qu'il ne suffit pas de mettre des façons modernes de parler sur une histoire désuète pour que ça l'arrange. Et puis je n'étais pas une scénariste chevronnée... Mais je me suis bien amusée, l'atmosphère était très agréable. Brigitte était absolument charmante et s'entendait bien avec tout le monde. Ce qui m'a frappée, c'est qu'elle était peu sûre d'elle et de sa séduction. J'avais suggéré un changement de coiffure. Je voulais lui faire abandonner son espèce de choucroute : horrifiée, elle disait : "Cette fille veut m'enlaidir !" Elle avait très peur d'être laide. Pourtant, plus tard, elle s'est coiffée comme je l'avais suggéré... La différence entre elle et beaucoup d'autres stars réside dans le fait qu'incarner la séduction ne l'a pas empêchée d'être l'amie des femmes. Souvent, une femme très belle suscite la jalousie et l'antipathie chez les autres femmes qui l'approchent, parce qu'elle les écrase ou qu'elle les méprise. Brigitte, jamais. C'est fondamentalement une bonne fille. Elle sait dire un mot gentil quand il faut avoir une petite attention qui vous fait sentir que vous existez pour elle : "Ah, vous avez une jolie robe..." Elle aime les rapports entre femmes. Elle n'a jamais eu cette vanité exaspérée des femmes très belles qui, parce qu'elles sont belles et qu'on le leur dit, croient qu'elles sont tout. Elle aimait plaire, mais pas pour surclasser les autres femmes. »

Malgré les problèmes posés par le scénario, le film est un succès pour Brigitte. Elle n'a pas encore totalement conquis la critique, qui lui préfère parfois sa rivale dans le film, Isabelle Pia. Mais sa personnalité d'actrice s'affirme : comme Jean-Claude Pascal l'avait senti au cours du tournage du film précédent, Brigitte ne ressemble à personne, ni physiquement ni dans sa manière de jouer. Si elle doute encore d'elle-même et de sa beauté, elle prend, par un paradoxe qui ne se démentira jamais, de plus en plus d'assurance. La fierté joyeuse et royale de sa prestance — marque de la période Vadim — s'affirme.

Et Brigitte trouve beaucoup de bonheur à pouvoir enfin travailler pour Vadim, à remercier en quelque sorte par ses efforts l'homme qui a tant fait pour elle. Sa fierté et son plaisir sont sensibles dans ses déclarations à la presse. « Dans ce film, j'ai un rôle, un vrai. J'ai du poids, du relief. Je ne suis pas l'ingénue bébête que n'importe qui épouse à la fin du scénario. Je ne me balade pas dans les trois mille mètres de bande parce qu'à toute réalisation, il faut une jolie fille. Je vis, là-dedans. Et ce qu'on m'y fait faire a une raison d'être. Entre parenthèses, j'y danse un blues perchée sur une échelle. Et ça n'a l'air de rien, ce blues... Mais ça indique tout de même que le metteur en scène a en vous une confiance suffisante pour que la scène ne soit ni fausse, ni ridicule, ni outrée[1]. »

Brigitte commence à prendre son métier vraiment au sérieux. Elle se trouve dans les conditions idéales : travailler par amour. Vadim a rebaptisé Sophie le personnage de *Futures Vedettes*. Sophie, l'héroïne de son roman de jeunesse, le nom que Brigitte avait repris pour signer ses lettres de jeune fille à son amoureux...

La jeune fille est devenue une jeune femme, mais elle préserve son côté enfantin en posant dans son appartement au milieu de sa collection d'animaux en peluche — petits ânes, Mickey ou Yogi Bear. Elle en a déjà soixante-cinq et continuera au cours des années à augmenter cette collection. Elle pose assise sur un coussin devant une bibliothèque pleine de livres — arborant à nouveau un de ces cols Claudine qu'on croyait oubliés. Et elle pose au salon avec Vadim, sous son portrait par Kiffer, peintre mondain. Le plateau blanc, la théière d'argent — décidément c'est un rituel — sont toujours là. Cette fois ce n'est plus Brigitte qui sert, mais une bonne, tablier et profil bourbonien, prénommée Marcelle. Le couple s'embourgeoise. Brigitte fait son autoportrait :

« Je fume beaucoup, des gauloises. Je bricole énormément.

« Et je ne sais pas faire la cuisine. J'ai très mauvais caractère et me mets très facilement en colère. Par contre, dix

1. Ciné-révélations, 27 janvier 1955.

minutes après ces colères, je demande pardon et j'oublie tout. Je suis très franche — cynique, pensent certains — et je ne suis plus actrice lorsque j'ai franchi le seuil de mon appartement. Il n'y a aucune transpiration de mon métier dans ma vie privée.

« Je dessine, je danse, et j'essaie de jouer de la guitare. Tous les six mois, j'ai ce que Vadim appelle "une crise de guitarite aiguë". Pendant une heure, je casse les oreilles à tout le monde en tentant (infructueusement) de faire des accords presque parfaits, puis je remets la guitare dans un placard pour un très long moment !

« Autre excentricité : ma façon de conduire l'Aronde de mon mari. Je me débrouille fort bien au volant, mais je ne puis m'empêcher d'invectiver les autres conducteurs lorsque leur façon de conduire ne me plaît pas. »

En dehors de ces anecdotes plaisantes destinées à conforter le public dans l'idée d'une Brigitte enfantine, on voit se faire jour, dans ses déclarations, le coût physique, émotionnel, que représente déjà pour elle son métier. Son travail l'oblige à des déplacements constants et son besoin de sécurité, d'un « nid », ne trouve pas son compte dans ces voyages harassants. Ainsi, elle a tourné à peu près en même temps *Hélène de Troie*, à Rome, *Trahie* à Bolsano et *le Fils de Caroline chérie* à Perpignan. Vadim a muni à cette occasion l'Aronde de couchettes et a servi de chauffeur, véhiculant Brigitte d'un endroit à l'autre, pendant qu'elle trouve dans la voiture quelques heures d'un mauvais sommeil. Problème bien connu des comédiennes : comment arriver au tournage fraîche et rose, dans ces conditions ?

Ce sont les coulisses de la vie d'une jeune femme qui par ailleurs continue à donner d'elle-même l'image d'une belle insouciante, posant assise dans une bergère, dans l'appartement cossu de ses parents. Brigitte tient une main de sa mère tandis que de l'autre, celle-ci brosse les cheveux de la charmante. « Mon plaisir : me faire coiffer par maman », affirme Brigitte, sous le titre : « Je resterai longtemps encore une enfant. » Et voici une photo prise au lit, le drap remonté sur les seins, embrassant amoureusement... son chien Clown sur le bout de la truffe.

Brigitte qui ouvre pour les journalistes la porte de sa garde-robe pleine à craquer de jupons virevoltants. Brigitte qui essaie une robe du soir à bustier chez Givenchy, le dos reflété dans la glace de la cabine d'essayage tandis que la vendeuse, à genoux, épingle l'ourlet, levant les yeux vers cette jeune déesse de la féminité et du bonheur. Brigitte chez qui, déjà, l'amour des animaux dépasse le goût des peluches de sa collection enfantine. Dans une forêt des environs de Poitiers, Vadim et Allégret étaient venus faire des repérages pour une adaptation de l'*Amant de Lady Chatterley*. Brigitte, qui les attend dans une auberge de campagne entend sonner les trompes de chasse. « A la seule pensée qu'une innocente biche allait être traquée puis tuée, j'ai été prise de tremblements nerveux et Vadim à dû me raccompagner à Paris », raconte-t-elle.

Comment savoir ce qui, de ces anecdotes qui parsèment la presse des années cinquante à propos de Brigitte, est la part de l'invention des journalistes avec ou sans l'accord de la jeune vedette ?

BB « *sex-kitten* »

Brigitte est angoissée car son prochain film, qui doit se tourner à Londres, va lui demander encore plus de déplacements. Elle a peur de l'avion : « La première fois où on a voulu m'embarquer dans un DC6, dit-elle, j'ai eu une terrible crise nerveuse. »

Elle retrouve la langue de Shakespeare avec laquelle elle a eu un contact précoce grâce à sa gouvernante. Contrairement à ce qu'affirment les journaux français qui n'hésitent pas à faire d'elle un prodige linguistique, son anglais est loin d'être parfait. Elle peut s'exprimer à peu près couramment — ce qui fera le bonheur des journalistes londoniens — mais son accent est assez marqué. Les méthodes d'enseignement de l'anglais parlé sont très au point dans les studios de cinéma, en tout cas à Hollywood où l'afflux d'émigrés de toutes origines obligea, dès l'apparition du parlant, à un recyclage massif. Ni Greta Garbo, ni Ingrid Bergman ne perdirent vraiment les consonances germaniques de leur accent, mais enfin, avec une diction lente et majestueuse, c'était tout à fait acceptable. Simone Simon, de passage outre-Atlantique pour *Cat People*, s'exprime correctement en américain, avec juste la trace qu'il faut d'accent étranger pour lui donner un petit côté exotique, indéfinissable, qui lui permet de passer pour une transfuge des Balkans.

Deux accents « régionaux » constituent à Hollywood un « plus » : l'accent d'Angleterre, qui fait chic et que nombre de vedettes américaines vont s'efforcer d'acquérir, et l'accent français avec ses connotations de champagne et de Moulin-Rouge, bien dans la ligne hollywoodienne. Maurice Chevalier est même parvenu à se faire une célébrité en Amérique grâce à sa façon d'écorcher les phonèmes de rengaines telles que *Louise* et *Thank heaven for little girls*.

On voit mal comment Brigitte se résoudrait à modifier sa diction « très particulière » pour faire plaisir à sa nouvelle productrice anglaise, Betty Box. Celle-ci a été impressionnée, non seulement par les apparitions de Brigitte à l'écran, mais par sa célébrité dans la presse. Ses photos ont fait connaître Brigitte à l'étranger, même dans un pays comme l'Allemagne où elle n'a rien tourné. En Angleterre elle a bénéficié aussi d'une presse abondante bien que son rôle dans son seul film en langue anglaise, *Act of Love*, se réduise à presque rien.

Le film pour lequel Betty Box pense à Brigitte est une comédie légère qui s'appellera *Doctor at Sea* (le titre français sera *Rendez-vous à Rio*). Betty Box et Ralph Thomas, le metteur en scène, veulent lancer des acteurs nouveaux pour incarner une blonde écervelée et un jeune médecin frais émoulu de la faculté, un naïf qui retombe toujours sur ses pieds.

Encore une fois, le rôle de Brigitte s'apparente à un épisode de sa vie, puisqu'elle interprétera une jeune chanteuse française, Hélène, qui participe à une croisière à bord d'un navire voguant vers l'Amérique du Sud. Le jeune premier est encore à peu près inconnu en Angleterre où il a fait de rares apparitions à la télévision. Il ne parvient pas à décoller vraiment au cinéma malgré un contrat avec la Rank. Pour lui aussi, Betty Box fait preuve d'un flair peu commun. Il s'appelle Dirk Bogarde. Dans le deuxième tome de ses Mémoires, *Snakes and Ladders*, Bogarde explique qu'il n'est pas, d'abord, ravi de la proposition. Il trouve le rôle un peu bête, mais son agent le presse d'accepter : cela lui permet de sortir des rôles de flics et de soldats courageux dans lesquels il s'est enlisé jusque-là. Bogarde considère aujourd'hui que si ce rôle ne lui avait pas été confié, il n'aurait jamais réussi à faire carrière. Le film lui donne sa grande chance. Le succès au box-office sera phénoménal. Bogarde entame la première phase de sa carrière : celle d'acteur de films commerciaux, particulièrement d'acteur comique. Le succès du personnage du jeune médecin inspira d'ailleurs plusieurs suites, de même que *Caroline chérie*... ou *le Gendarme de Saint-Tropez*, version française du genre.

Lorsqu'elle arrive à Londres, Brigitte est encore une débutante malgré ses onze films ; il en est de même pour Bogarde, qui considère qu'à cette époque il ne savait pas jouer. C'est au cours du tournage de *Rendez-vous à Rio* qu'il va tout apprendre, avec l'aide de l'opérateur du film, Bob Thomson. « Vous ne connaissez rien de rien à la caméra, hein ? » lui dit celui-ci. « Durant le reste du tournage, conclut Bogarde, il m'apprit les bases de la technique cinématographique. Tout sur les objectifs, les lumières, le son. »

Le choix de Bogarde n'est pas évident : Betty Box a dû se battre pour l'imposer à la direction de la Rank qui ne le croit pas capable de réussir dans la comédie. Avec Bardot, la productrice fait aussi un choix très particulier. A l'origine, elle avait souhaité engager Kay Kendall, une amie de Bogarde, qui quelques années plus tard allait connaître un très grand succès à Hollywood avant de mourir précocement. Kay Kendall est très anglaise ; avec Brigitte, au contraire, Betty Box mise sur l'exotisme. C'est un rôle de tentatrice que celui d'Hélène, et la France demeure pour les Anglais le pays de l'amour et des petites femmes. Bogarde, qui est un poète, et dès cette époque un écrivain rentré — ses trois volumes de Mémoires et ses romans lui assureront un nouvel emploi lorsqu'il se sera lassé du cinéma — tient, pour le magazine spécialisé *Playgoer*, le journal du tournage. Il est plein d'admiration pour sa partenaire : « Elle suggère une sexualité chaleureuse, libre, complètement naturelle... Brigitte se donne le mal de considérer la sexualité comme un

120

art. Chez beaucoup de nos filles à nous, cela ressemble à une farce. »

Dès l'arrivée de Brigitte, Betty Box peut se sentir rassurée. La réputation faite à Brigitte par Mosley après le festival de Cannes a grandi. Photographes et journalistes s'écrasent, comme pour l'arrivée d'une grande vedette. Brigitte a compris ce qu'elle vient faire en Angleterre, quel rôle elle doit jouer. Son comportement lors des conférences de presse et aux studios de Pinewood est un démenti à ceux qui prétendent qu'elle n'est qu'une poupée manipulée par Vadim. Au contraire, loin de Vadim et loin de ses parents, elle semble devenir enfin Brigitte Bardot. Le séjour à Rome avait déjà eu sur elle un effet libérateur mais là, elle va beaucoup plus loin.

Aux journalistes qui l'interrogent, elle répond qu'elle a mis beaucoup de chemises de nuit dans sa valise, et qu'elle espère qu'il y aura quelqu'un pour les admirer. Ils attendent une Française coquine, ils seront exaucés. Nul n'est prophète en son pays. Ce qui choquerait les Anglais de la part d'une de leurs girls paraît rafraîchissant et excitant venant de l'étranger. Brigitte se sert du voyage à Londres pour tester le personnage public qu'elle va devenir. Les Anglais la trouvent magnifique. Bogarde écrit qu'elle a « une silhouette superbe, des jambes longues, une chevelure flottante et la grâce d'une gazelle ». Parmi tous ces charmes, ce sont les jambes qui fascinent le plus. Le metteur en scène, Ralph Thomas, dira plus tard que, pendant des semaines, les hommes qui fréquentaient les studios eurent tous le torticolis, à force de se dévisser le cou pour regarder les jambes fabuleuses de l'invitée. Tous les jours, une foule de journalistes se presse sur le tournage, si bien que Ralph Thomas a du mal à travailler.

Les journaux baptisent Brigitte « sex-kitten », expression intraduisible car « chaton sexuel » ne veut rien dire en français. « Poupée d'amour » en serait un équivalent vulgaire et approximatif. Brigitte a, effectivement, quelque chose du chaton. Elle provoque les journalistes : « Qu'est-ce qui ne va pas chez les garçons anglais ? demande-t-elle. Ils ne savent pas faire l'amour[1] ! » Les Anglais sont plutôt émoustillés par ce genre de défi. Vadim, resté à Paris, est loin de s'inquiéter des libertés prises par sa femme. C'est exacte-

1. Cité par Peter Haining.

ment ce qu'il souhaitait. Il s'étonne seulement de voir que les Anglais sont les premiers à découvrir en Brigitte, ce qui lui a toujours, à lui, paru évident.

Bogarde apprécie Brigitte. Celle-ci, de son côté, se répand en compliments sur son partenaire. L'ambiance, comme en témoignent les photos de plateau, est chaleureuse. On y voit Brigitte riant aux éclats, une main devant la bouche, tandis que Thomas et Bogarde la couvent d'un regard fasciné.

Lorsque Brigitte tourne sa première scène de nu, c'est le délire. Il s'agit de la filmer sous la douche, un standard de l'érotisme « soft ». On prend la précaution de lui mettre du sparadrap sur le pubis et le bout des seins. Dans un geste apparemment spontané, elle arrache le sparadrap et se découvre nue à toute l'équipe. Puis elle s'installe derrière le rideau de douche transparent et Ralph Thomas tourne sans tarder une scène où finalement on n'apercevra de Brigitte qu'une épaule, un bras et une tête protégée d'un bandeau de mousseline, émergeant hors du rideau. Le geste comporte sûrement une partie d'exhibitionnisme. Ralph Thomas a été frappé par la façon dont Brigitte est fière de son corps et aime le montrer, à une époque où les actrices répugnent à se dévêtir. Mais Brigitte, désormais, est prête à donner, donner toujours plus, à la caméra. La nudité pour elle n'est pas une chose honteuse, et elle n'aime pas tricher. Elle veut en finir avec cette scène impossible à tourner parce que les morceaux de sparadrap se remarquent à travers le rideau. Même si, en définitive, la scène n'a rien de scandaleux, pour la première fois une actrice se sera mise nue sur un plateau de cinéma anglais. Le film sera un succès considérable, reposant entièrement sur les personnages de Brigitte et de Bogarde. « Le triomphe du charme sur un mauvais scénario », écrira Mosley, le critique de Cannes. Brigitte peut rentrer satisfaite d'Angleterre : elle a franchi un pas décisif dans sa carrière.

Betty Box, à l'avenir, utilisera à nouveau la formule de la belle étrangère sexy en faisant tourner Claudia Cardinale, Sylva Koscina et Mylène Demongeot. Une seule actrice anglaise, Diana Dors, répond au stéréotype de la bombe sexuelle alors si en vogue sur les écrans américains et européens, et son travail ressemble à une parodie de sexualité — une farce, comme dit Bogarde. Il est donc nécessaire à la prude Albion d'importer des sirènes...

Sans doute le succès de Bardot tient-il de la surprise. Il n'est pas certain que le public l'aurait acceptée pour de bon en tant que personnage. Elle est allée très loin et elle revient vers Vadim baptisée par la presse anglaise, non seulement chaton sexuel, mais aussi petite gazelle, miss nitouche et superbe pékinois. Ces comparaisons de ménagerie ont de quoi lui plaire. De plus, elle assure la presse qu'entre elle et sa personnalité à l'écran, il n'y a aucune différence. Un aveu étonnant de la part de celle qui jusqu'ici s'est plainte des rôles qu'on lui faisait jouer. C'est que Brigitte commence à s'assumer pleinement en tant que star. Sa vie est sur le point de se confondre totalement avec le cinéma. Vadim va bientôt s'en rendre compte à ses dépens. Le personnage que Brigitte invente est tellement fort, tellement prenant qu'il n'y a plus place pour autre chose. Brigitte veut réussir et elle a compris que sa réussite, dans un métier aussi dur, aussi compétitif, passe par un engagement total. Elle est, d'ores et déjà, prisonnière de son reflet, et pour l'instant, elle l'accepte.

« Je ne suis pas une bonne actrice, a-t-elle encore déclaré aux Anglais. J'aimerais être une bonne actrice, mais c'est ennuyeux alors... Je préfère être sexy. » Ce genre de déclaration peut paraître « bébête » aujourd'hui, mais à l'époque il n'est pas banal de voir une femme revendiquer sa sexualité, laisser entendre qu'elle adore faire l'amour, sans pour autant se départir de sa bonne éducation. Ces déclarations enchantent d'autant plus qu'on les sent vraies : l'amour du farniente, la peur de l'ennui, le désir de séduire sont des éléments authentiques de son caractère. Ses reparties, qui font sensation et vont lui conférer auprès des journalistes la réputation d'une fille dont on peut toujours tirer des interviews formidables, n'ont pas été écrites par un agent de publicité et apprises par cœur. Son intelligence éclate à travers sa façon de se sortir des embûches posées par la presse ; il est impossible de la piéger. Elle est ce phénomène rare : un fantasme masculin réalisé...

De nombreux articles de la presse française, dès cette époque, s'inquiètent de l'influence de Brigitte sur « nos jeunes filles ». Est-elle ange ou démon ? Cette influence risque-t-elle vraiment de corrompre ? Doit-on laisser aux jeunes Françaises la bride sur le cou ? Brigitte, en fait, incarne le changement des mœurs féminines en France. Très vite, on ne

123

rira plus d'elle. On ne la considère pas comme une pin-up de plus : elle surprend, elle intrigue, elle inquiète. Même si la France ne manifeste pas encore à son égard l'enthousiasme des Anglais, on commence à « voir venir », comme en témoigne cet article paru dans *Combat* : « Après des mois de photos complaisantes, des années de costumes de bain, elle eut en 1955 sa grande chance. De *Futures Vedettes* (avec Marc Allégret qui l'avait découverte et engagée bien des années auparavant pour un film jamais tourné), elle tira le maximum. Sa cote a dépassé les frontières, elle est très demandée, elle tourne sans arrêt. Dans quelques jours, on va voir d'elle le personnage de pin-up que lui ont confié les Anglais et la silhouette que les Américains lui donnèrent dans l'ombre d'*Hélène de Troie*. C'est la fusée 55 ! L'avenir dira s'il s'agit d'un feu de paille. »

Et Vadim créa Brigitte

La « fusée Bardot » est maintenant sur orbite. L'année 1955 va lui apporter encore une satisfaction : celle de tourner avec le grand metteur en scène français René Clair dans *les Grandes Manœuvres*. Il s'agit de son premier film en couleurs, réalisé à partir d'un souvenir d'enfance, alors qu'il vivait à Versailles près d'un régiment d'officiers de cavalerie. Une fois de plus, Brigitte n'a qu'un petit rôle mais au milieu d'une distribution prestigieuse : Gérard Philipe, Michèle Morgan, Yves Robert, Jacques Fabbri, Jacqueline Maillan... L'histoire est celle d'un pari entre un officier de dragons dans une ville de garnison en 1914, un mois avant le départ pour les grandes manœuvres. Il jure de séduire la femme que ses amis lui choisiront, quelle qu'elle soit. Mais la morale est sauve : l'officier se prend à son propre piège, tombe amoureux et se fait rejeter par celle qu'il en est venu à aimer et qui est dégoûtée d'apprendre pourquoi il s'intéresse à elle. Brigitte est ravissante dans des costumes début de siècle, dont les chemisiers à rayures et à col blanc, les lavallières et les tailles étranglées, largement ceinturées, rappellent sa garde-robe de jeune fille. Elle sourit espièglement sous un petit chapeau de paille orné de fleurs et de fruits, en faisant tourner le manche d'une ombrelle de dentelle. Mais quel dommage qu'elle n'ait pu avoir un vrai rôle en face de Gérard Philipe...

Brigitte ne cesse plus de tourner. Vadim la pousse à accepter le rôle principal dans un film de Georges Lacombe, *la Lumière d'en face*. Il veut exploiter la nouvelle liberté de Brigitte, et celle-ci, pas plus que lui, ne voit venir le danger, celui de l'épuisement d'abord, de la haine ensuite. Car si les Anglais ont adoré la petite Française si délurée, les groupies de Dirk Bogarde, elles, l'ont bombardé de lettres — plus de cinq cents — lui reprochant de s'intéresser à cette traînée. Déjà en ce qui concerne les femmes, le public se divise en deux catégories : les filles jeunes, qui s'identifient à celle qui représente la modernité, et les femmes plus âgées, qui la détesteront. Encore, même chez les jeunes filles, est-elle loin de faire l'unanimité. La pure oiselle est alors un modèle qui fait recette, talonné par le genre « bonne copine, fille sympa ». Lolita n'est pas une inspiration pour teenagers bien de chez nous...

Avec *la Lumière d'en face*, Brigitte, pour la première fois, fait figure de menace pour la virilité. Jusqu'ici, on reprochait à son personnage d'inciter aux débordements sexuels, de « donner des idées ». On craignait qu'elle ne transforme les jeunes filles en allumeuses et les hommes en satyres. Mais à partir de *la Lumière d'en face*, le discours sur Brigitte change. Elle représente un autre danger, apparemment contraire, mais qui n'est que le paroxysme du premier : elle rend les hommes impuissants. Non par manque de désir, mais par excès.

La bourgeoisie des années cinquante fonctionne encore sur les cinq-à-sept, les mariages en blanc, l'horreur du divorce, *Back-Street*. Les jeunes filles se donnent du mal pour ressembler à des oies blanches et les débauchés vont à la messe le dimanche. On a recours au confessionnal pour effacer les péchés de l'ardoise ; ensuite, on peut recommencer. Les mauvaises femmes ont l'autorisation officieuse de se dévoi-

125

ler, à condition qu'officiellement, les braves gens se voilent la face.

Lorsque Brigitte apparaît dans la panoplie collant-résille guêpière gants au coude de *Rendez-vous à Rio*, c'est parce qu'elle y joue le rôle d'une danseuse de cabaret. Il y a donc un alibi à l'indécence, et le recours même à l'alibi implique une connaissance de la morale sexuelle traditionnelle : il y a des lieux et des moments où c'est permis, des femmes qui en font leur métier ; on tolère ça pour sauvegarder par ailleurs la vie des honnêtes gens.

Dans *la Lumière d'en face*, Brigitte n'est ni une chanteuse de music-hall, ni une étudiante bohème, ni une sauvageonne mal éduquée. Elle joue le rôle d'une femme mariée, c'est-à-dire honnête. L'homme qu'elle a épousé est impuissant à la suite d'un accident de voiture. L'accident n'est pas survenu après le mariage, mais avant. On ne peut donc le considérer comme une conséquence. Mais d'une certaine façon, c'est pire encore. C'est une nouveauté que de montrer au cinéma un homme rendu fou par la frustration, anéanti par le désir. Certes, la littérature française avait abordé le problème dès le XIXᵉ siècle avec le roman de Stendhal, *Armance*, à propos duquel eut d'ailleurs lieu une controverse jamais résolue : *Armance* était-il vraiment l'œuvre de Stendhal ou celle d'une femme, qui ne pouvait risquer de publier sous son nom car il aurait été inacceptable qu'une plume féminine ose traiter de ce problème ?

Pour ne pas avoir d'ennuis, Georges Lacombe aurait pu employer l'angle « infirmière », qui avait fait recette dans nombre de romans populaires et articles montrant des jeunes filles dévouées et pures, ne craignant pas de se sacrifier noblement en épousant des mutilés de la Grande Guerre. Là aussi, il y avait un alibi : le patriotisme.

Dans *la Lumière d'en face*, il n'y en a aucun. Georges Marceau, propriétaire d'un café sur la nationale 7, se sait impuissant lorsqu'il épouse Olivia. Il l'épouse quand même, parce qu'elle le rend véritablement fou. Là intervient le premier paradoxe qu'il est scandaleux d'énoncer clairement, comme le fait le film : l'impuissance physique ne tue pas le désir ; bien au contraire, elle l'attise. Le désir, c'est dans la tête que ça se passe, ça n'est pas une histoire d'hormones.

La Lumière d'en face se termine dans le drame. La frustration conduit Georges à la violence ; il manque étrangler sa femme. Celle-ci se réfugie chez celui qui tient le garage situé de l'autre côté de la route. Séparés par le ruban d'asphalte de la nationale, sur lequel passent constamment ces camions qui ont privé Georges de sa virilité, Olivia et Pietri le garagiste s'observent avec un intérêt croissant. Olivia reporte sur celui qui sait faire marcher les camions — le symbolisme est assez gros — le désir qu'elle ne peut plus éprouver pour celui qui ne fera jamais d'elle une femme. Pourtant, elle ne succombe pas : elle reste physiquement fidèle à son mari. Mais cela est presque plus grave, puisqu'il est alors démontré que chez la femme comme chez l'homme, le désir est du domaine du fantasme. La pire infidélité se commet dans le rêve éveillé. Ce n'est plus la dichotomie vierge-putain d'autrefois. Brigitte, dans ce film, n'a rien d'une vamp noire, elle est une claire jeune femme en jupe large et souliers plats. Pas une gourgandine, mais une femme normale, et c'est là que réside la provocation : dire qu'une femme « normale » puisse être obsédée par le sexe. C'est la fille d'à côté, la voisine, la cousine, qui est potentiellement insatiable, toujours disponible sous ses airs bien élevés. Roger Pigault, dans le rôle du garagiste, est le costaud en maillot de corps, au bras tatoué d'une ancre, fasciné par la lumière d'en face, celle du café où l'on discerne, à travers les vitres, la silhouette élancée et pulpeuse de Brigitte. Le metteur en scène n'a pas fait du mari frustré un homme définitivement impuissant ; il doit attendre l'avis du médecin pour consommer le mariage, mais l'impossibilité temporaire où il est de concrétiser son désir le conduit à mourir écrasé par un camion après avoir tenté de tuer sa femme et le garagiste. « Sensuelle avec pudeur et cruelle avec bonté », dit un critique de Brigitte dans ce film. D'où un inquiétant personnage ambigu.

Si certains discernent les qualités de l'actrice, d'autres sont choqués par la liberté d'un personnage que le metteur en scène fait souvent se déshabiller.

Truffaut, qui sera bientôt un admirateur de Brigitte, critique violemment le film dans *Arts*, au point de réclamer pour lui… la censure : « Du film tout est dit, si je le compare à un conte grivois de Paris-Hollywood ; "elle" se déshabille devant sa fenêtre, la lumière (d'en face) éclaire par transparence sa chemise de nylon ; au lit, où ne la rejoint pas son

127

mari malade, elle s'agite. Le lendemain, elle se baigne, nue, et ne sait pas qu'on la voit ; comme elle grimpe derrière la moto elle montre ses genoux. Sur une chaise, pour accrocher je ne sais quoi, ses jambes se laissent voir ! On a le droit de parler ici de pornographie et de s'interroger sur la complicité indulgente de la commission de censure. »

L'accusation de pornographie fait aujourd'hui sourire à propos d'un film dont la facture, effectivement, n'avait rien de révolutionnaire et faisait volontiers appel au cliché. Mais c'est que déjà Brigitte provoque des réactions démesurées. Vadim lui-même, sans commettre la confusion entre l'érotisme de Brigitte dans ce film et la pornographie, constate que les gens vont le voir comme ils iraient voir un film pornographique. C'est la véritable apparition de Brigitte star érotique. Elle est bien devenue, cette fois, le rêve inaccessible des hommes mariés.

La passion de la vérité

Heureusement, la générosité et la personnalité de Brigitte lui permettent de se faire des amis solides, des amis pour la vie. Si commence à se rassembler autour d'elle cette cour qui la suivra toujours, composée de gens qui à la fois la protègent et la parasitent, elle sait aussi nouer des liens tenaces et utiles. Après Vadim, Olga Horstig, c'est Christine Gouze-Rénal qu'elle rencontre à l'occasion du tournage de *la Lumière d'en face*. Celle-ci joue un petit rôle dans le film, et elle s'occupe aussi de sa production. Les deux femmes ressentent l'une pour l'autre une sympathie très vive, et beaucoup d'estime.

« Pour vous parler de Brigitte, affirme Christine Gouze-Rénal, il faut que je parle de moi. Elle a accompli pour moi une chose importante. Si je fais ce métier, c'est vraiment grâce à elle. J'ai débuté à l'occasion du film *la Lumière d'en face*, quand elle n'était pas encore une grande vedette. Le producteur est mort, et j'ai terminé le film sur le plan administratif et financier.

« Je suis un peu plus âgée que Brigitte, mais enfin nous étions très amies. Elle m'a dit : "Tu devrais continuer la production", et elle n'a eu de cesse que je fasse un film avec elle. Ce sera *la Mariée est trop belle*.

« Ceci démontre le degré d'amitié et de tendresse qui ne s'est jamais démenti entre nous, puisque ces souvenirs remontent aux années cinquante-cinq cinquante-six, il y a donc trente ans, or j'ai déjeuné avec elle la semaine dernière. A chacun des incidents et des problèmes de sa vie, je trouve un appel sur mon répondeur téléphonique.

« Sa plus grande qualité, et c'est rare dans ce métier, c'est sa vérité. Brigitte est une fille très vraie avec tout ce que ça comporte d'insupportable, de difficile à vivre... C'est une fille qui n'est pas très sociable, qui ne fait que ce qu'elle aime, que ce qu'elle a envie de faire. Ça ne rend pas la vie facile avec elle, et ça justifie même beaucoup de ses problèmes amoureux. En dehors de sa beauté, de son élégance, d'une sorte de classe qu'elle a, la chose la plus importante et la plus dificile à vivre avec elle, c'est son authenticité. »

La vérité, justement, ce sera le titre d'un des meilleurs films de Brigitte Bardot, un film qui sera produit par Christine Gouze-Rénal.

Depuis que Brigitte et Vadim travaillent ensemble, contrairement à ce que celui-ci aurait pu espérer, les choses sont plus compliquées entre eux. Le voyage à Londres a représenté une première vraie séparation. Vadim affirme que lorsqu'elle tournait à Pinewood, elle l'appelait ou lui écrivait sans arrêt pour lui demander de venir la rejoindre. Malgré ses déclarations provocantes à la presse anglaise, elle était seule et s'ennuyait de lui. Vadim dit qu'il aurait été très malheureux si Brigitte ne l'avait pas supplié sans cesse de la rejoindre. Pourtant, il n'est pas venu. « Je savais ce qui se passait, mais j'avais des choses importantes à faire à Paris. Importantes pour nous deux », affirme-t-il. Ces choses importantes, c'est le scénario de *Futures Vedettes*, la réflexion à propos des projets que Brigitte doit accepter ou refuser, et puis aussi, déjà, l'idée d'un grand film qu'ils feront ensemble, et qui sera *Et Dieu créa la femme*. Mais Vadim, pour qui la carrière prime tout, oublie que, pour Brigitte, l'amour passe d'abord. Pour elle importent surtout les moments passés avec l'homme qu'elle aime. Vadim a toujours été un indépendant, un promeneur ; la vie errante qu'il a menée dès l'enfance et à laquelle il s'est habitué lui rend nécessaire parfois de prendre ses distances. Pour lui, les séparations temporaires sont un bien dans la vie du couple. Pour Brigitte, c'est un mal, presque un drame. La profondeur émotionnelle de Brigitte est ce qui fait sa force, mais aussi sa faiblesse. « Brigitte est quelqu'un qui souffre beaucoup, dit Anne Dussart, une amie de longue date et la femme du photographe Jicky Dussart. Je crois que je n'ai jamais vu quelqu'un souffrir autant. » Cette exceptionnelle capacité de souffrance est difficile à prendre en compte pour ceux qui l'entourent et qui n'ont pas eux-mêmes l'expérience d'états émotionnels aussi violents. Lorsqu'en Angleterre on a demandé à Brigitte ce qu'elle a tiré de son séjour, elle répond qu'elle a appris la signification de l'infidélité. Mais Vadim ne s'inquiète pas. D'abord, il pense que ses déclarations ne sont pas à prendre au pied de la lettre ; ensuite, il se veut « moderne », affranchi, en réaction contre la vieille morale. Les intellectuels français des années cinquante militent volontiers en faveur du couple ouvert, du « on fait ce qu'on veut et on se dit tout ». Cette idée est au centre du rapport entre Sartre et Beauvoir qui apparaissent comme le nouveau couple par excellence. Cette nouvelle morale — car c'en est une — est en général plus facile à vivre pour les hommes que pour les femmes, et Simone de Beauvoir avouera en avoir souffert. Vadim dit préférer une femme comme Brigitte, dût-elle se montrer infidèle, plutôt qu'une petite fille frigide, docile et terne. Il se sentirait piégé dans ces conditions. Il aime les équilibres précaires, l'aventure et la passion. Brigitte comprend que son mari est de ces hommes qui n'aiment vraiment que ce qu'ils ne peuvent avoir, pour qui le désir a plus de goût que la possession, un de ces hommes qu'il faut toujours étonner, effrayer, dans un jeu permanent avec le feu. Elle comprend que Vadim sacrifiera tout à ces plaisirs-là, même leur amour, avec l'inconscience de ceux qui aiment se brûler. Que pense Vadim de l'évolution de sa femme ? Il le raconte dans un article pour *Ciné-Revue* du 8 juillet 1955 : « La jeune fille d'aujourd'hui, je la connaissais bien. Je l'avais devinée et puis exprimée. Je la faisais vivre et parler sur le papier. A la façon d'un ethnologue, je recherchais le spécimen type. Il existait en effet. Je l'ai trouvé un jour d'été sur la couverture d'un magazine. C'était la jeune fille d'aujourd'hui. Elle avait quinze ans et demi, un visage où la sensualité se mariait à la candeur. Elle s'appelait Brigitte Bardot. Elle faisait de la danse et allait encore à l'école. Elle avait reçu la meilleure éducation du monde, mais jurait comme un sapeur. » On peut s'étonner de la froideur des termes employés. « Un ethnologue », dit Vadim de lui-même, « le spécimen type » de Brigitte jeune fille. Il y a là de quoi peiner une femme amoureuse. « Elle n'a pas changé, ajoute-t-il. Elle a même gardé son nom. Simplement, elle ne va plus à l'école, elle va au studio. » Brigitte est présentée comme la chose de Vadim, son élève. Il en rajoute dans le côté « ingénue » : « J'ai dû lui apprendre que les rats ne pondaient pas d'œufs et que la lune présente toujours le même hémisphère à la terre. » Il cite même des « mots d'enfant » de Brigitte — mots d'enfant, mais de grand enfant : « Elle récite par cœur *Hamlet* en anglais, mais elle m'a dit un jour qu'elle venait d'avoir peur : "J'ai eu les coyottes" (ce qui voulait dire les chocottes). Et à propos de son petit chien qui mange du sucre : "Il se lèche les babouines." » C'est la Brigitte petit génie, le Mozart qui n'a pas grandi... Vadim semble vouloir à la fois qu'elle grandisse très vite, et qu'elle reste toute petite... Il se résigne à ne pas occuper la première place dans sa vie, comme si c'était effrayant pour lui d'occuper la première place dans la vie d'une femme.

« Voici dans l'ordre, après Clown, ce que Brigitte préfère au monde : les autres chiens, les oiseaux, le soleil, l'argent, la mer, les fleurs, les meubles Empire, l'herbe, les bébés chats et les bébés souris. Je n'ai pas osé demandé où elle me plaçait... Peut-être entre l'herbe et les bébés chats. »

Ce portrait poétique et habile de Brigitte dépeint tous les aspects de son caractère. Vadim n'oublie pas de citer l'argent, qui vient en quatrième place après le soleil. Brigitte aime bien l'argent, les libertés simples et très chères. Brigitte sait compter, mais adore ne pas avoir à le faire. Son éducation bourgeoise lui a appris la tradition du bas de laine. Elle ne gaspillera pas bêtement tout ce qu'elle gagne, comme Martine Carol l'imprévoyante. Elle n'a pas besoin de jeter l'argent par les fenêtres pour avoir l'impression de plaire :

elle a le sentiment que sa seule présence est un cadeau et à écouter parler ceux qui la connaissent ou l'ont connue, on peut penser que c'est vrai.

Légère et court vêtue

Après *la Lumière d'en face*, le personnage de Brigitte se précise ; son audace et sa sophistication sont évidentes, et cette transformation sera illustrée par le film *Cette Sacrée Gamine*, qu'elle tourne sous la direction de Michel Boisrond, qui avait été l'assistant de René Clair dans *les Grandes Manœuvres*.

« Au moment où je l'ai connue, dit Michel Boisrond, lorsque j'étais assistant de René Clair, elle tournait de petites choses. Dans *les Grandes Manœuvres*, elle était particulièrement adorable. Ah oui, délicieuse ! Elle faisait couple avec Yves Robert, elle était charmante, belle comme le jour. Après, elle a fait un film en vedette, *la Lumière d'en face*, et puis Vadim m'a proposé de faire une comédie qui était déjà presque montée, dont il avait écrit le scénario. Il ne s'était pas entendu avec le metteur en scène, l'affaire avait craqué. J'étais tout à fait content, parce que ça me donnait l'occasion de réaliser mon premier film.

« On l'a appelé *Cette Sacré Gamine*. Brigitte était encore un peu débutante, en tout cas à l'époque il n'y a jamais eu aucun cabotinage. Les choses arrivaient, elle les acceptait. Dans ce premier film, elle avait déjà le comportement que je lui ai vu dans les autres films que je devais faire ensuite avec elle : c'est-à-dire que ça l'ennuyait beaucoup de travailler...

« Elle avait des goûts qui sont devenus la mode très vite, une façon de s'habiller, ces jupes très larges... La Côte d'Azur, le soleil, la bande, la guitare, on chante... Un goût de naturel, car il y a un côté écologiste chez Brigitte dont on ne s'est aperçu que plus tard, mais qui existait déjà. Et puis une liberté de mœurs, qui ne se manifeste pas encore à l'époque de *Cette Sacrée Gamine*, mais dont l'apparition va beaucoup choquer.

« Or Brigitte était l'envers de ce qu'on a cru d'elle à un certain moment. Elle était très sentimentale. Quand un garçon lui plaisait, son idéal c'était : on se tient par la main. Il n'y avait aucun trouble derrière ça, je l'ai toujours trouvée très pure.

« Certains en ont profité, d'autres étaient sincères, d'autres encore les deux à la fois... Tout ça était très compliqué. Brigitte était un personnage compliqué qui vivait des situations compliquées. Finalement elle ne s'est jamais beaucoup intéressée à sa carrière de cinéma. C'est pour cette raison que tous, nous conduisions nos entreprises avec légèreté. On a fait des films qui étaient dans le ton de l'époque. C'étaient des comédies, des comédies très simples qui tombaient bien.

« Aujourd'hui, je pense qu'on aurait pu sincèrement faire plus. Louis Malle a essayé, avec *Vie privée*, qui n'a pas été un succès public. Brigitte n'était pas très concentrée. Quand ça l'amusait, c'était charmant, mais dès que ça devenait pesant, elle supportait mal, elle avait envie de s'échapper. Même les aventures comme elle en a connues avec Clouzot n'ont eu aucune prise sur elle.

« J'ai réalisé avec elle des films convenables sans plus. Mais tous furent une aventure exceptionnelle. Je n'ai jamais vu ça de ma vie. J'avais connu des stars auparavant, comme Martine Carol, mais jamais cette espèce d'engouement mondial inimaginable, qui lui a rapidement rendu la vie impossible...

« J'avais vu Brigitte travailler avec René Clair, et il ne s'était pas posé beaucoup de problèmes avec elle. René n'était pas très préoccupé par les comédiens, ce n'était pas un très grand directeur d'acteurs. Il la trouvait charmante, voilà. Quand je lui ai dit que j'allais faire un film avec BB, il m'a dit que j'étais fou. Ça l'a fait beaucoup rire. Il ne se rendait pas compte, mais c'est normal. Personne ne se rend jamais compte.

« Il y a quelque chose d'imprévisible chez les acteurs qui font carrière : on ne les voit pas, et puis tout d'un coup, il y a une personnalité qui surgit, ça colle à l'époque, ça colle à l'écriture...

« C'est tout à fait normal qu'au début les gens aient dit de

Brigitte : "Qu'est-ce que c'est que cette starlette ?" On la trouvait très bien dans *les Grandes Manœuvres*, mais ça ne suffisait pas. Aussi ai-je eu l'envie de faire un film avec elle en vedette... J'étais plus jeune que René Clair, c'était un peu une question de génération. Et puis je l'aimais beaucoup, elle me faisait rire. Je voyais en elle une comédienne, je voyais ses possibilités comiques. Et j'avais très envie de faire une comédie. Dans *les Grandes Manœuvres*, on s'était bien entendus. En plus, j'aimais beaucoup Vadim. On a écrit un scénario complètement farfelu, très gai. A l'époque, c'était très difficile de faire un premier film, et en même temps très simple, parce que l'argent était là... Les conditions de tournage furent très marrantes. On appartenait à la même génération, on avait tous trente ans sauf Brigitte, qui était plus jeune évidemment.

« La seule difficulté était de la mettre dans le coup. De l'amuser. Autrement c'était : "On a déjà fait trois prises, on ne va pas en refaire une quatrième ?" »

Brigitte change. Finie l'apprentie consciencieuse de *Manina*. Ce n'est pas encore la star qui arrive à l'heure où elle en a envie. Mais elle commence déjà à se faire un peu prier, elle regarde vers la sortie.

Beaucoup plus tard, quand on lui demandera pourquoi elle a quitté le cinéma, Brigitte répondra que c'était pour que le cinéma ne l'abandonne pas. On peut penser que la peur de ne pas être à la hauteur, pas assez belle, pas assez fascinante, pas assez aimée, est toujours avec elle. Pour s'en défendre, elle élabore la stratégie des mal-aimés, des hypersensibles. Elle se fait désirer. Elle s'arrange pour ne pas être en situation de demande pour que les autres le soient.

Cette stratégie fonctionne, elle la protège, tout en limitant ses expériences professionnelles. Elle va devoir choisir des metteurs en scène qui aiment les acteurs, qui les entourent, les chouchoutent. Le réalisateur va devoir lui-même jouer pour elle, « l'amuser », lui procurer un environnement à son goût. Brigitte bientôt se déterminera en fonction du lieu de tournage et de l'amitié qu'elle éprouve pour les membres de l'équipe. Plus tard, ses rares expériences avec des réalisateurs exigeants, durs même, prouveront ses possibilités d'actrice, mais elle les renouvellera rarement.

Dans *Cette Sacrée Gamine*, Brigitte est la charmante petite fille chérie de son papa, un propriétaire de boîte de nuit. Le film montre d'abord une Brigitte enfantine à nattes et grosses lunettes, « le petit monstre » qu'elle croyait être enfant. C'était l'idée de Vadim, de lui faire jouer au cinéma la transformation du vilain petit canard en cygne. Brigitte fait beaucoup de bêtises mais devient une jeune femme sexy et irrésistible, grâce à ses accessoires préférés : le collant résille, le maillot de danseuse et les gants noirs au coude. « Je pouvais capter cette transformation, qui venait de se faire dans le réel, d'une gamine en femme, dit Michel Boisrond. Sous cet aspect gamine, elle était très désirable, et elle en jouait. » Le film a été un succès, et comme ils se sont bien entendus, ils vont à nouveau travailler ensemble, dans des films à gros budget cette fois. Mais on a l'impression que Michel Boisrond est désolé de n'avoir pu aller jusqu'au bout des grandes virtualités qu'il pressentait en elle : « On n'a pas fait, elle n'a pas fait, les films qu'elle aurait pu faire... Elle a été pour moi une actrice de comédie légère. La comédie légère, à l'époque, c'était la mode, et Brigitte correspondait à la mode... » Elle y correspond tellement bien qu'on ne lui demande pas davantage.

C'est le piège dans lequel tombent beaucoup de stars. Pourquoi Belmondo, Delon iraient-ils prendre le risque de faire autre chose que des films centrés sur leur personnage, puisque le public adore ça et puisque, eux-mêmes, ils s'y sentent bien ? Ils se font plaisir, ils font plaisir aux spectateurs. Pourtant, tout le monde sait qu'ils sont de grands acteurs.

Vadim ne s'est pas trompé en confiant à Michel Boisrond, un débutant, le prochain film de Brigitte.

Avec *Cette Sacrée Gamine*, Michel Boisrond ne se révèle pas comme un metteur en scène révolutionnaire. Mais c'est un professionnel qui possède ce dont elle a absolument besoin : un œil amical, tendre même. Il ne la force pas, ne la fait pas souffrir. Il a compris l'essentiel : pour travailler avec Brigitte, il faut l'aimer, il faut aller dans son sens. Et puis, employée dans une comédie brillante, sophistiquée, « parisienne » mais aussi bon enfant, Brigitte ne fait pas peur. Son mélange de spontanéité et de bonne éducation y fait merveille. C'est un genre très français, mais c'est aussi une variante bien de chez nous de la comédie légère hollywoodienne comme *Sept ans de réflexion* que Marilyn au sommet de sa carrière tourne alors.

C'est au cours du tournage de *Sept ans de réflexion* qu'a lieu une dispute entre Marilyn et son mari Joe Di Maggio, le joueur de base-ball héros de l'Amérique, à propos de la fameuse robe soulevée par l'air de la bouche du métro. Cette scène fera de Marilyn l'emblème de la féminité, mais sur le moment, Di Maggio se fâche. Il n'est pas comme Vadim, il ne veut pas que sa femme soit le rêve des autres.

Dans *Bus-Stop*, le personnage tragique qu'on montrera crûment dans *The Misfits* va se révéler. La fille qui pleure quand on fait souffrir les animaux, qui aime les hommes mais ne se donne que pour fuir car ils lui font peur. Le prix à payer pour Marilyn sera l'excès de champagne et de tranquillisants, ce qui lui donnera dans ses derniers films ces yeux rouges aux paupières gonflées, cet air d'avoir perpétuellement envie de pleurer, même lorsqu'elle éclate de rire. Ce que la postérité retiendra de Marilyn, c'est le personnage tragique. Brigitte, elle, ne sera pas une star tragique. Les côtés graves ou scandaleux de Brigitte, ceux qui font peur aux hommes et qui mettent les femmes en colère, seront toujours contrebalancés — rachetés, pourrait-on dire — par la santé de son rire et l'évidence de son appétit de la vie.

En écrivant le scénario de *Cette Sacrée Gamine*, Vadim n'avait pas oublié la Brigitte érotique. Il a prévu tout un éventail de scènes révélatrices, où Brigitte montre son corps avec sa panoplie d'accessoires préférés — draps, serviette de bain, collant de danse — mais évite l'effet de scandale dans l'inévitable scène de douche : une autre actrice montre ses seins alors que Brigitte, à côté d'elle en tunique, semble à la fois plus attirante... et très convenable !

En tout cas, Brigitte conquiert cette fois vraiment la critique. Jacques Doniol-Valcroze laisse libre cours à son enthousiasme dans *France-Observateur* : « Elle se révèle une très bonne ingénue comique et rappelle Danielle Darrieux dans *Quelle drôle de gosse*, vers 1935, qui avait alors le même genre de charme mutin et jouait à ravir ces gamines terribles, ces jeunes filles catastrophes. »

Brigitte, elle, retrouve Cinecittà, ses fastes et ses drapés à l'occasion de son nouveau film *les Week-ends de Néron*. Elle avait inauguré le péplum avec *Hélène de Troie*. Cette fois, il s'agit d'une parodie du genre : on reste donc dans le registre de la comédie. Le metteur en scène Steno n'a pas lésiné en distribuant, à côté de Brigitte, Alberto Sordi dans le rôle de Néron, Vittorio De Sica dans celui de Sénèque et même Gloria Swanson dont l'air de vacherie royale, qui s'accentue avec l'âge, fait une Agrippine crédible bien que surprenante. Elle n'hésite pas à chatouiller le nombril de Brigitte à l'aide d'une plume d'oie, sous le regard concupiscent de De Sica-Sénèque. Sordi-Néron est un gros poupon frisé qui joue de la lyre. Quant à Brigitte, Yvonne Baby écrira d'elle dans *Les Lettres françaises* qu'elle n'a pas grand-chose de plus à faire que se déshabiller. Ce qui est exagéré, car elle fait aussi preuve de talents musicaux, jouant du tambour pour un lapin et un cochon mollement étendus sur un canapé luxueux, et pinçant même de la harpe avec des bras dégoulinants de bijoux...

Toutefois, elle se déshabille effectivement, et s'arrange, avec l'aide de Vadim, pour que la scène ne passe pas inaperçue. L'épisode du bain, en effet, franchit les frontières grâce à la presse. La légende dit que Poppée avait pour coutume de prendre des bains de lait d'ânesse, liquide réputé excellent pour la peau dans la Rome antique. Brigitte refuse l'ersatz proposé par la production — de l'eau coupée d'amidon — sous prétexte qu'elle craint d'en ressortir toute raide. On essaie du lait de vache, qui s'empresse de tourner sous les sunlights. Brigitte, sans doute curieuse d'essayer la recette de beauté, exige du vrai lait d'ânesse. Il faut donc rameuter toutes les ânesses de la campagne romaine et stocker le résultat de la traite dans les frigos. Et Brigitte a droit à un bain somptueux. On ne peut pas en dire autant de l'accueil réservé au film généralement trouvé vulgaire. La parodie de péplum, c'est un peu tôt. Il faudra attendre Jean Yanne...

Brigitte quitte vite Cinecittà, ses démesures et ses débâcles, et regagne Paris où Marc Allégret l'attend pour tourner avec elle *En effeuillant la marguerite*. Le tournage commence en 1956 aux studios Éclair.

Encore une fois, Vadim est présent en tant que scénariste. Et encore une fois, Vadim emploie son truc éprouvé, qui consiste à faire coïncider la vraie Brigitte et son personnage, en établissant un parallèle entre l'histoire et un épisode de sa vie.

Ici, ce sera *Celle par qui le scandale arrive* et les répercussions sur une bonne famille bourgeoise des éclats provoqués par sa progéniture hors du commun. Brigitte joue le rôle de la jeune Agnès Dumont, fille de général, personnage interprété par Jacques Dumesnil, sur la physionomie sévère duquel on peut voir une certaine ressemblance avec Pilou.

Ce n'est pas en tournant des films qu'Agnès-BB fait scandale, mais en écrivant un livre signé de ses seules initiales, encore un trait d'humour de Vadim. Pour fuir les foudres de sa famille provinciale, elle s'enfuit à Paris où elle participe à un concours de strip-tease, et tombe amoureuse d'un journaliste... Brigitte retrouve, dans ce film, son ami Daniel Gélin, qui joue le rôle du journaliste. Darry Cowl, déjà présent dans *Cette Sacrée Gamine*, fait également partie de l'équipe du tournage et contribue à marquer le ton de la comédie légère. On note aussi la brève apparition de Françoise Arnoul en guest-star : Françoise Arnoul, incarnation de la jeune femme moderne, va bientôt disparaître, comme Martine Carol, dans l'ampleur de la tornade BB.

La fameuse scène de strip-tease est ravissante et tournée avec goût. Brigitte apparaît (peu) vêtue d'une culotte de soie drapée avec un gros nœud sur les fesses. Les marguerites du titre sont présentes sous forme d'un soutien-gorge entièrement brodé de ces fleurs innocentes. Son air d'exultation royale, lorsqu'elle écarte les rideaux de la scène avec ses mains qui sont — comme d'habitude — gantées au coude, est irrésistible.

L'accueil du film n'est pas totalement enthousiaste, mais Brigitte est désormais suivie de très près par Doniol-Valcroze dont la prose élégamment poétique la décrit : « Son masque est dur, presque effrayant, c'est un petit sphinx de pierre qui s'interroge dans la glace de sa loge et, quand le masque tombe, il n'y a plus qu'un visage de chaton en larmes. » Entre le sphinx et le chaton, le critique a bien saisi le double visage de celle qui a montré du jamais-vu dans le cinéma français.

Encore une fois, Brigitte sera, avec ce film, la victime d'excès publicitaires. Les distributeurs italiens d'*En effeuillant la marguerite*, encouragés peut-être par l'anecdote du bain au lait d'ânesse, et certainement par le titre italien du film (*Miss Spogliarello*, c'est-à-dire Miss Strip-Tease), montrent sur les affiches un effeuillage d'un goût moins sûr que celui qu'on peut effectivement voir sur l'écran. Animés par une vertueuse indignation — et probablement par autre chose — des Italiens n'hésitent pas à arracher les affiches des murs. La production française exploite habilement le scandale, en montrant sur les affiches destinées à l'Hexagone un homme déchirant l'affiche italienne !

L'humour est devenu une arme puissante pour Brigitte, une façon de faire accepter son érotisme incendiaire. Ce qui est d'ailleurs illustré par le film lui-même, dans la scène où un Darry Cowl balbutiant, rougissant et à demi-étranglé par la surprise et l'enthousiasme, est confronté à une Brigitte resplendissante qui porte en tout et pour tout sous son manteau entrouvert une guêpière pigeonnante, dans un décor bourgeois de meubles anciens et de chandeliers grand genre...

On pardonne à Brigitte de faire perdre aux hommes leurs moyens par l'excès de ses charmes, à condition qu'on puisse en rire. Mais Vadim, dans l'ombre, s'apprête à la faire passer à l'étape suivante, celle où elle n'utilisera plus le comique comme alibi.

« *Et Dieu créa Brigitte* »...

C'est le titre de l'article de Doniol-Valcroze à propos du film d'Allégret, *En effeuillant la marguerite*. Vadim, sans doute, avait laissé filtrer quelques informations concernant le film qu'il préparait pour sa femme, son premier film en tant que metteur en scène. Un secret de polichinelle, chuchoté en bon publicitaire...

Voilà assez longtemps que Vadim piaffe aux portes de la gloire. Celles-ci semblent ne jamais s'ouvrir que pour laisser passer Brigitte. Vadim, qui a pourtant tiré la sonnette et actionné la poignée, reste à l'extérieur, il entend les bruits de la fête. Brigitte tourne sans arrêt, elle est très admirée, très entourée. A-t-elle encore besoin de Vadim ? Oui, pour la consoler quand elle est triste et fatiguée, lui redire qu'elle est la plus belle quand elle ne parvient pas vraiment à le croire. Il ne se sent plus tout-puissant à ses yeux. Mais depuis le temps qu'il observe, qu'il réfléchit, qu'il vit avec elle, Vadim a trouvé le modèle qu'il cherchait pour Brigitte : Marilyn. Vadim a toujours les yeux fixés sur l'Amérique. Il voit que Marilyn est complètement américaine, que même si les Français l'adorent elle sera toujours pour eux une étrangère. Mais cette vérité profonde qui éclate en Monroe et lui permet de dépasser le stéréotype, de faire voler le cliché en éclats, Vadim la sent chez sa femme. Là se situe leur véritable ressemblance, au-delà des mèches blondes et indociles, du décolleté somptueux, des lèvres prêtes au baiser. Vadim ne commettra pas l'erreur de pousser Brigitte à devenir une sous-Marilyn, un sosie de plus. Elle sera Bardot, mais pour ce couronnement, il faut un film exceptionnel, rien que pour elle et rien que par lui. Or pour l'instant, s'il s'est fait une place, il n'est encore qu'un jeune scénariste plein d'avenir, l'assistant d'Allégret. Qui sera assez visionnaire, assez amoureux du risque et de l'aventure pour comprendre ce que lui, Vadim, peut faire ?

Ce sera Raoul Lévy. Un homme comme lui, de bien des façons. La même génération. Le même sentiment de venir d'ailleurs. Lévy est belge et juif, ce n'est pas aussi lointain que Vadim comme origines mais cela suffit à lui donner la distance des marginaux. On raconte qu'il s'est déjà ruiné cinq fois. Il a commencé comme petit commis de studio. Vadim a débuté comme figurant.

Lévy aime s'amuser avec l'argent, le trouver, le gagner, le flamber. C'est un personnage dans le style de Vadim et Brigitte, mais sans doute plus excessif qu'eux encore.

Raoul Lévy et Vadim se rencontrent chez Ray Ventura, qui est alors imprésario et producteur. Ray Ventura veut miser sur Brigitte, Lévy aussi ; ils décident de s'unir pour trouver de l'argent. Vadim souhaite faire un film lointainement inspiré de l'histoire de Marilyn, une orpheline détestée par des parents adoptifs mesquins et jaloux, incapables de comprendre quel diamant brut ils abritent. Vadim donne à ce personnage le nom de Juliette Hardy — il a toujours aimé jouer sur les noms pour lier ses fantasmes et la réalité. Juliette, c'est la

Juliette de Sade, l'héroïne qui défie les conventions, que la cruauté et l'inhumanité qu'elle rencontre trempent au lieu d'abattre, et qui prend les autres à leur propre jeu en devenant aussi perverse qu'eux. Quant au patronyme de Hardy, il se passe de commentaires.

Au début du film, Juliette est une innocente, sa chambre de jeune fille est une version appauvrie de la chambre de la Brigitte d'autrefois. Vadim fond dans les personnages des parents ceux de Marilyn et ceux de Brigitte : adoptifs, ils n'aiment pas leur fille, ils l'utilisent ; conventionnels, ils ne peuvent comprendre la poésie et l'innocence de celle dont la beauté ouverte, accessible, en vient à représenter le péché pour les gens ordinaires.

Juliette est un personnage solaire, une jeune femme amoureuse de la mer, de la plage, de la nature. C'est une impulsive, une sauvageonne, une sensuelle qui suit ses instincts mais aussi son bon cœur. En un mot, elle n'est pas de ce monde. Vadim, fidèle à son rêve de femme inaccessible, aime ces personnages de martiennes, d'extra-terrestres, d'autant plus désirables qu'elles sont incompréhensibles, toujours un peu plus loin, un peu au-delà, si bien qu'on ne saurait vraiment communiquer avec elles.

Si le personnage de Juliette Hardy nous paraît très familier, très proche, c'est parce que la création de 1956 est devenue le cliché d'aujourd'hui : c'est la sanction des grandes réussites. Juliette Hardy, la petite sauvageonne de Saint-Tropez, est une hippie avant la lettre, une « flower-child » de la fin des années soixante. Elle croit à l'amour libre mais sincère, à l'abolition de la jalousie ; elle pense qu'on peut rendre tout le monde heureux, qu'il suffit de s'aimer et de dire « merde » aux vieux, qui eux, de toute façon, sont irrécupérables. Juliette sort des catégories de l'époque. Elle n'est pas vénale, c'est une pécheresse pure, une jouisseuse incorruptible. Et Vadim lui a donné en plus la franchise brutale. Aucun univers n'est aussi étranger à la vérité que le monde du cinéma. Ceux qui y survivent à l'aise, soit ne parviennent pas à distinguer vérité et fiction, soit s'en fichent, soit ont admis d'y renoncer. Parce que Brigitte voudrait que la vérité soit belle, elle croira souvent aux leurres, aux mirages. Mais elle ne fermera jamais les yeux lorsque derrière l'écran d'argent se profilera l'ombre chinoise du mensonge.

Tout cela, Vadim tente de le dire dans le scénario de *Et Dieu créa la femme*. Et c'est à cause de cette vérité qui éclate dans la personne de Brigitte-Juliette que le premier film de Vadim deviendra un film de légende. Fait pour Brigitte, *Et Dieu créa la femme* ne tient que par elle. N'importe quelle autre actrice, si douée soit-elle, et le film aurait été médiocre. Car une autre actrice aurait joué. Brigitte s'est contentée d'être. Ce qui pour elle se confond avec exister, et qui est, après tout, donné à extrêmement peu de gens.

Raoul Lévy racontera quelques années plus tard que, à son avis, toute cette histoire n'avait été qu'un accident, et pas seulement le fruit d'un long calcul de la part de Vadim. Cet accident, dit Raoul Lévy, fut produit par la rencontre entre la personnalité de Brigitte et l'air du temps. Personne, affirme-t-il, ne prenait alors Brigitte vraiment au sérieux, et le scénario de Vadim était plutôt mauvais. Mais en le lisant, Lévy y détecte, justement, une vérité. Pas celle de Brigitte, qui n'éclatera qu'ensuite, à la phase suivante, celle du tournage. Mais la révélation d'un certain mode de vie, d'un style Côte d'Azur de l'époque, dont les façons d'être simples et somme toute assez naturelles, allaient devenir un modèle.

Le trio Lévy-Bardot-Vadim est une excellente combinaison. Mais *a priori*, c'est une combinaison risquée. Lévy a déjà été ruiné cinq fois, Vadim n'a jamais fait ses preuves tout seul, et quand il prédit un grand avenir à sa femme, on peut le croire aveuglé par l'amour. De plus, le projet de Vadim, dès l'abord, sort des sentiers battus. Il ne correspond pas aux genres répertoriés. Vadim se contentera d'un petit budget, mais il veut tourner en couleur. Cette idée de couleur le fait sortir du créneau « art et essai », puisqu'à l'époque le noir et blanc proclame le sérieux d'un film. Vadim veut toucher un public aussi large que possible. Brigitte non plus n'est pas une actrice genre « art et essai » ; mais elle ne fait pas encore partie des vedettes qui font des entrées.

Bardot plus Vadim à la réalisation, plus Lévy à la production, plus un film hybride, bizarre, un scénario qui n'a pas grand-chose d'original — deux frères se disputent une minette sexy au bord de la mer, on dirait un remake de *Manina* — ça ne suffit pas. Il faut quelque chose en plus pour que les financiers aient envie de sortir leur argent. L'ingrédient qui va faire de *Et Dieu créa la femme* un film à la mode diffusé dans le monde entier, c'est Brigitte donnant tout d'elle-même pour la première fois. Cela, seuls les familiers peuvent le pressentir. Et une personne a ce flair-là, en plus de Lévy et de Vadim : c'est l'agent de Brigitte, Olga Horstig. Elle aussi sent que le moment est venu, que Brigitte doit faire sa place au soleil dans le cinéma français. Elle a refusé, après son succès à Cannes, les offres de contrat de la Warner. Elle aurait été perdue là-bas, loin de tout ce qu'elle aime, de l'univers familier dont elle a besoin pour vivre. C'est la France qu'il faut à Brigitte, la suite de sa carrière montrera qu'elle n'est vraiment à l'aise que là. Mais à sa personnalité originale, il faut un nouveau cinéma, un cinéma sur mesure.

Alors, Olga Horstig cherche le « plus » qui lui permettra de faire décoller le projet. Et ce plus se présente sous les traits de Curd Jurgens, grand acteur allemand au sommet de sa carrière internationale, séducteur mûrissant aux tempes légèrement argentées. Jurgens est client d'Olga Horstig, et il est de passage à Paris. C'est exactement le genre d'homme à qui Brigitte peut plaire : assez expérimenté pour ne pas s'effrayer de sa sensualité, assez « paternel » pour avoir envie de la protéger — et assez jeune pour aimer l'idée d'avoir en face de lui une femme aussi ravissante.

Olga Horstig déjeune avec Curd Jurgens au *Fouquet's*. Au café, Brigitte les rejoint. Comme prévu, Jurgens est conquis. Ce qu'il remarque d'abord, c'est la démarche de Brigitte. Il comparera le curieux mouvement de spirale de ses hanches à celui d'une femme qui porte une corbeille de fruits sur la tête. Et la comparaison colle tout à fait. La femme africaine n'a pas l'ondulation vulgaire de la vamp. Elle est en accord avec les lois de la nature. Le mouvement de son corps portant les fruits est aussi souple, aussi poétique et aussi évident que celui des branches de l'arbre lorsqu'elles obéissent aux impulsions du vent. Il y a en Brigitte comme un pacte, un accord secret conclu avec les forces telluriques. Son mouvement suit le mouvement du monde. Elle, si bien élevée, a gardé ce que l'homme a perdu au contact de la civilisation, de la vie moderne : un sens évident de sa place sur cette terre. Brigitte semble appartenir au monde comme les fleurs et les animaux qu'elle aime tant.

Une négresse blonde : c'est à cela que pense Jurgens lorsqu'il regarde Brigitte. Les lèvres épaisses, le nez large, les pommettes hautes. C'est la femme primitive, la femme des îles ou des continents endormis. Gainsbourg, plus tard, verra lui aussi cette correspondance entre Brigitte et une île lointaine, il l'exprimera poétiquement dans *Je t'aime, moi non plus*.

Toute blonde qu'elle est, toute blanche de peau, Curd Jurgens ne peut s'empêcher de la comparer à une des femmes de Gauguin. C'est une image très forte alors, parce que nouvelle.

Aujourd'hui, le Club Méditerranée a mis les îles lointaines à la portée de presque tous les Français. Mais à cette époque, qui est allé là-bas, qui peut en faire une réalité, autre chose qu'un rêve ? Bien peu de monde. Martine Carol et ses échappées tahitiennes, ce n'est pas ça du tout, c'est le charme du contraste entre le fabriqué et le primitif. Curd Jurgens ne refuse donc pas de lire le scénario. Mais un problème se pose : dans le script de Vadim, il n'y a pas d'emploi pour Jurgens. Vadim a raconté, dans ses *Mémoires*, comment Lévy et lui-même prirent à la gare de l'Est l'express de dix heures quarante à destination de Munich. Les deux hommes ne perdent pas les heures de voyage à admirer le paysage. Il s'agit d'écrire, et vite, un rôle pour Jurgens. Un rôle irrésistible — pour lui, et pour le public.

Il n'est pas facile d'introduire un élément étranger dans un script qui a été conçu comme un tout homogène, mais Vadim a l'habitude des réécritures, des exigences des acteurs, des producteurs et des metteurs en scène. Il faut qu'il trouve, et il trouvera. C'est le moment où jamais d'avoir une idée de génie.

Dès leur arrivée à Munich, Lévy et lui essaient de joindre Jurgens qui leur donne rendez-vous quarante-huit heures plus tard. L'acteur n'a pas hésité à les voir, il est donc déjà bien accroché. Raoul Lévy ne peut pas faire grand-chose d'ici là, sauf agir à sa manière, en producteur fastueux. Il boucle Vadim dans un palace, le *Vierjahreszeiten*. Soixante pages à écrire en quarante-huit heures, les travaux d'Hercule. Pour le stimuler, il lui procure tout ce qu'il peut concevoir en matière d'encouragements. Il fait livrer dans la suite de Vadim du caviar — plein d'iode, plein de protéines, plein de vitamines, bon pour la tête. Du saumon fumé — encore du poisson, bon pour la matière grise aussi, et puis c'est rose, couleur de l'optimisme. De la vodka — plus raide que le whisky, et puis ça va avec le caviar, et ça ne donne pas mal au cœur. Enfin, pour rester dans le rose, il lui envoie une belle de nuit, jeune beauté locale prénommée Maria. Geste curieux, car le champion n'est pas censé s'épuiser au moment de la course. Maria, selon Vadim, ne remplit pas la fonction qui lui était assignée au départ. Il n'a pas de temps à perdre et peut-être pas, tout diable qu'il est, envie de tromper sa femme. Mais Maria joue quand même un rôle dans cette affaire : c'est elle, la petite prostituée amoureuse des belles voitures, qui pousse Vadim à faire du personnage de Juliette une femme incorruptible, insensible au pouvoir de l'argent.

Ce mépris de Juliette pour l'argent va permettre au public de l'accepter et de la respecter, malgré ses mœurs un peu... relâchées pour l'époque. Comment faire passer le message selon lequel une femme qui place le sexe avant les conventions n'est pas immorale ? Il est très important que ce message soit compris, puisque, avec son film, Vadim vise à présenter au monde une nouvelle morale. Sinon, il n'aura raconté qu'une histoire de sexe de plus, autant dire pas grand-chose... Montrer que l'argent est la véritable pornographie moderne, et non le sexe : voilà une idée forte, qui peut sauver son film.

Le personnage de Jurgens, justement, représentera la puissance de l'argent. L'argent et son pouvoir corrupteur, mais une corruption masquée sous les dehors de l'élégance. Comme toute cette histoire se passe au bord de la mer, Vadim fait de Jurgens un armateur. Carradine est celui qui va troubler la paix — apparente — de la petite communauté des gens de la côte en ancrant son yacht dans le port. Il est celui qui est chargé de montrer que Brigitte-Juliette est mieux qu'une sauvageonne, que sa beauté et son charme surpassent celui des femmes du monde que Carradine invite sur son bateau. Brigitte-Juliette, d'ailleurs, sera seule à refuser d'intégrer le monde luxueux et décadent du yacht. Elle sera la défaite de Carradine, et pour cette raison même, un triomphe. Mais pour plaire à Jurgens, le personnage de Carradine doit avoir de bons côtés. Il aura pour lui son expérience du monde, supérieure à celle des habitants du petit village. Et puis Carradine est un homme blasé, il a beaucoup vécu et sait prendre ses distances par rapport aux passions.

Ces passions dans lesquelles les autres personnages sont plongés comme dans une mer bouillonnante.

Vadim tient une construction qui permettra aux acteurs de se mettre en valeur mutuellement, comme par un jeu de miroirs. Ce rôle intéressant ne demandera à Curd Jurgens que trois semaines de tournage. Il accepte. Non seulement cela va permettre à Vadim de démarrer son affaire, mais de plus Jurgens aura l'élégance, le travail terminé, de reconnaître l'importance du travail de Brigitte en proposant que leurs deux noms figurent en haut de l'affiche.

Pour tenir les rôles des frères Tardieu, Vadim n'hésite pas. Le rôle de l'aîné, Antoine, doit aller à Christian Marquand. Le complice des premiers jours, au temps des combles dans l'île Saint-Louis, et du cuisinier chinois officiant sur son réchaud. Quant au plus jeune des Tardieu, celui que Brigitte-Juliette doit épouser, il va être incarné par un jeune acteur, Jean-Louis Trintignant. Il n'est pas encore très connu, mais c'est un espoir du cinéma. La presse le dénomme « le James Dean français », sans doute à cause de son regard lointain et de son air de légère bouderie.

Pourtant, la comparaison avec Dean paraît exagérée. Pas de révolte apparente chez Trintignant débutant. Il a plutôt l'allure d'un gentil fils de famille, le type de garçon dont toute mère rêve de faire son gendre. Comme certains grands, comme Gable, Bogart ou Belmondo, Trintignant a besoin de vieillir. Son charme mélancolique et un peu pervers, son air de tendresse énigmatique mettront des années à s'épanouir. Pour l'instant, il ne plaît pas à Brigitte qui le trouve à première vue trop petit, d'une séduction trop discrète. Il semble pâle à côté de Christian Marquand à la beauté plus mâle, plus classique. Et Brigitte aime avoir pour partenaires de vrais hommes...

Mais Vadim est convaincu de ce qu'il fait. Jean-Louis Trintignant, en qui, sous la fragilité et la mollesse apparentes, percent la volonté et l'obstination, fera un excellent contrepoint à ces deux Don Juan, jeune et moins jeune, que seront Marquand et Jurgens. Brigitte-Juliette, enfant fragile devant ces adultes cyniques et mercenaires, découvrira un frère en Michel Tardieu, elle sera émue par son côté sentimental, son amour sincère. Les deux acteurs seront à la fois différents et semblables ; ils s'aimeront pour leurs similitudes : ils trou-

146

veront, dans les bras l'un de l'autre, un refuge à l'hostilité de la vie ; ils ont en commun ce qui manque à tous les autres, et qui compte tellement pour Brigitte : la pureté.

Vadim a donc tout prévu pour mettre Brigitte en valeur. Le lieu : Saint-Tropez, où ses parents vont en vacances, un endroit qu'elle aime, qu'elle connaît, et où elle se sent à l'aise. Des acteurs avec qui elle peut s'entendre, qui feront ressortir ses qualités. Des scènes déshabillées, dans un environnement sauvage et simple.

En fait, le corps de Brigitte, filmé par un homme qui l'aime, sera si incendiaire qu'il faudra couper au montage. Le film comporte aussi des scènes de danse, pour qu'elle puisse montrer ses dons pour le mouvement : l'une, dans le yacht de Carradine, où l'on pourra voir qu'elle a la vraie beauté, celle du corps et de l'âme, par opposition avec l'élégance frelatée des gens riches ; et l'autre, la scène du mambo dans la boîte de nuit, où Vadim fera ressortir le côté à la fois obscur et lumineux de Brigitte, sa féminité essentielle, en la laissant improviser une danse primitive, sur fond de percussion, avec des noirs aux tam-tams qui montreront son côté « négresse blanche », à une époque où la musique noire est encore partiellement taboue, symbole de sexualité débridée et de péché...

Puisque Brigitte ne peut être que Brigitte, Vadim a modelé sur elle le personnage de Juliette. Il lui a donné ses humeurs changeantes, sa capacité de passer du sourire aux larmes, de la joie pure à la tristesse désespérée ; sa générosité et son égoïsme, son narcissisme et sa simplicité, son dédain des conventions et son plaisir de bouger, sa capacité étonnante de s'accorder avec les éléments. La scène d'amour que Vadim tient à filmer, et qui sera censurée, a lieu entre elle et Antoine-Marquand sur la plage. Brigitte-Juliette est en train de se noyer, et le jeune homme la tire de l'eau. Un regard lourd est échangé, puis Brigitte met son pied sur le visage de Marquand dans un geste de domination amoureuse. Mais celui-ci saisit sa cheville et la fait tomber à ses côtés.

Vadim symbolise là les étapes du jeu de séduction de Brigitte. Elle plaît d'abord à cause de son air perdu, vulnérable. C'est cet appel à l'aide que Vadim a dû entendre lorsqu'il a rencontré, en présence d'Allégret, cette très jeune fille d'apparence heureuse. Ce type de regard-là a dû passer entre eux,

147

lors de leur tête-à-tête, sur la terrasse dominant Paris. Lors-qu'elle a dit : « J'aime les terrasses », il a peut-être compris : « Aimez-moi, sauvez-moi... »

Il l'a aimée et il l'a sauvée, comme Antoine dans ce moment du film. Mais Vadim s'est lui-même coupé en deux en créant les personnages d'Antoine et de Michel. Raoul Lévy affirmera qu'à l'origine de cette rivalité des deux frères se trouvait sa lecture d'un entrefilet dans la presse, un fait divers qui avait eu lieu dans le Var. Mais la rivalité entre deux hommes au bord de la mer, deux hommes très proches et différents, c'était déjà la situation de *Manina*. Vadim l'a reprise en lui ajoutant le piment et le danger de l'inceste — un thème que Brigitte avait déjà abordé dans *le Fils de Caroline chérie*. Brigitte-BB, doit être celle qui séduit tous les hommes, qui leur fait perdre la tête — « Cette fille rend les hommes fous », dit l'armateur Carradine dans le scénario. Elle leur fait défier les conventions, enfreindre tous les tabous. Elle est la force même du désir, qui rompt les digues sociales, familiales.

Vadim lui-même est à la fois le séducteur cynique et un peu goujat — le Diable — et l'amoureux sincère et désarmé, le chevalier servant. C'est celui-là qui l'emporte : car Michel n'est pas un faible, sa douceur apparente est un leurre. « Il prouve qu'il est son maître. Ça pourra peut-être marcher », dit encore Carradine.

Ça marche — mais un temps seulement. La scène d'amour avec Antoine au bord de l'eau est symbolique des retourne-ments de la relation de Vadim avec Brigitte. Il la sauve, mais ensuite elle le domine, il est pris au piège de sa séduction. Son rêve d'en rester finalement le maître ne se réalisera pas. Aucun homme ne sera, plus d'un moment, le maître de cette femme. Pour elle, la soumission n'est qu'un jeu. C'est en partie ce qui la rend attirante : on ne sait jamais à quoi s'attendre, tout peut se produire, selon qu'elle décide de montrer son côté fort ou son côté faible.

Vadim, qui sait que Brigitte est la vérité même, n'a-t-il pas senti le danger de lui faire jouer un personnage si proche d'elle-même ? S'il ne s'agissait que de sentiments, d'ennui, d'un désir de changement, elle aurait pu, par exemple, tom-ber amoureuse de l'attirant Curd Jurgens. A « Actuel 2 », elle donnera une définition du type d'homme qu'elle considère comme séduisant à cet âge : « Quand j'avais vingt ans, j'aimais les hommes qui sortaient beaucoup, qui dansaient, qui racontaient des bêtises, qui avaient de belles voitures. Maintenant, je demande quelque chose d'autre, je demande des qualités plus profondes à un homme. Alors si j'avais gardé le même homme qu'il y a dix ans, il m'ennuierait profondément. »

La peur de l'ennui, son goût du danger, du risque sentimental, chez Brigitte, apparaissent déjà dans *Et Dieu créa la femme*. Cette angoisse qu'on sent en elle, la peur de ne pas profiter à fond du temps qui passe, peut-être parce que le temps qui passe la rapproche de la mort. Le plus terrifiant pour elle, c'est la mort de la beauté, de la séduction, la mort de l'amour : « La mort ne me fait pas peur en tant que mort, dira-t-elle à Sagan, parce qu'on est endormi, on perd conscience et ça n'a plus d'importance. La mort, en fin de compte, ce n'est pas atroce. Ce qui, pour moi, est atroce, c'est le fait que mon corps ne se désintègre pas au moment de ma mort et qu'après, il y a le côté reposoir, machin, embaumement... Sentir mauvais... L'enterrement... »

Le mariage, tel que Juliette-Brigitte va le vivre avec le gentil Michel Tardieu, c'est un peu cela : la mort vivante qui consiste à subir les choses. Une des scènes les plus frappantes de *Et Dieu créa la femme* est celle du repas de noces. Juliette ne supporte pas le silence lourd de cette famille, l'hostilité pesante de sa belle-mère, cette femme frustrée. Elle se sert à pleines mains, remplit son assiette et entraîne le jeune marié au premier étage, dans la chambre nuptiale. Quoi de plus naturel que cette réaction : vouloir fuir des gens qui lui en veulent, profiter de la vie, manger, aimer. Après tout, c'est le jour de son mariage, le plus beau jour de sa vie, et elle veut en profiter, ne pas le laisser gâcher par des imbéciles, des pisse-vinaigre.

Cette scène a fait scandale à l'époque, elle est aujourd'hui encore extrêmement saisissante, comme tout ce qui affirme la vérité de la jouissance, la possibilité de la réalisation du désir. Aucune révolution sexuelle n'a pu user cette force-là. Pourtant les actions de Brigitte dans cette séquence n'ont rien de pornographique, elle est habillée... Mais elle y est plus érotique encore que nue. L'évocation est plus forte que l'image elle-même, puisque l'évocation suggère des possibilités illimitées, alors que la réalisation est forcément circonscrite.

Cette puissance d'authenticité, Brigitte ne va pas pouvoir la confiner à la fiction. Dans un tel travail, la fiction rejoint la vie, sauf chez un acteur très expérimenté. Pendant le tournage, la passion trouve là son exutoire. Vadim sent la tension de l'atmosphère, mais tout metteur en scène sait que ces ambiances étranges sont généralement bonnes pour le film. Disputes, crises, désespoirs : il peut utiliser tout cela. Il agit en metteur en scène. Voyeur-né, il trouve son plaisir à observer Brigitte et Marquand, Brigitte et Trintignant. Il a conscience qu'il est en train de faire un film important, que le rêve qu'il nourrit depuis de longues années se réalise.

Et puis le tournage se termine. L'équipe quitte le petit hôtel où elle logeait à Saint-Tropez, *L'Ail au lit*, jeu de mots douteux. Il reste à tourner les dernières scènes d'amour en intérieur aux studios de la Victorine.

Et c'est alors que Brigitte-Juliette et Jean-Louis-Michel vont se rendre compte que la vie est devenue pour eux indissociable de la fiction. Lorsque Brigitte retourne au *Négresco* avec Vadim, Trintignant supporte mal de revenir à la réalité après un travail aussi intense. Le film ne le quitte plus, il a envahi sa vie. Il est séparé de sa femme, Stéphane Audran. Brigitte, elle, vient de fêter avec Vadim son anniversaire de mariage. Bien sûr, le couple a connu des moments difficiles. Vadim, en fait, s'attendait depuis un an déjà à ce que Brigitte le quitte pour un autre homme — mais il n'avait pas pensé à Trintignant. Puisqu'elle le trouvait trop petit, puisqu'il la trouvait trop préoccupée d'elle-même... Oui, mais ça, c'était avant qu'ils aient joué l'amour sous la direction fascinée du mari-metteur en scène. C'est vrai, Trintignant le sombre, aux yeux d'orage, ne ressemble pas beaucoup à ces hommes légers aux belles voitures que Brigitte dit avoir aimés à vingt ans. Mais il est Michel Tardieu, le grave, le sentimental, l'obstiné... et puis, il est Trintignant, l'un des futurs grands séducteurs du cinéma français...

Trintignant n'a pas le caractère compliqué, ambigu, de Vadim. C'est un entier, un méridional. Il supporte mal l'incertitude, les situations floues. Brigitte doit choisir : si elle veut continuer à le voir, elle doit quitter Vadim. Cet ultimatum est de nature à plaire à Brigitte. Trintignant et elle se rejoignent dans ce goût brutal pour la vérité. Pas question pour elle non plus de vivre un adultère sournois en respectant les apparences. Elle est en train d'inventer un mode de vie auquel elle sera toujours fidèle. Quand elle est avec un homme, elle lui donne tout. Quand elle ne peut plus tout lui donner, elle le quitte.

Pourtant, elle est encore liée à Vadim par bien des choses. L'affection, l'estime qu'ils garderont toujours l'un pour l'autre, l'habitude de vie. Et aussi ce travail d'équipe qu'ils font depuis des années, et qui va maintenant porter ses fruits...

Jamais Vadim n'a porté à Brigitte une attention aussi passionnée que durant ces semaines. Mais pour l'aimer, il a besoin de la distance, du truchement de l'imagination, de la caméra.

Alors Brigitte quitte Vadim...

Et Brigitte créa BB

Août 1956 : *Cinémonde* titre : « La plus sexy de nos étoiles » et publie une photo pleine page de Brigitte en pied, vêtue en tout et pour tout d'un bas de bikini, deux triangles négligemment noués sur les hanches. Elle a enlevé le haut, mais dissimule son buste derrière ses bras croisés, ses mains aux ongles longs et laqués, et derrière ses cheveux ramenés sur une épaule en vagues somptueuses.

Brigitte a maintenant adopté sa fameuse moue. Le regard même est teinté d'orage. Que signifie cette image très nouvelle d'Eve en colère ? Certainement sa liberté, cette liberté qu'elle vient enfin d'oser assumer entièrement. Ce n'est plus Vadim qui la crée cette fois, c'est elle-même. Paradoxalement, c'est au moment précis où il la rend célèbre, où elle va apparaître au monde entier comme sa créature, qu'elle ne se doit plus qu'à elle-même.

« Un air de bébé au bord de la faute, un équilibre instable entre le caprice et la damnation[1] », écrit François Nourris-

---

1. *Brigitte Bardot*, Grasset.

sier. Cet air de bouderie maussade, et même de rancune, c'est la soumission acceptée à contrecœur. Etre l'objet de l'homme, oui, pour le plaisir : mais l'homme est lui aussi un instrument de plaisir et non un dieu qu'il faut apaiser, se concilier, adorer. Certes, cette Eve-là se sert de son corps, car il est son plus grand atout et la source de ses délices. Mais l'expression du visage, l'abandon du sourire obligatoire, la rapproche de l'homme. Ce regard sombre et dominateur, c'est celui du séducteur de l'écran, séducteur androgyne, James Dean ou Bardot. Seules les plus grandes stars féminines ont osé, par instants, ces expressions fermées : Garbo, Ava Gardner, Dietrich. Pour ne pas perdre leur féminité tout en se passant de cette espèce d'emblème de la féminité qu'est le sourire, il faut qu'une femme soit vraiment très sûre de son identité et de sa séduction. Mais de même que Marlène ne parut jamais plus femme que dans ses costumes d'homme, de même Brigitte n'est jamais plus sensuelle qu'avec un visage austère.

Jean Baudrillard, dans son essai *De la séduction* (Galilée), envisage les effets pervers d'une libération féminine (et masculine) qui prend les apparences de l'androgynie : « Qu'arrive-t-il si le féminin, loin d'être un ensemble de qualités spécifiques (ce qu'il fut peut-être dans le refoulement, et là seulement) s'avère, une fois "libéré", n'être que l'expression d'une indétermination érotique, et de la perte de qualités spécifiques, aussi bien dans la sphère du social que du sexuel ?

« Il y avait une ironie puissante du féminin dans la séduction, il y en a une aussi puissante aujourd'hui dans son indétermination et dans cette ambiguïté qui fait que sa promotion en tant que sujet s'accompagne d'une recrudescence de son statut d'objet, c'est-à-dire d'une pornographie généralisée ».

Cette « pornographie généralisée », Brigitte Bardot la déplore aujourd'hui. Elle voit, dans les vacanciers qui se baignent nus sur les plages de Saint-Tropez, dans la licence sexuelle des films, l'aboutissement imprévu et déplorable de sa croisade pour une sexualité libre et belle, parce que innocente et pure.

Baudrillard dit encore : « La star n'a rien d'un être idéal ou sublime : elle est artificielle. Elle n'a que faire d'être une actrice au sens psychologique du terme : son visage n'est pas le reflet de son âme ni de sa sensibilité, toutes expressions dans la seule fascination rituelle du vide, dans son regard extatique et la nullité de son sourire. C'est là qu'elle atteint au mythe, et au rite collectif d'adulation sacrificielle. »

C'est parce qu'elle échappe à cette fascination du vide que BB est plus qu'une star. Elle se défend contre cette disparition de la personnalité, au profit de l'immobilité de l'idole. Brigitte, toujours, brisera les masques, les images imposées. Elle restera un être de chair, vivant, souffrant, aimant, loin de cette froideur qui désexualise les stars.

« Elle a des rires de tourterelle, des désirs de jeune voyou et des sagesses de marquise poudrée », écrit Jean Vietti dans *Cinémonde*, avant de la qualifier « d'incarnation de la jeune femme idéale de notre époque »... Ainsi, la prédiction de Vadim s'est réalisée. On comprend que Brigitte fasse un peu la tête : il n'est pas facile d'assumer l'incarnation d'un idéal.

Aux USA, Kim Novak « la chair sous cellophane » est en passe d'éclipser Marilyn... Brigitte, elle, est sans emballage. Mais elle commence à se sentir obligée de séparer sa vie privée de sa vie publique. Sans doute parce qu'elle a mesuré, avec le tournage de *Et Dieu créa la femme*, le danger de confondre les deux. Elle qui était si prolixe sur ses rapports avec Vadim, est plus réticente à propos de ses rapports avec Trintignant. Elle dira à Sagan : « Pour moi, l'amour a besoin de mystère, de secret, de silence. C'est une affaire privée, très riche, très complexe, mais en même temps, très simple. Plus on me parle de cela, des perversions, des... accessoires, etc., moins j'ai envie de faire l'amour ! Je crois que l'exhibitionnisme, c'est de la honte refoulée, mais de la honte. Cela dit, je dois répéter que j'ai raté ma vie privée, sans doute parce que mon métier m'a trop accaparée. J'ai été amoureuse, bien sûr, mais, au moment où il fallait que je parte tourner un film, au fin fond de l'Espagne, lui ne pouvait pas me suivre pendant les trois mois de tournage. Et quand, à l'époque, je ne voyais pas mon amoureux pendant trois mois, eh bien ! je m'en trouvais un autre ! »

« La honte refoulée, mais la honte », dit Brigitte. Cette honte qu'elle avait ressentie au tournage de ses premiers films, elle l'avait attribuée au fait qu'on lui faisait jouer des rôles un peu minables. Mais maintenant, avec *Et Dieu créa la femme*, elle vient d'avoir un vrai rôle, incontestablement à sa mesure. Chez une actrice pudique — et la pudeur est une des faces de Brigitte — seul le sentiment de l'accomplissement d'un travail artistique peut compenser ce qu'il y a de pénible et de douloureux à se montrer. C'est pourquoi elle pense avoir désormais trouvé une solution en jouant des rôles importants qui demandent un véritable investissement de la part d'une actrice. Elle dit à cette époque souhaiter incarner l'héroïne d'un livre de la romancière Mary Webb, Sarn, une fille affligée d'un bec de lièvre, et que seul le refus probable du public l'en empêche. On peut lire là le souhait de sortir du rôle de « bel objet » dans lequel elle se trouve confinée. Elle a le sentiment que cela l'empêche d'atteindre à sa pleine destinée d'être humain. Elle rêve aussi de jouer *la Chatte*, texte qu'Anouilh aurait écrit pour elle. Mais là non plus, le projet ne se réalisera pas. Faut-il voir, dans cette velléité de retour à des choses « sérieuses », le désir de s'accomplir dans la difficulté ? L'influence de Trintignant, acteur qui fera carrière dans des films de qualité sans hésiter devant les rôles difficiles, compte certainement dans cette détermination.

« J'aime bien être célèbre, dit-elle alors. C'est assez flatteur, il faut le reconnaître. Le côté le plus ennuyeux de la célébrité, c'est que ça supprime la liberté de se balader dans les rues librement... Cet esclavage supprime un peu l'intensité de la vie personnelle. »

Comment ne pas percevoir la colère et le refus dans les mots qu'elle emploie, la répétition de « liberté » et « librement » ?

Au mois d'avril, elle entame une procédure de divorce. Le divorce est encore mal accepté alors pour la Française moyenne, mais déjà passé dans les mœurs pour les actrices. Seulement, Brigitte fait scandale en refusant encore une fois de payer son tribut aux conventions. Elle affirme qu'elle ne regrette rien. Elle a constaté qu'elle pouvait vivre sans Vadim, c'est donc qu'elle ne l'aime plus. Et si elle ne l'aime plus, elle ne peut plus vivre avec lui. Voilà tout...

Finalement, ce qu'elle désigne comme responsable de la faillite de son amour, ce sont les déplacements et les absences qui leur sont imposés à tous les deux par leur métier et qu'elle n'a jamais acceptés. Qu'elle n'acceptera jamais vraiment, venant d'aucun homme. Sa peur panique de la solitude lui donne ce besoin d'une présence constante qui va la gêner beaucoup en restreignant son choix d'hommes. Elle qui aime les aventuriers ambitieux ne pourra être que malheureuse avec eux, car un aventurier, ça voyage. Mais elle sera aussi malheureuse avec un homme chien de salon, car elle ne les veut pas dociles mais dominateurs...

Vadim voulait à sa compagne un corps de femme et une tête de garçon : et le cœur ? Brigitte ne lui a pas pardonné de lui avoir laissé découvrir le sens de l'infidélité. Elle ne fonctionnera jamais vraiment comme un homme qui peut partir, avoir une petite aventure et revenir en expliquant à la dame de ses pensées que ça n'a aucune importance. Pour elle, l'infidélité gardera toujours une signification.

Elle commence à vivre sans Vadim, comme elle aurait voulu vivre avec lui, tranquillement. Elle reconstitue un nid, 71 avenue Paul-Doumer. Si géographiquement elle se rapproche de sa famille, socialement elle a coupé les ponts. Bien sûr, le mariage avec Vadim n'était pas ce que ses parents espéraient, mais leur vie de bohème était finalement bien sage. Elle n'avait enfreint les lois bourgeoises qu'en feignant de mépriser l'argent. L'argent, elle n'en manque pas désormais. Mais elle s'était mariée, et à l'église. A son époux, elle avait juré fidélité. Elle ne quittait une vie de famille que pour entrer dans une autre. Alors que maintenant, c'est la vie de famille qui se trouve répudiée.

Brigitte fait si bien la différence entre la Brigitte du dehors et celle du dedans, qu'elle en vient à parler d'elle — enfin de l'autre, celle du public — à la troisième personne : « Sincèrement, dit-elle à *Cinémonde*, je suis très, très contente d'être... Brigitte Bardot ! Elle m'amuse beaucoup ! (...) Je lui reprocherais d'avoir été un certain moment l'instrument d'une trop grande recherche de publicité. Et puis, sur le plan privé, je trouve qu'elle manque de plomb dans la cervelle. Elle fait un petit peut trop ce qui lui plaît. Je lui en veux beaucoup d'être comme ça. Et peut-être qu'elle est également souvent un peu trop coquette. Finalement, je lui trouve plein de défauts, mais voyez-vous, je crois quand même qu'elle a un excellent "fond" et quand je réfléchis bien, je la trouve de temps en temps très mignonne... »

Derrière le côté « déclaration charmante pour séduire les journalistes », on ne peut qu'être frappé par ce curieux dédoublement. Sa personnalité a été fixée une fois pour toute par l'écran, elle doit désormais vivre à l'ombre de cette Brigitte Bardot.

Comment pourrait-elle mener avec le nouvel homme de sa vie l'existence calme et tranquille dont elle rêve ? Le succès de *Et Dieu créa la femme* dépasse toutes les prévisions. Si Brigitte dit préférer désormais les rôles de « femmes-chats », c'est qu'elle doit désormais agir en chat avec tous ces gens qui veulent la piéger, l'enfermer. Elle veut pouvoir être là et ronronner quand elle a besoin de caresses ou de mots flatteurs, et disparaître lorsqu'elle rêve de se reposer tranquillement dans son coin. Or son visage est maintenant partout. En grand dans les journaux, au fronton des cinémas. Dix ans plus tard, le sculpteur Aslan décidera de la prendre pour modèle pour son buste de Marianne. Aslan a pour coutume de représenter des pin-up, créatures à la fois mythiques et un peu vulgaires, dont il accentue la féminité sur le monde des bandes dessinées. Avec le visage de Brigitte, il fera quelque chose d'à la fois pur et charmant, une image de Marianne qui séduira les Français car cette abstraction semblera désormais prendre chair.

Marianne ne sera plus seulement le symbole de la France révolutionnaire, son symbole un peu poussiéreux, mais une image très actuelle avec son décolleté troublant, ses grands yeux et le bonnet phrygien penché comme un bibi à la mode. Brigitte sera la représentation de la France, gauloise et sensuelle, audacieuse et sans entraves...

Oui, Brigitte est beaucoup plus désormais que la pin-up de ses débuts. Van Dongen aussi fait son portrait, lui qui aime tant les jeune femmes mondaines, bien élevées et un peu mystérieuses. Mais Brigitte regrettera toujours de ne pas avoir été peinte par Picasso, qu'elle considère comme le plus grand peintre de l'époque alors qu'il est encore très controversé. Elle l'a rencontré, lors du Festival de Cannes. Il l'a invitée dans sa villa sur les hauteurs de la ville. On peut penser à ce qu'il aurait fait d'elle en voyant certains portraits de jeune femme à queue de cheval. Picasso et son goût des femmes-colombes... Devant un tel monstre sacré, elle n'aurait pas eu le sentiment de devoir s'excuser de ce qu'elle est. Dans les studios de la Victorine, lors du tournage des dernières scènes du film de Vadim, elle a rencontré Churchill,

descendu du yacht d'Onassis, le *Christina*, pour venir négo-
cier un contrat à propos d'un film sur la Seconde Guerre
mondiale. Et voilà maintenant qu'on l'invite à se rendre à
Londres pour rencontrer la reine... La biographe anglaise
Glenys Jones raconte ainsi l'événement : « Une fois de plus,
elle vint seule. Elle descendit du train-bateau à la gare de
Victoria, portant une chemise et une cravate d'homme
comme pour affirmer sa nouvelle indépendance. Même sans
Vadim et son goût pour la publicité, elle semblait avoir tout
orchestré. Elle avait perdu ses bagages et n'avait rien à se
mettre, attirant ainsi immédiatement l'attention sur elle.
Elle alla au *Savoy* et se fit discrète, disant qu'elle ne l'avait
pas été suffisamment par le passé, et que maintenant qu'elle
allait rencontrer la reine, c'était le moment de se tenir tranquille. On envoya quelqu'un à Paris chercher sa robe du soir,
une robe de Balmain à sequins comportant peu de tissu
au-dessus de la taille. »

Une photo prise lors de cette illustre occasion nous montre
une Brigitte guère plus décolletée que ses voisines — à peine
davantage que Sa Majesté elle-même, qu'elle accueille d'un
sourire radieux et très convenable. En fait, la véritable
héroïne de la soirée n'est pas BB mais Marilyn Monroe. La
beauté, la simplicité, la spontanéité mais aussi le culot de la
star américaine impressionnent beaucoup Brigitte qui
racontera : « Nous devions être présentées toutes deux à la
reine d'Angleterre. J'étais à moitié morte de peur. Un peu
avant la présentation, j'essayais de rajuster mes cheveux de
mes mains tremblantes. Nous nous trouvions dans un salon
spécial, qui était réservé. Marilyn entra d'un trait, comme
une coulée d'air frais. Elle était tout ébouriffée comme si elle
venait de sortir de son lit. On nous avait dit qu'on ne pouvait
endosser de robe trop collante. Mais la sienne l'était, et
comment ! Marilyn donnait l'impression de la liberté la plus
absolue, de la désinvolture la plus totale. Quelqu'un a écrit
après que ses yeux exprimaient l'angoisse, pendant qu'elle se
trouvait devant la reine et qu'elle n'avait pas pu faire la
révérence. Des blagues. Marilyn était bien embêtée à cause
de sa robe trop collante, mais elle fit la révérence. Et je vous
assure qu'il n'y avait pas trace d'angoisse dans son regard.
Plutôt une lueur arrogante[1]. »

1. Gilles Jacob, *le Matin*.

157

Le Royal Command Performance est une cérémonie guindée comme il est d'usage à la Cour britannique. Les personnalités invitées pour rencontrer la reine doivent assister à un spectacle, cette fois-ci un film insipide intitulé *The Battle of the River Platte*. Un autre biographe anglais, Willi Frischauer, écrit que Brigitte aurait bâillé durant la représentation : on voit bien là un signe de son horreur de l'ennui et de sa spontanéité en toute occasion... Pourtant, lors de sa conférence de presse, elle séduit les journalistes anglais avec autant de facilité que quelques années plus tôt. Elle se regarde dans les grands miroirs du salon du *Savoy*, vieux palace anglais presque aussi respectable que la royauté elle-même, tandis que des reporters chevronnés se retrouvent devant elle aussi muets que des écoliers devant leur premier flirt. Ils reniflent avec bonheur les effluves du parfum dont elle s'est inondée — du musc, dit-on...

Son accent français, toujours aussi marqué, est irrésistible. A ceux qui lui demandent pourquoi elle a quitté Vadim, elle affirme s'être mariée trop jeune. Elle dit ne pas aimer vivre toujours avec le même homme. Lorsqu'on lui demande quel type d'homme l'attire, elle répond : « beaucoup de types ». Mais elle dit préférer les hommes qui ont une grande bouche, car c'est un signe de générosité. On pense à la bouche de Vadim, comme un coup de couteau dans le visage, et à celle, épaisse et boudeuse, de Trintignant. Elle joue toujours son rôle de blonde idiote — mais avec des réserves. Elle affirme être stupide...

« Intelligemment stupide. » Une contradiction pleine de rondeurs. Ainsi est Brigitte : pudique avec les exhibitionnistes, bien élevée avec les gens vulgaires, mal élevée avec les faux-cols barbants, intelligente avec les imbéciles, idiote — en apparence — devant les intellectuels. Le contact est un peu froid en ces brumes du début de novembre, avec ce qu'on appelle encore à l'époque « la prude Albion » — tout cela se situe avant la révolution des Beatles et des Stones. Si elle se montre plus réfléchie que lors de son premier séjour, la perspective de rencontrer la reine ne l'a pas rendue aussi « discrète » qu'elle l'avait annoncé...

La folie Bardot

Dans toute cette folie, comment Brigitte pourrait-elle se consacrer à l'homme discret qui lui fait partager son goût pour la poésie et la musique classique ? Elle va maintenant affronter la tempête de notoriété que Vadim est enfin parvenu à déclencher.

La première parisienne de *Et Dieu créa la femme* a lieu le soir du 4 décembre 1956 au cinéma Normandie, sur les Champs-Elysées. Le film se donne dans trois cinémas : outre le Normandie, le Rex et le Moulin-Rouge.

Et la critique voit rouge, en effet. Dans *France-Soir*, le 2 décembre, André Lang commence ainsi sa diatribe :

« Je ne voudrais pas jouer les pères la pudeur, mais vraiment les cartes de ce jeu m'apparaissent un peu trop transparentes.

« L'érotisme appartient à l'art. Mais l'exhibitionnisme, sous couleur et prétexte d'art, ne saurait être excusé que s'il est proposé avec habileté et discrétion.

« Tout un film basé sur la mise en valeur des avantages physiques d'une jolie fille, de ses impudeurs et de ses trémoussements, c'est fastidieux et assez déplaisant. Et pourquoi mêler Dieu à cette pauvre histoire ? »

Le Figaro frappe le 5 décembre sous la plume de Louis Chauvet : « Les auteurs ont produit sur ce thème un film par lequel on espérait affrioler un certain public au risque de scandaliser l'autre. Deux fois refusé par la censure, deux fois modifié, tronqué, le voilà dans sa version définitive passablement informe. M. Vadim évoquera sans doute l'excuse de ces "coupures" détériorantes exigées par la pudeur, excuse qui n'en est pas une. (...) L'avant-garde "caves intellectuelles" et l'arrière-garde, le conformisme le plus délibérément commercial se donnent la main. (...) Brigitte Bardot, coqueluche des collégiens de tous âges, est plus ingénue dans la perversité que perverse dans l'ingénuité. On l'entend dire au début qu'elle va "manger un sandwich sur l'acheté...". C'est "la jetée" qu'il faut comprendre. »

« Je ne voudrais pas jouer les pères-la-pudeur », écrit le critique de *France-Soir*. Pourtant, c'est précisément le cas. Ce qu'il reproche à Brigitte Bardot, c'est l'exhibitionnisme, c'est-à-dire le goût de montrer son corps, le spectacle du plaisir. Brigitte, parce qu'elle est naturelle, est plus choquante qu'une vamp en guêpière. On l'a acceptée en danseuse de cabaret dans des films précédents ; mais là elle choque de la même façon que dans *la Lumière d'en face* : elle est mademoiselle ou madame tout le monde, et elle proclame que n'importe quelle femme cherche le plaisir. C'est de l'accès des femmes à la maturité érotique qu'il s'agit. Lorsque Juliette est passive, c'est une passivité très active. Si elle est le jouet de l'homme, l'homme est à son tour son jouet.

On lit dans *l'Aurore*, sous la plume de Claude Garson : « Ce parti pris de nudisme fait que M. Vadim a oublié de construire son film, car il est parti dès le début de cette idée, par trop simpliste, que la plastique (aussi étonnante soit-elle) de Mlle Bardot suffirait à faire un film. C'est une erreur. »

Jean de Baroncelli, dans *le Monde*, est moins méchant : « Brigitte Bardot doit être lasse de s'entendre toujours complimenter pour ses attraits naturels. C'est de son propre talent beaucoup plus que de celui du Bon Dieu qu'elle voudrait certainement qu'on lui parle. En m'associant une fois encore à tous les fâcheux qui ne savent que chanter la gentillesse de son visage et la perfection de son corps, j'ai conscience de mon impertinence et de ma sévérité. Mais le moyen de faire autrement ? Après *Cette Sacrée Gamine*, nous avions espéré voir naître sinon une actrice émérite, du moins une de ces charmantes comédiennes à qui l'écran ne demande qu'un peu de malice et de savoir-faire. Il faut bien reconnaître que cette comédienne-là est restée dans les limbes. »

Jean de Baroncelli reproche surtout à Brigitte de jouer ici un emploi dramatique ; il la préfère dans les comédies légères. Le film est critiqué parce qu'il essaie d'effectuer une analyse de société, et qu'il propose de nouvelles mœurs, une nouvelle éthique. Cela n'échappe pas à René Guyonnet, dans *Réforme* : « L'efficacité de ce film, le fait qu'il donne sur les nerfs et soulève, chose rare, les applaudissements et les sifflets, tient à ce que, derrière l'affabulation conventionnelle, représentée par Curd Jurgens, louche et séduisant aventurier international, affleure une sensibilité moderne et exacerbée. (...) *Et Dieu créa la femme*, naturellement, est fait pour Brigitte Bardot, comme *Riz Amer* avait été fait pour Silvana

Mangano et *le Fleuve* pour Sophia Loren. » Simone Dubreuilh, dans *Libération*, s'en prend principalement à Vadim : « Il a fait son profit de *Duel au soleil*, de *la Red*, de *Gilda*, de *Suzanna la perverse*, de *la Femme à abattre* et autres *bagatelles pour un massacre*. Son film n'existe qu'en fonction d'une série d'effets sûrs en opposition formelle avec le sixième commandement ("Luxurieux point ne seras"). *Et Dieu créa la femme* exploite donc impudemment tout ce que l'indécence est en droit de proposer au public sous le couvert de la décence-limite ! Baignade suggestive, vêtements collés au corps, cuisses ouvertes, peau luisante, cha-cha-cha exaspéré, chute des corps les uns après les autres, lits défaits, pieds nus, soupirs, regards, frénésie, soleil, hébétude et jusqu'à une nuit de noces consommée en plein midi, pendant le repas familial desdites noces !

« Le produit ainsi obtenu est un hybride assez malsain.

« Ridicule dans cinquante ans comme le sont, aujourd'hui, les drames mondains de Bataille, Hervieu et consorts, ce ramassis de bestialité intellectuelle recèle pourtant une trouvaille. Une vraie... Et cette trouvaille, c'est la mise au point du mythe naissant de BB. »

Quant au grand critique André Bazin, il hésite entre le panégyrique et la charge. Il appelle, le premier, Brigitte Bardot « notre BB nationale », mais il s'interroge sur la véritable nature du film : « L'on se demande alors s'il s'agit d'un film ambitieux qui donne des gages aux pires recettes commerciales ou d'un film quasi pornographique qui se cherche des alibis dans le talent et l'intelligence.

« En tout état de cause, *Et Dieu créa la femme* est un film qui vous réconcilierait, s'il était possible, avec la censure. Non qu'il y ait, certes, du déplaisir à contempler Brigitte Bardot de pied en cap, mais parce que l'on se prend à songer avec nostalgie à toute l'invention dont les cinéastes américains sont obligés de faire preuve pour nous en suggérer bien davantage avec ce que leur autorise un code pudibond. En vérité, le critique cinématographique céderait encore ce que la censure lui a laissé contre le souffle du métro sous les jupes de Marilyn. »

L'une des raisons pour lesquelles le film gêne même les gens intelligents, c'est qu'il est inclassable — à la fois moderne et classique, « artistique » et commercial, moral et licencieux. Rien n'exaspère davantage un critique que de ne pouvoir faire entrer une œuvre dans ses catégories habituelles.

S'il est vrai qu'en revoyant *Et Dieu créa la femme*, on est frappé par le mélange de conventionnalité et d'audace, de naïveté et de réflexion, d'habileté et de gaucherie, Vadim se montre pourtant le précurseur d'un cinéma moderne où les scènes de nu n'empêchent pas un film d'être intelligent, où les frontières entre cinéma commercial et cinéma « d'art et d'essai » sont souvent imprécises.

On est étonné de voir André Bazin réclamer la censure pour *Et Dieu créa la femme*, comme Truffaut, son ami, l'avait demandée pour *la Lumière d'en face*... Mesurent-ils combien l'irruption de l'érotisme sur les écrans va changer le cinéma, comprennent-ils les problèmes que la demande érotique posera bientôt aux metteurs en scène sérieux ? Vadim, on s'en doute, est désarçonné par ces réactions. Désarçonné, mais pas découragé.

Le volume de presse suscité par le film, la violence des réactions du public, la façon dont on remarque Brigitte, lui accordant autant d'attention qu'à une vedette et la comparant aux grandes stars — Bazin lui-même évoque Marilyn — tout lui fait penser qu'il a réussi quelque chose.

Il aura, en fait, rapidement des raisons de se réjouir. Partout à l'étranger, le film attire attention et controverse. La presse anglaise, une fois de plus, fond devant Brigitte. « Je suis prêt à parier un pardessus contre un bikini que ce film fera de sa star Miss Sexe de l'Univers », écrivit le *Daily Sketch*, journal populaire. Peu de raffinement dans la formule, mais de la justesse de vue.

« Bien que pratiquement inconnue aux États-Unis voici un an, le nom de Bardot est maintenant un synonyme de sexe d'une côte à l'autre », écrit un critique américain. La presse américaine surnomme Brigitte « la fille à la démarche en tire-bouchon ».

« Bardot, écrit le journaliste Paul O'Neil, a exilé les reines du sexe à Hollywood, Marilyn Monroe et Jayne Mansfield, dans des sortes de limbes du technicolor où elles semblent à peine plus dangereuses que des ménagères de banlieue maquillées pour une fête de patronage. »

Brigitte, aux USA, a réussi un exploit : jusque-là, on considérait les films européens, synonymes d'ennui, de lenteur et d'obscurité, comme des films à faible audience. Les Américains voient tout de suite ce que les Français se refusent à comprendre : Vadim a fait un film très moderne, parce qu'il est à la fois commercial et intelligent. Et cette réussite est due à une star. Les USA importeront d'autres films de Bardot, et ils connaîtront le même succès. Très vite, son nom au fronton d'un cinéma suffit pour drainer un large public.

La réaction des critiques américains est bien différente de celle des Français. Paul O'Neil ne manque pas de noter que la spontanéité de Brigitte est due au climat de liberté du cinéma français, par opposition au cinéma américain. Il écrit encore : « Comme les voitures de sport européennes, elle est arrivée sur la scène de l'Amérique à un moment où le public est prêt, et même assoiffé, de quelque chose de plus rapide et de plus réaliste que le produit local trop familier. Les actrices américaines, comme les berlines américaines à quatre portes, semblent de plus en plus standardisées dans leurs lignes.

« Aucune fille de Hollywood ne peut jouer la femme d'un mécanicien ou même la fille d'un fermier de l'Ouest d'autrefois, sans être aussi soigneusement maquillée que la marquise de Pompadour et habillée comme une héritière. Par contraste, une actrice qui laisse ses cheveux aller dans ses yeux, qui semble capable de transpirer un peu et qui se tortille avec gourmandise quand elle embrasse un homme, semble une révélation. Brigitte, pour être franc, peut se permettre d'ôter plus de vêtements qu'une star d'Hollywood et oser des scènes plus risquées. »

Toutes ces raisons s'additionnent pour créer le phénomène Bardot aux USA. Face au problème de la censure, il existe une tradition hollywoodienne d'autocensure. Les producteurs des studios s'entendent à l'avance pour savoir ce qui est montrable et ce qui ne l'est pas, et tout metteur en scène qui ose transgresser cette espèce de gentlemen's agreement se voit coupé au montage par son propre studio. Les ligues de moralité sont très puissantes dans les années cinquante et rares sont ceux qui osent leur contrevenir. En revanche, la censure américaine se montre libérale avec les films étrangers. D'abord, parce qu'ils sont traditionnellement destinés à un très petit public d'intellectuels « vaccinés ». Ensuite, parce que, si en France beaucoup de gens connaissent l'anglais, très peu d'Américains comprennent le français et que les sous-titres sont très souvent illisibles. Mais les Américains n'ont pas besoin de sous-titres pour comprendre Brigitte. *Et Dieu créa la femme*, aux USA, rapporte presque trois millions de dollars. Pour la première fois, une vedette européenne plaît aux camionneurs. En Amérique, pays de la démocratie, c'est un très grand compliment.

Brigitte est une actrice à dimension américaine et mondiale. Elle eut raison, pourtant, à ses débuts, de ne pas accepter la proposition de contrat de Hollywood. A la Warner, le studio de James Dean, elle aurait sans doute été « pompadourisée », comme les autres. La liberté accordée à James Dean aurait été refusée à Brigitte, car les indulgences consenties aux jeunes gens sortis de l'Actor's Studio ne s'étendaient pas aux actrices régies, elles, par un code très strict.

C'est en tant que vedette française qu'elle séduit là-bas. Un critique au moins en France ne s'y est pas trompé : le fidèle Doniol-Valcroze. Dans *France-Observateur* du 13 décembre 1956, il compare Brigitte à « un petit sphinx échappé d'une toile de Léonor Fini ». Il se souvient de l'époque où, pour avoir déjà défendu Brigitte dans *Futures Vedettes*, il avait reçu une lettre d'un lecteur en colère, qui éructait : « Votre Brigitte Bardot n'est qu'une poupée fabriquée, qu'un bébé malsain. A son premier rôle important, on s'apercevra qu'elle est inutilisable. »

Doniol-Valcroze l'a compris : Brigitte atteint au mythe : « Son cas dépasse celui de la vedette, car quand une vedette atteint un tel stade de popularité, ce n'est pas, quelle que soit l'habileté des campagnes publicitaires, une question de seule publicité, c'est une question de "mythe". Subitement, un comédien ou une comédienne incarne un mythe. Ce fut le cas de Jean Harlow comme c'est aujourd'hui celui de Marilyn Monroe. Ce fut celui de Jean Marais, comme c'est aujourd'hui celui de feu James Dean. Et Brigitte Bardot, c'est soudain le lieu géométrique de toutes les jeunes filles que nous avons connues depuis dix ans. »

Si Doniol-Valcroze se réfère à des stars dramatiques du cinéma américain, lui aussi trouve Brigitte plus à son aise dans la comédie. L'aspect tragique du film lui paraît un peu raté : « Le film de Vadim n'est pas sans défauts. Sa part comédie est mieux réussie que sa part tragédie : le ton de la comédie est juste, spirituel, très amusant. Le ton de la tragédie est souvent hésitant comme si tout le monde sur le plateau avait eu du mal à tenir son sérieux le temps de la prise. On a l'impression qu'au "coupez" du réalisateur, ce devait être un éclat de rire général. Ce n'est pas antipathique, loin de là. »

Vadim, de son côté, invoque très clairement des références américaines lorsqu'il déclare : « Comme Kazan ou Nicholas Ray ont essayé de démontrer l'état d'esprit de la jeunesse américaine, je voudrais expliquer l'espèce de psychose dans laquelle se trouve notre jeunesse d'après-guerre. » Mais c'est bien à James Dean, héros du film de Kazan, *A l'Est d'Eden*, qui se donne, à la Pagode, en même temps que *Et Dieu créa la femme*, que l'on pense devant la définition du personnage de Juliette par Vadim : « Un personnage réel de très jeune femme dont le goût du plaisir n'est plus limité ni par la morale ni par les tabous sociaux. Dans la littérature ou le cinéma d'"avant", on l'aurait peinte comme une simple putain, ici c'est un personnage sans excuses, certes, mais qui conserve malgré tout celles du cœur, de la générosité, un personnage désaxé et inconscient. »

Si l'on cherche à quelle héroïne du cinéma américain cette définition pourrait convenir, on ne trouve guère que la Marilyn des *Misfits*. C'est en star portant le sceau de l'Amérique que Brigitte se fait finalement accepter par la presse française. Le cinéma américain jouit alors d'un grand prestige auprès des intellectuels, particulièrement grâce à l'influence grandissante des *Cahiers du Cinéma*. Le succès de Brigitte aux USA fait d'elle, en France, ce phénomène curieux : une star qui vient d'Amérique, sans avoir jamais tourné là-bas... C'est un effet de boomerang. En 1957, Brigitte est effectivement devenue « notre BB nationale ». Un sondage révèle qu'elle occupe 47 % des conversations françaises ; elle est le sujet de discussion numéro un, devant la politique qui n'obtient que 41 % des suffrages...

La désillusion

Si Brigitte est partout, ce n'est pas seulement à cause des articles de presse : c'est qu'elle est présente sur beaucoup d'écrans. La sortie de *Et Dieu créa la femme* coïncide avec celle de *La mariée est trop belle*, film qu'elle a tourné tout de suite après.

Brigitte réalise, en tournant dans le film de Pierre Gaspard-Huit, un désir vieux de quelques années datant de *la Lumière d'en face* : celui de travailler avec Christine Gouze-Rénal. Celle-ci, désormais, va faire partie de l'équipe Bardot. Christine Gouze-Rénal comprend que Brigitte a besoin d'être protégée, entourée. Elle se fait une idée exigeante de son travail de productrice. Elle collabore activement à l'élaboration du personnage Bardot déjà lancé, mais dont le style ira de plus en plus dans le sens d'une sophistication naturelle et sauvage... Comme pour exaucer le vœu de la critique, Brigitte retourne maintenant à la comédie légère. Une fois de plus, le scénario — pourtant adapté d'un roman d'Odette Joyeux, charmante actrice du cinéma d'avant-guerre, qui a su se reconvertir dans la littérature — semble emprunté à un morceau de la vie de Brigitte. Dans le film, elle est Catherine, jeune provinciale qui débarque à Paris, et est « découverte par deux journalistes, rédacteurs en chef d'un magazine de mode ». On remarque que Brigitte, de film en film, a droit au même point de départ : elle est toujours la sauvageonne, le « diamant brut », la petite ingénue idiote, et il faut un homme sophistiqué pour comprendre quel trésor se cache sous cette apparence rustaude. Le mythe de Pygmalion obsède ses metteurs en scène. Mais cela correspond aussi à un cliché de l'époque. La femme apparaît encore comme une créature passive, une Belle au bois dormant qui ne saurait s'éveiller d'elle-même ; il lui faut un prince charmant. L'image a la vie dure, puisqu'elle sera reprise en 1985 par la chanteuse américaine Madonna, qui remettra à la mode un style Bardot en se présentant toujours décoiffée et à moitié déshabillée, l'air mal réveillé, avec une ceinture sur laquelle est inscrit « boy-toy » (jouet à garçon). Madonna rejouera les personnages d'ingénue perverse de la Bardot des débuts. Elle

166

chante *Like a Virgin* (comme une vierge) et se marie en blanc ; mais aussi *Material Girl*, où elle se déclare réaliste et amoureuse de l'argent.

Dans *Ciné-Revue*, le 16 novembre 1956, Brigitte pose habillée d'une robe rayée à col montant, chaussée d'escarpins de dame. Elle a l'air de sortir de chez le coiffeur, porte au poignet une petite montre-bracelet très sage, et autour du cou une grosse chaîne en sautoir. Et elle a retrouvé son gentil sourire... Mais cette dignité est corrigée par la pose : un genou est appuyé sur un fauteuil — ce qui le découvre — et les mains tenant ce genou le soulignent encore. La croupe, elle, est franchement tendue vers l'arrière. On comprend que le photographe ait eu envie de tirer profit d'une aussi jolie cambrure. N'empêche qu'il y a là encore un exemple de la façon dont Brigitte évite la censure. En costume bourgeois, avec l'expression candide assortie, elle prend une pose qui, si elle était déshabillée, serait par trop érotique pour paraître dans un magazine. Le journal a l'astuce de mettre en titre, à côté de cette photo très habillée : « La vérité est toujours nue... »

L'article qui accompagne cette photo lui accorde les propos suivants : « Si les hommes ne prêtaient pas attention à moi, je serais profondément triste. J'aime qu'un homme m'embrasse. C'est la raison pour laquelle je ne porte du rouge à lèvres que dans les grandes occasions où je sais qu'un homme ne m'embrassera pas. Sinon, je me tiens toujours prête au baiser ». Voici un autre titre de l'année 1956, dans *Paris-Presse*, cette fois : « L'étonnante Brigitte Bardot est rentrée de Rome avec un nouvel ours en peluche et un contrat à sept zéros. » Bardot est devenu un mythe, une légende. C'est précisément le sujet de *La mariée est trop belle*. La provinciale Catherine, aidée par ses deux Pygmalions (on pense à Vadim et Olga Horstig), devient top-model, et au passage elle échange son nom trop sage contre celui de Chouchou... Tout comme Brigitte est, de plus en plus, appelée BB. Qui pourrait avoir peur d'une Chouchou, d'une BB ? Le film traite astucieusement des éléments les plus importants d'une légende à la Brigitte. Car Brigitte, avec ses cheveux blond vénitien, a lancé un style, la mode Bardot, par un extraordinaire coup publicitaire — le meilleur de tous, celui

167

que le public fait lui-même. Des quantités de Brigitte plus ou moins réussies se promènent dans les rues, et elles sont autant de femmes-sandwiches à la gloire de Bardot.

A Londres, une statue de Brigitte en bikini « sans haut », grandeur nature, est exposée devant un cinéma qui donne *Et Dieu créa la femme*. La statue doit être scellée au sol, car des fans essaient de la voler. Elle sera finalement vendue aux enchères 350 livres sterling...

Ce genre de phénomène ne s'était pas vu, en France, depuis l'avant-guerre, à l'époque où Danielle Darrieux avec ses cheveux ondulés, son regard rêveur et son élégance discrète fut copiée par beaucoup de jeunes filles. Mais la mode Darrieux n'atteignit jamais la même ampleur. Elle ne dépassa pas les frontières, tandis que de fausses Bardot se répandront dans le monde entier.

Dans le mélange de mélancolie et d'impertinence, de fraîcheur et de sagacité, BB forme le pendant de Darrieux. Chez celle-ci, également, la joie était toujours près des larmes. Lorsqu'elle fut lancée comme une vedette « à l'américaine », en 1941, dans le film d'Henri Decoin *Premier rendez-vous*, Brigitte était trop petite pour fredonner, avec beaucoup de jeunes Français, les refrains à la mode de ce film. Darrieux y chantait et dansait dans un style qui ne se voulait plus celui de l'opérette bien de chez nous, mais celui de la comédie américaine. Pendant les années noires de la guerre, les cinéphiles français regardaient vers Hollywood.

En 1956-1957, la comparaison avec Darrieux est très fréquente. Le *Film complet* du 5 juillet 1956 le note : « Sa prodigieuse réussite ressemble à celle que connut Danielle Darrieux, il y a vingt ans. Comme la Danielle de cette époque, Brigitte représente en effet un type de jeune fille auquel toutes les adolescentes de Paris et de province essaient de ressembler aujourd'hui. Des dizaines de milliers d'adorables gamines ont ainsi adopté, à son exemple, la coiffure à la minerve et cette teinte de cheveux feuille morte qui laisse traîner les reflets cuivrés, au soir tombant, dans d'amusantes queues de cheval. Elles ont fait leur, également, la moue un peu dédaigneuse que souligne la courbe épaisse et accentuée du rouge à lèvres, sa démarche un peu sautillante de fausse enfant espiègle, ses clins d'œil étonnés et ravis, ses pull-overs qui ont remplacé le chemisier et ses jupes amples et coloriées qui mettent en valeur la taille la plus fine du monde. »

Comme Darrieux — et comme les actrices américaines pour qui la comédie musicale est une étape nécessaire du parcours — Brigitte est associée au chant et à la danse. Depuis ses débuts, Vadim lui a ménagé chaque fois qu'il a pu des scènes chantées et dansées. Mais c'est avec *Et Dieu créa la femme* qu'elle sera véritablement sacrée comme danseuse, avec la fameuse scène du mambo. « Brigitte lance le Bardot-Mambo », titre *Paris-Presse*. Le mambo est une danse à la mode, et son côté spectaculaire et photogénique la rend chère aux cinéastes. Le journal ajoute : « On pourrait maintenant enchaîner *Et Brigitte créa le mambo*. Car dans ce film, Brigitte danse le mambo de façon si étonnante que même Sylvana Mangano — l'ensorceleuse de *Riz Amer* — et Sophia Loren — la belle venue de *Pain, amour, ainsi soit-il*, toutes deux spécialistes du mambo, ne pourraient que s'incliner devant cette rivale plus dynamique, voire plus frénétique. » C'est Paul Misraki l'auteur de ce « Bardot-mambo ». Il a composé en même temps une chanson pour Gréco, une autre pour Dario Moreno et une chanson pour Brigitte : *Dis-moi quelque chose de gentil*. Brigitte chanteuse a de beaux jours devant elle. Elle se tournera vers le chant quand elle en aura assez du cinéma. L'aspect « comédie musicale américaine » se retrouve, dans *La mariée est trop belle*, avec une séquence où Brigitte, pour des photos de mode où elle présente un imperméable, se fait jeter un seau d'eau sur la tête par un technicien monté sur une échelle. Le trench, le décor peint, les bottes de pluie et le sourire de Brigitte rappellent *Singing in the Rain*...

Dans *La mariée est trop belle*, on imagine, pour créer le mythe de cette Chouchou que toutes les jeunes filles vont imiter, un mariage simulé. Le faux marié considère sa fausse femme comme une gamine. Celle-ci, pour avoir l'impression de devenir adulte — et en donner le sentiment au marié — flirte avec d'autres hommes. C'est l'infidélité-provocation, pour rendre l'autre encore plus amoureux. Finalement, ce qui a été faux devient vrai — la fausse union se transforme en mariage véritable. La morale du film dit — sur un ton gentillet — qu'on ne badine pas impunément avec l'amour. Comme le savent Brigitte et Vadim. *La mariée est trop belle*

169

attire sur Brigitte moins de foudres que le film de Vadim. On se contente de noter : « Douée, peut mieux faire. » Dans *le Monde*, Jean de Baroncelli écrit : « Le metteur en scène semble avoir perdu quelques-uns des ses secrets... Ce marivaudage fleur bleue aurait gagné à être traité sur un rythme plus rapide. »

Pourtant, selon *Cinémonde* : « Le sex-appeal, c'est Marlène Dietrich ; le glamour, c'est Ava Gardner ; le oomph, c'est Jane Russel ; le t'ça, c'est Suzy Delair ; le pep, c'est Marilyn Monroe. Brigitte Bardot mélange tous ces ingrédients explosifs, y ajoute un zeste de fantaisie personnelle : elle sera le pschitt ! » « Pour toi, cher ange, Pschitt orange ; pour moi, garçon, Pschitt citron ! » dit alors la publicité. Brigitte, jusque-là considérée par la presse comme une gentille fille, fera bientôt aux journalistes l'effet d'un citron pressé sans sucre...

La rançon du succès

Le 7 décembre 1956, Brigitte Bardot passe à l'émission de télévision « Cinépanorama » pour un portrait dans lequel elle a promis de dire « la vérité, la vérité tout nue ». Si l'on attend beaucoup de l'apparition de Brigitte à la télévision, c'est que depuis quelque temps, elle se cache. Elle préserve sa vie privée. Entre deux films, elle souhaite des tête-à-tête loin de la foule déchaînée. Elle n'est plus à tu et à toi avec les journalistes et ne répond plus au téléphone. Elle se paie ce luxe qui est le signe de la star : disparaître...

Brigitte cède aux avances de la télévision, parce que celle-ci s'annonce comme la force de communication de l'avenir. Certes, la France n'en est pas au stade de l'Amérique qui voit fermer salle après salle depuis trois ans sous l'impact du petit écran rival. Seulement 10 % des foyers français possèdent des récepteurs. Mais Brigitte, avec son sens de la publicité, comprend que face à la presse écrite qui la dévore et la manipule, elle doit s'affirmer. Elle se sent forte quand elle est une image, une image qui bouge...

La procédure de divorce a lieu dans des conditions amicales — chose particulièrement rare étant donné les lois de l'époque. Cependant, lors de l'entrevue de conciliation, un incident est provoqué, non pas par une dispute entre les époux, mais par les journalistes. Vadim et Brigitte arrivent et repartent ensemble du Palais de Justice, et on peut constater qu'ils se parlent avec une gaieté... peut-être affectée. Toujours cette pudeur des sentiments qui rend Brigitte plus légère d'apparence qu'elle ne l'est vraiment. Elle porte, d'ailleurs, des lunettes noires... Et bien entendu, les photographes sont là. Partout où elle va, elle est désormais suivie ou précédée par cette horde de paparazzi qui l'amusait lorsque, starlette à Rome, elle se promenait Via Veneto. Les gardes du Palais de Justice n'apprécient pas ce désordre. Ils vont jusqu'à empoigner trois journalistes qu'ils emmènent au parquet. Les reporters trop zélés sont finalement relâchés après deux heures de garde à vue...

Oui, les journalistes, qui, au début de son mariage avec Vadim, lui apparaissaient comme des copains, font maintenant pour elle partie de ce qu'elle appelle les « tue l'amour ». L'expression « tue l'amour » participe du vocabulaire de BB : car elle ne lance pas seulement une mode, mais aussi une façon de parler. Les « tue l'amour », c'est tout ce qui gâche la vie à deux, ces petits détails — ou les gros — qui rendent la vie « ignoble ». Or le temps est compté pour Brigitte, qui estime que, après trente ans, les hommes sont « bons pour les chrysanthèmes ».

Il y a quelques mois, on lui reprochait d'être trop complaisante à l'égard de la publicité. Maintenant, c'est le contraire...

En décembre 1956, le journal *Elle* — qui l'avait toujours soutenue — lui fait quelques reproches sous la plume de Claude Brûlé. Tout d'abord, le journal énumère ses « titres » : BB est pour les Anglais « le plus grand choc européen depuis 1789 » ; pour les Autrichiens « la Vénus d'aujourd'hui » ; pour les Italiens « la Lollobrigida de demain » (*sic*), pour les Néo-Zélandais « Miss beauté gauloise », et enfin, pour les Américains « le plus impertinent concentré de sex-appeal réussi jusqu'à présent ».

Brigitte a maintenant retourné la formule célèbre. Pour

elle, désormais, « tout ce qui est cher est rare ». Elle est aujourd'hui très chère, et elle se fait rare... Comment ose-t-elle ? Le magazine *Elle* l'accuse de « devenir la Marie-Chantal du cinéma : mal-élevée, sotte, odieuse ». C'est, paraît-il, l'avis de ses copains. Chouettes copains... Mais il y a pire : « Les ennemis de Brigitte, eux, inventent le CDCF : Comité de débardotisation du cinéma français. Ils se font une joie de recenser toutes les erreurs commises par la jeune star, et de rappeler que le génie excuse tout, à condition qu'on en ait. »

Dans la liste des crimes commis par Brigitte, on relève le premier de ces « caprices de star » dont on l'accusera de plus en plus souvent.

« J'ai été insupportable, pardon, je vais changer », s'intitule le portrait de *Elle*. Brigitte s'excuse dans ses interviews. S'excuse-t-elle du personnage de BB, celui dont elle parle à la troisième personne ? Ces excuses sont-elles l'expression de cette honte dont elle parle à plusieurs reprises, une honte qui serait le masque d'une pudeur ignorée ? Ou bien sont-elles forcées, demandées, ou même peut-être fantasmées par une presse qui n'est que le reflet du public ? Brigitte doit se faire pardonner le tabou transgressé par sa façon de jouer, de présenter son corps à l'écran. Abolissant une distance entre elle-même et le spectateur, elle lui dit que le plaisir est possible et qu'il n'y a ni honte, ni péché, ni punition, car le plaisir est beau. « Repens-toi », dit l'Église à sa fille péche-resse, et une bonne partie de la France avec elle ; et Brigitte se repent, ou fait semblant de se repentir, avec sincérité, ou pour ménager les gens. Mais elle recommence son manège aussitôt après...

Ses fuites lui sont aussi reprochées que sa présence. On l'accuse de s'être décommandée vingt minutes avant le début du gala du film *En effeuillant la marguerite*. Alors que le directeur de la salle lui avait fait parvenir en exprès et par avion un gros bouquet de fleurs de Nice. Ingratitude ! Mais elle est capable de pire encore : avoir la vedette, sans être là. Avec le Festival de Cannes de mai 1957, souhaite-t-elle pren-dre sa revanche sur une première apparition couronnée de succès, mais où elle dut souffrir des heures passées sur la plage, en bikini, à attendre le bon vouloir des photographes ? Cette fois, ce sont les autres qui l'attendent. Jules Romains

172

préside le jury. On peut rencontrer, au hasard du Festival, Abel Gance, Charles Boyer, Françoise Arnoul, Nadia Grey et Dany Robin que Brigitte a dit avoir copiée lorsqu'elle débutait, il n'y a pas si longtemps.

Pourtant, Brigitte ne vient pas à Cannes. Elle reste à Nice dans l'ombre des studios de la Victorine, prétextant trop de travail, l'épuisement... Et ce sont les journalistes qui viennent à elle. Des hordes de photographes désertent le Festival pour aller flasher BB, qui leur distribue avec le sourire des cendriers en céramique à son effigie.

Elle dira[1] : « Je tournais à Nice durant le Festival. Mon producteur voulait que j'aille sur la Croisette. J'ai refusé et il m'a dit : "Si tu ne veux pas aller à Cannes, Cannes viendra à toi", et effectivement, il a affrété un car de journalistes ».

« BB boude le Festival », titre la presse. Cette fois, on sait à qui s'adresse la fameuse moue : à tous ces gens qui l'embêtent, qui l'ont froissée, qui n'ont pas compris tout de suite...

Le Figaro s'indigne : « Galérienne du cinéma, la poursuite de votre grande œuvre ne vous laisse pas trois heures pour une apparition sur les marches illuminées du palais que vous n'avez pourtant pas toujours boudé, au temps où les photographes vous aidaient à devenir la grande comédienne d'une génération évidemment peu exigeante. Oui, merci ! C'est bien la première année où il est enfin possible de photographier les palmiers domestiques devant le Carlton sans qu'inexplicablement, au développement, votre gentil sourire, BB, n'apparaisse sur la pellicule. Il ne faut pas laisser dire dans le public, comme en ce moment, que vous n'en avez plus besoin... »

Finalement, on lui demande de s'excuser de sa réussite. Une réussite à l'américaine, démesurée, comme on ne les a jamais aimées en France...

Tous les journalistes n'emploient pas à son égard ce ton protecteur et un peu dépité. En ce même mois de 1957, paraît aux *Cahiers du Cinéma* un entretien réalisé par Claude de Givray et intitulé *Nouveau traité du Bardot*. Brigitte y est interrogée de A à Z. L'introduction reprend une phrase de Truffaut, dans les *Cahiers*, citant Auriol : « Le cinéma est l'art de faire faire de jolies choses à des jolies femmes. » Il y a

1. A Gilles Jacob.

là une défense de Vadim à qui on a reproché, précisément, de n'avoir pensé qu'à filmer sa femme... L'interview dans son ensemble est une apologie de Vadim, un témoignage émouvant de la reconnaissance de Brigitte à son égard. Parlant « Bardot », Brigitte résume l'expérience de *Et Dieu créa la femme* en s'écriant — à propos du fameux lapin Socrate : « Oh, c'était chou. Tout le film est un merveilleux souvenir. »

Elle regrette, par ailleurs, les coupes opérées par la censure dont elle pense qu'elles ont cassé le rythme du film : « Il y avait, par exemple, une longue scène sur une plage où Christian Marquand faisait glisser ma robe en me caressant. Il n'en reste presque plus rien et je le regrette. Ce n'était pas sale, puisque c'était beau. »

« Ce n'était pas sale, puisque c'était beau » : voilà le résumé de sa philosophie, la justification de sa carrière. Ce qu'elle aime dans le cinéma ? Vadim, « le metteur en scène que je préfère ». James Dean, bien sûr, dans *A l'Est d'Eden*. Mais elle ne supporte pas qu'il vieillisse dans *Géant*. Dans la réalité, il n'a pas attendu d'être « bon pour les chrysanthèmes... » Marilyn Monroe : « Elle est partie de rien et, grâce à ses efforts, elle est arrivée tout en haut. » Et ne pas être tenue par l'heure. « En Italie, c'était marrant, c'était encore plus pagaille qu'ici. On pouvait arriver au studio à n'importe quelle heure et tourner tard dans la nuit. » Tandis que les Anglais lui faisaient la tête quand elle arrivait en retard...

« Le septième art a les stars qu'il mérite ; ses adeptes se doivent de faire la part aussi belle à l'intelligentsia qu'aux ragazze. » Brigitte est une ragazza ; mais elle a les honneurs d'une interview dans les *Cahiers*, la revue du cinéma qui monte ; l'intelligentsia la reconnaît.

Sophistiquée

La mariée est trop belle a déçu la critique, et Brigitte aussi. Le film lui a paru faible, et elle a trouvé le rôle de Chouchou « cucu la praline » (encore un bardotisme).

Celle que les *Cahiers du Cinéma* appellent « une des chances du cinéma français » tourne maintenant *Une Parisienne*, film où elle retrouve Michel Boisrond. Le metteur en scène lui est reconnaissant d'avoir été une des clés de la réussite de *Cette Sacrée Gamine*, son premier film, qui battit les records de recettes grâce à Brigitte. Dans *Une Parisienne*, il lui a taillé un rôle sur mesure, correspondant à ses désirs. « Ça m'amuse bien de tourner *Une Parisienne* maintenant, déclare-t-elle. Ça me change du petit animal que j'interprète toujours. Là, j'ai des robes du soir et je suis une femme mariée. C'est drôlement chouette. » Effectivement, la garde-robe de Brigitte dans ce film est époustouflante. Elle réussit l'exploit de paraître plus déshabillée que jamais alors qu'elle n'a jamais été aussi « habillée ». On croirait qu'on a moulé directement sur son corps, les robes du soir, très « jolie madame » — selon l'expression fétiche de Balmain. « Michel est un merveilleux metteur en scène. Il est jeune, il sait traduire parfaitement le comportement et les sentiments de la jeune génération », dit encore Brigitte.

Cette fois, Vadim n'est plus de la partie. Mais le scénario est signé Annette Wademant et Jean Aurel, deux scénaristes brillants. Boisrond n'est plus un débutant ; son sens de la comédie s'est affiné, s'est poli. Brigitte, elle aussi, a progressé, dit le metteur en scène : « Dans mon premier film, c'était encore une très petite fille ; le personnage sensuel a commencé avec *Et Dieu créa la femme*, qui a été une explosion. C'est ce qui a changé totalement les choses... Après, on a tourné de gros films : *Une Parisienne*, *Voulez-vous danser*, étaient des grosses opérations, très coûteuses, très lourdes, avec de grands acteurs. » On a rapporté qu'il y avait des drames avec Brigitte... « Avec moi, il n'y eut absolument aucun drame ! Elle avait des problèmes de cheveux qui se remarquent dans ses films ; elle est toujours coiffée... On dirait un artichaut ! Elle n'arrêtait pas, avec la coiffeuse, de se faire des mèches. Elle avait certaines préoccupations, agaçantes. On la voyait apparaître avec une glace et un peigne, mais ça n'allait pas beaucoup plus loin.

« Pour *Une Parisienne*, au moment du Festival de Cannes, il y eut un énorme cocktail. Elle tournait avec Vadim à ce moment-là. Elle est venue avec des nuées de journalistes, et puis elle s'est enfermée dans sa loge. Finalement, elle est arrivée, et elle a fait un numéro de star. Elle passait parmi les gens, on a fait des photos, comme ça, pendant trois quarts d'heure... Et puis, tout d'un coup, elle avait disparu, c'était terminé. On commençait à boire et à discuter. Elle s'est conduite d'une façon très maligne. Quand il fallait donner, elle donnait.

« Elle essayait de préserver une vie tranquille, mais dès cette époque, c'était impossible. Elle était assiégée ; les paparazzi exerçaient une surveillance continuelle qui la mettait dans des rages folles. Et puis, toutes ses histoires d'amour étaient montées en épingle dans la presse, déformées... Brigitte, c'était un personnage de pureté. Elle dégageait une sexualité explosive, mais je ne la vois pas comme ça à l'intérieur. Elle était très sentimentale, fleur bleue, elle était attirée par le genre d'homme capable de lui dire : "Ah, que tu es belle..." Devant le baratin d'un homme, Brigitte était d'un romantisme échevelé, elle ouvrait les yeux comme des soucoupes. C'est une fille simple ; et aussi très forte. Elle a toujours aimé organiser sa petite maison, avec des petits rideaux aux fenêtres, des cretonnes, tout ça... Et puis, cette gloire gigantesque lui est tombée sur la tête...

« C'était une star. Il y a des gens qui ont une présence dès qu'ils sont entrés dans une pièce, d'autres qu'on ne remarque pas, même s'ils sont aussi charmants... Ce n'était pas une actrice, c'était une star ; je ne sais pas expliquer ça... »

C'est pour faire ressortir le caractère de star de Brigitte que Boisrond, dans *Une Parisienne*, décide d'exploiter son côté sophistiqué. Pour marquer la coïncidence avec la vraie Brigitte, on donne à son personnage le nom de Brigitte Laurier. Comme dans le titre du premier projet de Vadim, *Les lauriers sont coupés*... Et ces lauriers, cette fois, sont sur la tête de Brigitte... Brigitte Laurier est fille de Premier ministre. Elle aime — trop — la vie et les hommes. Surtout les hommes, quand ils sont jolis garçons. On la découvre en situation compromettante avec le secrétaire de son papa. On organise un mariage express pour sauver les apparences. L'époux forcé ayant tendance à regarder ailleurs, Brigitte se venge en séduisant un prince consort, au grand dam de sa royale épouse. Escapade sur la Côte. Happy end, evidemment : conquis par cette preuve d'infidélité, le secrétaire apprend à bien se tenir.

Encore une fois, Brigitte est « celle par qui le scandale arrive ». Parce qu'une fille a un peu trop de « pep » — enfin, de « pschitt » — une famille bourgeoise est en émoi. La déstabilisation se règle par le mariage. On peut hasarder que cela tient de la vieille recette publicitaire de « l'avant-après ». On marie Brigitte, et ça la calme. C'est encore une des façons de faire admettre sa sexualité : on ne peut pas encore montrer l'extase sexuelle d'une jeune fille sans la sanction des institutions.

Quand Boisrond prépare ce film, Brigitte vient de tourner à Rome les *Week-ends de Néron*. Interrogée sur ses souvenirs italiens par *Ciné-Revue*, elle a exprimé le plaisir qu'elle avait pris à porter des péplums de luxe : « Mes robes, et j'en avais toute une collection, revenaient à 600 000 francs pièce. Elles étaient splendides. Mon contrat prévoyait qu'on ne toucherait pas à ma coiffure et j'ai pu garder ma queue de cheval. »

Boisrond, qui connaît la préoccupation de Brigitte pour ses cheveux, obtient dans *Une Parisienne* de très jolis chignons. Pour aller avec des robes, mais des robes autrement plus modernes que les drapés romains... Le metteur en scène gagne son pari. La France, qui avait boudé la Brigitte « mauvais genre » du film de Vadim, applaudit Bardot, BCBG, mais tout aussi coquine, dans *Une Parisienne*. Dans *le Figaro*, Louis Chauvet remarque que sa diction s'améliore : « Brigitte Bardot : poupée ravissante, dotée des avantages d'une grande personne, bouche boudeuse, beaux yeux, nez mutin. Petit chef-d'œuvre. Et par-dessus le marché, elle parle. Un jour peut-être elle nous offrira l'équivalent de Marilyn, la poupée qui joue. »

Et dans *les Lettres françaises*, Michel Capdenac la compare à un poisson japonais : « Nimbée d'un érotisme légèrement capiteux, faussement espiègle, faussement ingénue, faussement perverse, mais toujours avec une maîtrise parfaite, elle minaude, ondule, roucoule du regard et du cheveu qu'elle porte en cataracte. Elle s'installe dans le mythe de son personnage avec une visible volupté. »

Sans doute, le succès de *Et Dieu créa la femme* à l'étranger compte pour beaucoup dans cette amabilité. Sur les Champs-Élysées, le film n'avait rapporté que 58 900 000 francs de recettes. Mais il en récolte autant à Hong-Kong en un mois qu'à Paris en un an. En Allemagne, le succès est tel que des émeutes éclatent devant les cinémas.

Le film avait coûté cent quarante millions, et Brigitte n'en avait touché que six. Raoul Lévy, sauvé par des recettes américaines dépassant les trois millions de dollars, s'empresse de s'assurer à nouveau la coopération de sa vedette. Il lui fait signer quatre contrats progressifs, sans clause d'exclusivité : elle doit toucher douze millions pour le premier, quinze pour le deuxième, trente pour le troisième, et enfin, quarante-cinq millions pour le dernier. De plus, Brigitte obtient une participation aux recettes de 5 % pour le premier film, *les Bijoutiers du clair de lune*, et de 25 % pour *Babette s'en va-t-en guerre*, qu'elle doit tourner ensuite. Bien conseillée, bien entourée, Brigitte s'en sort beaucoup mieux que Marilyn à qui on la compare de plus en plus et qui eut beaucoup de mal à obtenir la considération des producteurs. Il faut dire que la France est un petit pays et que les stars y sont rares ; elles s'y remarquent davantage qu'aux USA.

Ces chiffres mirifiques sont claironnés dans *Match* par Raymond Cartier, star des journalistes, qui fait à Brigitte l'honneur d'un gros article intitulé : « Brigitte Bardot, phénomène social. » Raymond Cartier participe de bon cœur à la mythification en cours. Il trouve des accents épiques pour raconter les démêlés qui opposèrent Brigitte — sur écran — au clergé américain dans la station de sports d'hiver chic de Lake Placid, dans l'État de New York : « Le vendredi, jour du changement de programme, le directeur du Palace Theatre, James McLaughlin, composa lui-même le titre de son nouveau film : *And God made Woman*, avec le nom de Brigitte Bardot. L'archiprêtre de la paroisse Saint-Agnès, Mgr James T. Lyng, accourut. D'abord, il supplia. « Brigitte Bardot, dit-il, est une actrice dont le nom est associé à tout ce qui défie la décence et la moralité. Je vous en prie, retirez ce film. » McLaughlin objecta qu'il n'avait rien sous la main pour le remplacer. « Je vous donne, reprit le prêtre, 350 dollars de mon argent personnel pour vous indemniser... Je paie un avion pour que vous alliez à New York ou à Buffalo vous chercher un autre film. » Bien qu'il fût Irlandais et catholique, McLaughlin refusa. Sa clientèle avait envie de voir cette fille, « Bardotte », et le film ayant été visé par la censure de l'État de New York, il se sentait couvert.

« Le dimanche suivant, en chaire, McLaughlin jeta l'interdit sur le Palace Theatre. Pendant six mois, quels que fussent les films, les fidèles devaient s'abstenir d'en franchir le seuil et les commerçants de Lake Placid devaient refuser d'en afficher les programmes dans leurs magasins. Brigitte Bardot rétablit l'unité religieuse à Lake Placid. Le révérend Carpenter, de l'Adirondack Church, et le recteur Davies, de la Saint-Eustace Episcopal Church, donnèrent raison à leur confrère catholique. McLaughlin resta inflexible. Il ne remplit pas tout à fait son cinéma, comme il l'espérait, mais fit quand même sa deuxième meilleure recette de l'année. »

Brigitte a maille à partir avec l'Église à Lake Placid, et avec la loi à Philadelphie : « Le Studio et le World, situés l'un et l'autre à quelques pas des autels patriotiques de City Hall, donnaient *And God made Woman*. Six détectives, envoyés par le district attorney Victor H. Blanc, se présentèrent dans les deux cinémas, saisirent les bobines et arrêtèrent les deux directeurs. Le Grand Commonwealth de Pennsylvanie a supprimé la censure cinématographique, après que la Cour Suprême l'eut déclarée inconstitutionnelle, mais il conserve une loi contre les publications et les spectacles obscènes. C'est cette loi que le DA mettait en action contre les appas de Mlle Brigitte Bardot. »

Les USA sont saisis de « Bardotfolie ». On fabrique des objets Bardot, comme pour Marilyn. En attendant le jour prochain où Brigitte acceptera de prêter son nom à un modèle de soutien-gorge (blanc et de coupe fort chaste), un industriel fait fabriquer des oreillers à l'effigie de BB dévoilée. Gros succès. « Le "bombardier" Marilyn Monroe (made in Hollywood), devra-t-il capituler devant la "fusée" Brigitte Bardot (made in Paris) ? » s'interroge *Cinémonde*...

Star érotique

Charles Boyer, le partenaire de Brigitte dans *Une Parisienne*, tente de distinguer la Brigitte de l'écran de la vraie

Brigitte, en affirmant qu'elle ne se promenait pas toute nue, mais se déshabillait avec bonne grâce lorsque le scénario l'exigeait. Il donne sa définition de sa méthode : « Jouer toujours comme si elle avait dix-huit ans, mais avec le plus parfait naturel. »

Tout le monde, cependant, n'est pas capable de faire cette distinction, surtout lorsque l'impact érotique est si grand. *Une Parisienne* est une sorte d'entracte dans la carrière de BB. L'humour du film fait passer l'érotisme. Elle va maintenant tourner *les Bijoutiers du clair de lune*, son prochain film avec Raoul Lévy, et Vadim à la réalisation. Ainsi, le trio gagnant Brigitte-Lévy-Vadim se trouve à nouveau réuni, mais l'ambiance a changé. D'abord, parce que le couple Brigitte-Vadim s'est dissous. Le divorce sera prononcé le 6 décembre, pour incompatibilité d'humeur, et aux torts réciproques. Jusqu'au bout, Brigitte et Vadim continuent à préserver le front uni qui avait impressionné les journalistes lors de la non-conciliation. Brigitte, cette fois, affirme qu'elle a divorcé pour être libre, qu'elle ne se remariera jamais, que Vadim reste son meilleur ami. Elle déclare qu'elle l'aime mieux maintenant que lorsqu'il était son mari. Quelque chose s'est cassé, mais un lien d'une autre forme s'est resserré entre eux.

Ce n'est plus pareil, non plus, entre Brigitte et Raoul Lévy. Lorsque, à sa sortie, *Et Dieu créa la femme* semblait parti pour faire un flop, Lévy s'était détourné de Brigitte. Producteur du second film de Vadim, *Sait-on jamais*, il avait refusé que Brigitte en soit la star. L'échec apparent de *Et Dieu créa la femme* était pour lui une catastrophe financière. Il lui fallait absolument se renflouer au plus vite, et l'actrice choisie fut Françoise Arnoul, alors valeur sûre du box-office français. En fait, Lévy était prêt à brader les droits de *Et Dieu créa la femme* aux Américains pour 200 000 dollars, lorsque le cours des choses changea brusquement avec le succès du film à l'étranger.

Lévy récupéra alors sa star, en payant. Mais ses rapports avec Brigitte sont désormais clairs. Après son abandon temporaire lorsqu'il a cru à l'échec de *Et Dieu créa la femme*, et les contrats financièrement très intéressants pour elle qu'il a dû lui concéder pour se faire pardonner, leurs rapports sont des rapports d'argent, non plus de copains comme auparavant.

Rencontre entre deux futures stars :
Françoise Arnould et Brigitte en danseuse à 17 ans.

Unique prestation de Brigitte au théâtre : elle joue avec Michel François
L'invitation au château de Jean Anouilh en 1953.

Cannes 1953 :
une ravissante starlette
est la coqueluche des photographe
du Festival : B.B.

A l'occasion du tournage des
Week-ends de Néron,
Brigitte prend un bain de lait d'âne
sous le regard d'Alberto Sordi.

La naissance du mythe : B.B. devient une star mondiale avec
Et Dieu créa la femme, premier film réalisé par Vadim.

Une constante dans la vie de Brigitte : l'amour des animaux.
Ici avec un âne et son chien Guapa pendant le tournage des *Bijoutiers du clair de lune*.

Brigitte, ravissante en dentelles
et voile de mariée, joue avec
son chien entre deux séquences de
Voulez-vous danser avec moi ?

La nouvelle vague et B.B. :
Jean-Luc Godard la met en scène
dans *Le mépris* avec Michel Piccoli.

Avec Dario Moreno dans
Voulez-vous danser avec moi ?,
tous les éléments Bardot réunis :
la danse, la blondeur, la taille fine,
le vichy à carreaux
et les célèbres jambes.

En 1962, Louis Malle tourne *Vie privée,* un film-miroir pour Brigitte
dont la propre vie est bouleversée par le succès et la célébrité.

Brigitte irrésistible en costume militaire rencontre Jacques Charrier dans un film
de Christian Jacque : *Babette s'en va-t-en guerre*.

Brigitte partage la vedette avec Anthony Perkins
pour *Une ravissante idiote*.

Face à face dans *Viva Maria* de Louis Malle :
B.B. et Jeanne Moreau,
deux incarnations de la féminité.

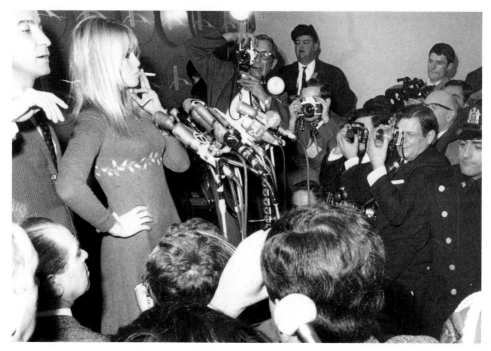

Brigitte devant la presse aux États-Unis triomphe par ses extraordinaires reparties lors du lancement de *Viva Maria*.

B.B. dans le rôle d'une star du muet ; à l'époque de la prohibition pour *Boulevard du Rhum*, avec Lino Ventura.

Vadim et Lévy, pour ce nouveau film, décident d'accentuer l'audace érotique qui a fait le succès de Brigitte à l'étranger. *Les Bijoutiers du clair de lune* est d'inspiration sado-masochiste. Brigitte y incarne Ursula, pure jeune fille tirée de son couvent par un homme qui a tué son oncle et séduit sa tante. Au lieu de le livrer à la justice, elle s'enfuit avec lui. Ils passent une semaine passionnée et brutale dans les montagnes espagnoles. Son personnage poussé à l'extrême, Brigitte apparaît comme une sorte de parodie d'elle-même. Dentelles noires, gestes théâtralement provocants. La magie n'opère plus entre elle et Vadim. Dans *Et Dieu créa la femme* éclatait l'amour du metteur en scène pour son interprète. Brigitte pouvait tout y donner, parce qu'elle était éclairée par cet amour.

Cette fois, c'est fini. La complicité qui persiste entre elle et Vadim est gênée par la présence sur le tournage de la fiancée de Vadim. Annette Stroyberg est une jeune Danoise, venue à Paris comme fille au pair. Elle a été la compagne de Vadim pendant qu'il tournait *Sait-on jamais* à Venise. Lorsqu'il entreprend *les Bijoutiers du clair de lune*, elle est enceinte de lui. Brigitte réagit dignement, joue le jeu de l'amitié. Mais elle souffre sans doute de voir Annette porter l'enfant de l'homme qu'elle a passionnément aimé, elle qui avait rêvé d'un bonheur simple, au bord de la mer, au soleil, avec des enfants. Torremolinos, où se déroule une partie du tournage, est un joli petit village sur la côte Sud de l'Espagne. Comme à Saint-Tropez, ce lieu est encore relativement préservé du tourisme. Mais le soleil n'est pas au rendez-vous. Il fait tempête sur Torremolinos. Le tournage est retardé. Il doit s'arrêter quatorze fois à cause du temps, alors que Brigitte est à bout de nerfs, épuisée par ses difficultés personnelles. Enchaînant film sur film, elle a trop travaillé. Tout cela prend l'allure d'un mauvais rêve.

Le 8 novembre 1957, *Paris-Presse* publie en photo le profil noble de Gustave Rojo, « le Brando espagnol », sanglé dans un uniforme militaire. L'acteur aux yeux de velours tourne à Madrid un film appelé *Guerre à Cuba*, dans lequel il joue le rôle d'un général révolutionnaire. Vadim, Brigitte et lui sont sortis ensemble. Rojo est le premier d'un grand nombre d'hommes qui vont essayer de se faire de la publicité grâce à

BB. Il déclare aux journalistes espagnols qu'il n'y a entre Brigitte et lui que de l'amitié, en insistant lourdement...

Le lendemain, toujours dans *Paris-Presse*, Brigitte traite le martial hidalgo de fou. L'affaire Rojo, apparemment sans importance, envenime les rapports de Brigitte avec la presse. La moindre de ses actions, de ses paroles ou de ses apparitions réelles ou cinématographiques, la simple mention de son nom déclenche, désormais, des réactions imprévisibles, stupéfiantes. Des émeutes, des incidents de rues ont lieu non seulement aux USA mais aussi en Allemagne, au Brésil, en Colombie. En Angleterre, l'importance de son nom est telle que le directeur du Cameo-Royal, cinéma qui ne passe désormais que ses films, se propose de débaptiser sa salle et de l'appeler « Cameo-Bardot ». Leslie Hall, député travailliste, propose de la nommer à la Chambre des Lords, afin de ramener vers la politique une nation qui ne s'intéresse plus qu'aux vedettes...

Brigitte est considérée désormais comme une institution française. Le public lui demande donc de se conduire en institution. Il y a là un paradoxe considérable. C'est impossible pour celle qui ne se laisse guider que par la notion de liberté. Brigitte est un monument, mais un monument malgré elle. Elle est mal à l'aise dans cette dignité, elle ne comprend pas très bien ce qui lui arrive, et elle se débat. Elle panique — qui ne l'aurait fait à sa place — et elle lutte avec les gestes désordonnés, maladroits du nageur qui craint la noyade.

Le temps des copains

Brigitte, qui a toujours voulu vivre pour l'amour, se rend compte que le travail dévore sa vie. Elle met sur le compte du travail ses problèmes de santé. Le tournage des *Bijoutiers du clair de lune* terminé, elle s'arrête enfin. C'est alors qu'elle achète la maison qui rendra Saint-Tropez célèbre dans le monde entier : la Madrague. Une maison retirée, située dans la baie des Canoubiers, un ancien hangar à bateaux qui, avec le temps, deviendra une accueillante résidence pieds-dans-l'eau. Saint-Tropez est pour elle un endroit doublement magique : souvenir de vacances familiales, souvenir du tournage de *Et Dieu créa la femme*. Mais la notoriété acquise par Brigitte grâce à ce film l'empêche de retrouver la vie à la fois paisible et sauvage qu'elle y a connue autrefois. Lorsqu'elle se baigne devant sa plage privée, les photographes sont là, n'hésitant pas à affréter des bateaux pour l'observer. On commence à voir beaucoup de touristes. Même les hauts murs qui entourent la propriété ne parviennent pas à la protéger tout à fait des indiscrets.

Pourtant, bientôt, la Madrague deviendra un refuge auquel elle sera très attachée. Jean-Marie Rivière se souvient d'elle dans les débuts de sa période tropézienne : « Elle faisait vraiment partie de Saint-Tropez. Ses parents y avaient une maison, c'étaient des vieux Tropéziens. Brigitte s'était très bien intégrée à la communauté tropézienne. Elle était adorée de tous, et les gens de Saint-Tropez l'adorent encore. Ce qu'on peut appeler le petit peuple, des braves gens au sens qu'a le mot "brave" dans le Midi. Je me souviens d'elle au *Café des Arts*. Elle avait une sorte d'aura. Et puis un truc formidable, un très grand respect d'elle-même. Un port de tête superbe, une démarche fantastique. Picasso ne l'a jamais peinte, mais dans certaines toiles, des portraits de femmes, je crois qu'il s'est beaucoup inspiré d'elle, de ce qu'elle représentait.

« Quand elle n'était pas en forme, elle ne sortait pas. On la disait capricieuse, mais ce n'est pas ça. Elle avait de temps en temps de petites allergies, des œdèmes avec poussées de boutons, et là elle se cachait comme les animaux qui se cachent quand ils ne sont pas en forme, qui vont dans leur trou.

« Nous, on ne se rendait pas bien compte de ce qui se passait, parce qu'on la connaissait, on n'avait pas la distance... Mais on était éblouis. Elle arrivait toujours à nous surprendre... Elle avait un charme fou, et une gentillesse... On n'a pas idée, aujourd'hui, de ce qu'a pu être Bardot ! On a vu, tout d'un coup, des abrutis qui arrivaient en foule. "Où c'est, Brigitte Bardot ?" A Saint-Tropez, elle était protégée par la population, ce qui lui permettait de sortir, d'avoir une vie à peu près normale, pas une vie de recluse, comme certaines stars qui sont obligées de vivre entre quatre murs. Sauf en saison, où il y avait toujours des gens assez grossiers pour la dévisager, on ne l'observait pas comme une bête curieuse. A cette époque, j'avais le *Café des Arts*. Dans les années soixante, elle dînait souvent dans l'arrière-salle. Si on est venu à Saint-Tropez, ce n'est pas parce que c'était à la mode ; mais c'était un endroit pas cher, et un pays d'originaux, de gens sympathiques. Moi, j'y suis allé en 50, 51. J'y passais l'été, mais une année, j'ai été retenu par un tournage. Mon ami Georges, qui tenait un commerce, m'a dit alors : "Tu n'étais pas là cet été. On s'est emmerdés ; pourquoi n'ouvres-tu pas avec mon neveu un café-restaurant pour les joueurs de boules ?" J'ai ainsi été amené à créer une affaire qui s'est développée après. Puis, le démon du théâtre me reprenant, j'y ai monté un spectacle, un show, une espèce de happening, et Brigitte venait souvent...

« La vie n'était pas facile pour elle. Quand on est un monument national, c'est difficile de rencontrer l'âme sœur. On disait qu'elle était radine, mais ce n'est pas vrai. Elle avait souvent vingt personnes à bouffer, on vivait beaucoup en bande à cette époque-là. C'était normal que chacun apporte son écot, elle n'était pas là pour nous entretenir. Je trouve incroyable qu'on lui adresse ce reproche, parce que, justement, Brigitte n'a pas vécu des hommes. Elle n'a jamais été une femme entretenue. Elle s'est assumée, elle vivait un peu comme un mec, dans le sens où elle prenait elle-même ses responsabilités. C'était quelqu'un de très sincère, de très sincère dans ses amours. Quand c'était fini, c'était fini, elle ne biaisait pas, c'était tranché. Elle ne laissait pas la situation durer... On a trouvé que c'était un excès de franchise, mais elle avait raison... De toute façon, elle avait toujours son groupe d'amis autour d'elle. Une star est toujours dans une grande solitude, mais elle avait ses copains... C'était la période des copains. A l'époque, à Saint-Tropez, il y avait deux endroits : *Tahiti* à un bout, et *Chez Camille* à l'autre bout. Et puis, rien au milieu, sauf le *Club 55* qui s'appelle comme ça parce qu'il a été ouvert en 1955. A partir du 10 juillet jusqu'au 20 août, c'était la saison, on ne se voyait plus entre nous à cause du boulot, sauf le soir pour une partie de boules, et la nuit. Brigitte était une déesse. Ça venait de son intériorité ; elle se mouvait dans le monde très bien. Elle a inventé une coiffure qu'elle était la seule à pouvoir porter, que toutes les filles, ensuite, ont voulu porter, et qui a été le point de départ de la mode des « boudins » : c'était la choucroute décolorée.

« Saint-Tropez a existé avant elle. J'ai retrouvé un dessin du port de Saint-Tropez en 1926, qui montre que, déjà, tous les artistes s'y rendaient. Colette avait fait venir beaucoup de monde : Pagnol, René Clair, Marcel Cachin et Léon Blum y possédaient des villas. Mais enfin, les autres, la plupart des gens étaient toujours à Cannes, à Deauville, à Juan-les-Pins. Saint-Tropez, c'était un esprit de caste et pas de classe. Il y avait des gens qui avaient du fric, qui faisaient vivre ceux qui n'en avaient pas. C'était ça la jeunesse d'après-guerre, une vie en bande, alors que maintenant, les gens vivent repliés sur eux-mêmes. On était au sortir de la guerre, on avait été privés de beaucoup de choses, donc on n'était pas blasés ; on avait des plaisirs simples, l'éducation n'était pas la même, beaucoup plus familiale... On s'amusait comme des enfants, avec des blagues, des conneries. On passait notre temps à inventer des jeux...

« En revanche, l'esprit de caste, on l'avait. Pour entrer dans la bande, il fallait montrer patte blanche, faire ses preuves. On ne copinait pas avec quelqu'un du jour au lendemain. Quand un nouveau se présentait, c'était un peu l'intrus ; on était assez durs. Mais Brigitte, elle, faisait l'unanimité. Quand on la connaissait, on ne pouvait qu'être séduit... Les hommes comme les femmes : elle avait beaucoup de copines, et des filles jolies, d'ailleurs, elle n'avait pas besoin de faire-valoir. Elle aimait s'entourer de gens assez beaux. Et puis, elle était relativement prudente dans ses relations, ce qui fait qu'à la Madrague, il n'y a jamais eu de voyous. Elle avait l'instinct des gens... »

Petit à petit, Brigitte aménage la Madrague, mettant à profit son goût de la décoration. Murs blancs, tommettes provençales, fauteuils de rotin, bougies et coussins partout : c'est une maison faite pour le farniente, où il fait bon vivre dans un perpétuel été. Les eucalyptus et les lauriers-roses poussent dans le parc, où elle aménagera une maison pour ses invités, les fameux copains qui assureront une perpétuelle ambiance de fête : la maison sera longtemps occupée par Jicky Dussart, le photographe préféré de Brigitte, qu'elle considère comme son frère.

« La vie à la Madrague était très simple et bon enfant, dit Anne Dussart, journaliste et femme de Jicky. Brigitte aime bien faire la fête avec des amis. Mais les gens étaient tellement curieux de savoir ce qui se passait à la Madrague, il y avait des bruits qui couraient... On disait qu'elle vivait nue. C'est une légende ! C'est quelqu'un de pudique, Brigitte, parfois même un peu collet-monté... Vous savez, pour les bains de soleil à la Madrague, ça ne fait pas si longtemps qu'on enlève le haut... »

A la Madrague, il y aura toujours à l'avenir de la place pour Vadim qui y viendra pour des vacances avec ses compagnes successives. Vadim d'ailleurs est resté attaché à Saint-Tropez. Il y séjourne l'été où Brigitte achète la Madrague. Ce même été, il épouse Annette Stroyberg.

Lorsque Brigitte aura fini les travaux d'agrandissement de sa nouvelle maison, la Madrague pourra accueillir une dizaine d'invités. Brigitte s'est construit un microcosme à l'abri des intrus, où elle peut vivre à sa convenance.

Brigitte a besoin d'être protégée du monde, car le monde et elle sont en train de devenir ennemis. Un procès l'oppose à la société de production Lutetia, avec qui elle avait signé une option. Cette société avait produit *Cette Sacrée Gamine*, et avait proposé ensuite à Brigitte de tourner *la Chatte*, d'après le texte d'Anouilh, aux mêmes conditions. Conditions maintenant inacceptables pour Brigitte Superstar... Elle ne tournera pas *la Chatte* : Anouilh fait partie, désormais, du passé. Parmi les films que Brigitte doit tourner avec Raoul Lévy comme producteur, prend place un projet grandiose, conçu par ce dernier lorsqu'il comprit l'impact américain de Bardot. Il s'agit de réunir, dans un même film, Brigitte et Sinatra. Lévy est persuadé que le mélange sera explosif.

Le film doit s'appeler *Paris by Night*. Sinatra est censé jouer le rôle d'un imprésario alcoolique ; Brigitte sera la femme qui l'aime et qui tente de le sauver de lui-même. Cole Porter doit écrire la musique.

Sinatra est en pleine gloire après un come-back. Dans les années qui précèdent, il a tourné *l'Homme au bras d'or*, et *High Society*. Vadim et Lévy prennent l'avion pour Miami et vont voir le roi Frank, installé à l'hôtel *Fontainebleau*, espèce de pâtisserie monstrueuse en bordure de mer, l'idée même que le vacancier de Floride en bermuda rose et saoulé au daiquiri à la fraise se fait du luxe.

Assorti à la décoration de l'hôtel, Sinatra reçoit les deux Français vêtu d'une salopette en lamé orange. Deux magnifiques rousses sont à ses petits soins.

Contrairement aux apparences, la vie en Floride n'a pas toujours la douceur d'une glace à la pistache. Lors d'une soirée dans la boîte de nuit de l'hôtel, Lévy s'intéresse de trop près à l'épouse d'un boxeur. Adieu Miami, bonjour Paris, et vite !

Une autre rencontre aura lieu à Chicago. Lévy s'accrochera pendant deux ans à son projet, qui ne se réalisera jamais. Un obstacle tient à la personne de Brigitte : elle est tellement célèbre que les stars masculines craignent de tourner avec elle. Son partenaire est censé la dominer, la soumettre. Or, il est extrêmement difficile, pour un homme, de donner simplement l'impression de dominer une personnalité aussi forte. On cherche des stars pour lui faire face, mais lorsqu'elle apparaît sur un écran, on ne voit qu'elle. Les grands acteurs masculins, dans le souci de préserver leur propre image, préfèrent jouer dans des films où l'on ne verra qu'eux...

Ce problème s'est posé lors du tournage des *Bijoutiers du clair de lune*. Brigitte avait pour partenaire masculin Stephen Boyd, jeune espoir du cinéma anglais. Après le tournage, celui-ci raconta à la presse britannique que cette expérience avait été pour lui un cauchemar, et que Brigitte ne s'intéressait qu'à mettre sa poitrine en valeur devant la caméra. Pourtant, quelque temps après, Boyd devait revenir sur ses déclarations, pour affirmer qu'il était un fan de Bardot et qu'il était prêt à tourner avec elle de nouveau, dès le lendemain. Peut-être, entre les deux interviews, avait-il eu le temps de prendre de la distance, et de se remettre d'un sentiment d'inexistence provoqué par la présence très forte de Brigitte pendant le travail...

Cette difficulté professionnelle est d'autant plus pénible qu'elle est l'écho de celle que Brigitte affronte dans sa vie privée. Là aussi, les hommes qu'elle rencontre ont des raisons de prendre peur, de se sentir écrasés par son énorme notoriété.

La France n'est pas l'Amérique ; les stars y sont rares. On cherche à Brigitte des partenaires au-delà des frontières. Elle essuie des refus : tourner en face d'elle maintenant serait « du suicide professionnel », déclare un des comédiens sollicités. Même David Niven, ce monument national anglais, recule devant le monument national français qu'est Brigitte...

Finalement, c'est en France que Lévy trouve un acteur capable de relever le gant : Jean Gabin. Il tournera avec Brigitte dans un film dirigé par Claude Autant-Lara et intitulé *En cas de malheur*.

Cela n'est pas allé sans mal : dans un premier temps, Gabin refuse de jouer avec « cette chose qui se promène toute nue ». Gabin, à cette époque, vieillit bien. Il est en passe d'incarner le personnage du père dans le cinéma français, rôle qui lui permettra de durer, chéri de son public, jusqu'à sa mort. Il n'a pas envie de laisser entamer son image de dignité par cette sirène nouveau style.

Gabin a-t-il compris, en réfléchissant, qu'il ne pourrait au contraire que gagner à être confronté avec la blonde égérie de « l'immoralité sincère » ? En fait, ils forment un très bon couple. Dans le film, Gabin, qui joue le personnage d'un grand avocat menant une vie très bourgeoise, est la moralité ; Brigitte, incarnant la jeunesse à la dérive de l'après-guerre, est l'immoralité ; mais ils ont en commun une même sincérité. La différence d'âge permet à Gabin de dominer Brigitte de son expérience. Les deux monstres sacrés, loin de se nuire, vont se mettre en valeur. Brigitte a toujours aimé se blottir dans les bras des papas de substitut. Gabin aime les jouer.

Le choix d'Autant-Lara comme metteur en scène est également heureux. C'est un des plus grands réalisateurs de sa génération. On ne dira plus, si l'entreprise réussit, que Brigitte ne peut tourner qu'avec Vadim, ou dans des films légers. *Douce, le Bon Dieu sans confession, la Traversée de Paris* : autant de films qui ont consacré Autant-Lara, en tant que porte-parole de la nouvelle génération.

La lutte d'un personnage contre l'hypocrisie ambiante est un des thèmes principaux du metteur en scène. Il doit donc s'entendre avec Brigitte-la-trop-franche, dont la vie est une espèce de combat contre l'hypocrisie qui caractérise la société française de l'époque. Cramponnée à des valeurs auxquelles elle ne croit plus, celle-ci s'apprête à basculer dans l'avenir avec le grand boom économique des années soixante. Mais la mutation d'une société agricole en une société technologique, constructrice d'autoroutes, adoratrice de la bagnole qui donne une illusion d'indépendance, ne se fait pas sans mal.

Brigitte se sent fatiguée, sa vie est compliquée. Le début du tournage est retardé de deux semaines. Dès qu'il commence à tourner avec elle, Gabin change complètement d'avis sur sa partenaire. Il est très sensible à son besoin de protection et d'affection. A son tour, il affirme que, contrairement à ce qu'on raconte, elle est une véritable professionnelle.

Autant-Lara, de son côté, est touché par la vulnérabilité de Brigitte, son humilité devant le travail, ses craintes à propos de ses talents d'actrice. Poussé par les capacités provocatrices de son interprète, il fait une adaptation osée d'un roman de Simenon. La censure coupera une scène dans laquelle Brigitte filmée de dos, s'asseyant sur le coin du bureau luxueux de Gabin qui se tient jambes écartées, mains dans les poches, visage impassible, relève sa jupe et montre ses fesses parfaites. Même coupé, le film n'échappera pas à l'accusation d'être « graveleux »... Brigitte trouve des défenseurs, tels que Truffaut, Doniol-Valcroze, Claude Mauriac. Dans l'ensemble cependant, la critique est hostile. Pas le public, qui fait un triomphe au film. Présenté au festival de Venise en septembre 1958, il est lancé à grand fracas par Raoul Lévy qui n'a pas hésité à dépenser vingt millions de lires pour une réception somptueuse. Dans le ciel, des avions à réaction tracent les initiales de Brigitte...

A la presse italienne au bord du scandale, il a lâché, à propos de BB, cette phrase devenue célèbre : « Elle est une propriété nationale, comme la Régie Renault. »

En cas de malheur restera un des principaux films de Brigitte qui poursuit une carrière en dents de scie, alternant le bon et le mauvais. Dans le film suivant, tourné en 1958, et produit à nouveau par Christine Gouze-Rénal, elle n'aura pas autant de chance. Réalisé par Julien Duvivier, il s'agit d'un remake, adaptation du célèbre roman de Pierre Louÿs, *la Femme et le Pantin.* Pas facile de prendre la succession de Marlène Dietrich dans le rôle de la séductrice fatale, tel que l'a immortalisé Von Sternberg dans un de ses films les plus délirants tourné en 1935. C'était la dernière rencontre de l'Ange bleu et de son Pygmalion. L'amour déçu de Von Sternberg, sa rancœur confinant à la rage, mais aussi sa fascination pour le personnage de Marlène avaient donné un film surprenant, incroyablement luxueux, superbement noir.

C'est un nouveau type de rôle pour Brigitte, dans la ligne de celui qu'elle jouait dans *En cas de malheur.* Elle aborde désormais les personnages de garces, d'ensorceleuses fatales. Finies les sauvageonnes innocentes...

Malheureusement, Duvivier semble dépassé par un sujet très violent, qui met en jeu des courants profonds du comportement humain. Le problème du partenaire de Brigitte s'est à nouveau posé. Fernando Lamas et Tyrone Power, après Sinatra, ont refusé de tourner avec elle. Elle se trouve face à un acteur espagnol, Antonio Vila. Ce beau mâle latin ne réussit guère mieux que Rojo à cette passionnée du flamenco qu'est devenue Brigitte. Au cours du tournage, il la gifle et lui démet la mâchoire. Mais il s'en sort lui-même avec une vertèbre déplacée !

Julien Duvivier aime diriger les enfants terribles, et il a montré, avec cette autre enfant terrible du cinéma français qu'est Danièle Delorme, qu'il sait le faire. Mais, face à Brigitte, il est dans la démesure et cela lui convient mal. Le seul acteur qui s'en tire bien est le corps de BB, plus magnifique que jamais.

Ce film servira, dans l'esprit du public, à ancrer l'image d'une Brigitte volage, qui trompe les hommes, court de l'un à l'autre.

Le star-système règne encore. Bien sûr, depuis la guerre, des changements se sont opérés, on aime que les stars se montrent plus humaines. Doris Day soigne sa popularité en se présentant en tablier dans sa cuisine. Brigitte, elle, se dévergonde et la France du baby-boom la regarde, le scandale aux lèvres et l'envie dans l'œil. Les ligues de vertu se mobilisent. « Faut-il trembler ? » demande la presse. Raymond Cartier s'émeut. Celle qui a rapporté en un an autant d'argent que la vente à l'exportation de 2 500 Dauphine

Renault va trop loin. Le monument national est en passe de devenir scandale national :

« Brigitte Bardot est-elle aussi un scandale national ? Ravale-t-elle la France aux yeux de l'étranger ? Justifie-t-elle les condamnations hautes et sévères qu'elle et ses instigateurs se sont attirés ? Est-elle un défi à la morale, une apologie du vice, un outrage public à la pudeur ? »

N'en jetez plus. On trouve à Brigitte un nouveau rôle : celui de bouc émissaire. Cartier lui-même reconnaît que son succès est pourtant dû au fait qu'elle exprime l'époque. Finalement, c'est toujours sa franchise qui lui est reprochée, son pouvoir révélateur : « Bardot est en accord avec une époque qui rejette les cravates, les gaines et les fards. La publicité lui fait dire qu'elle n'a pas de peigne, les doigts étant le peigne donné par le Bon Dieu. Elle n'a pas de montre, ayant horreur de l'heure ; pas de bijoux, sauf quelque pacotille, et autant dire pas de garde-robe. Elle est, à cet égard, l'inverse des stars classiques et des demi-mondaines qui, au siècle précédent, tenaient le rôle des actrices de cinéma osé dans l'entretien de la sexualité collective de leur époque. Mais dire que cette simplicité soit dépouillée d'artifice est une autre histoire. Dire qu'elle rejoint par un subtil détour une vertu transcendante est une aimable plaisanterie. Brigitte Bardot est immorale de la tête aux pieds, tant par ce qu'elle montre que par ce qu'on lui fait exprimer. Les églises sont dans leur rôle en la condamnant. »

Des pommes, des poires, et des scoubidous

Brigitte joue à l'animal et s'entoure déjà d'animaux : elle a deux chiens, un chat, une colombe, une tortue et un lapin... Elle est en train d'ériger le naturel en comble de la sophistication. Ce « faux naturel » sera bientôt l'idéal des années soixante, la période des utopies du retour à la nature. Les enfants de bourgeois s'installeront dans des bergeries des

191

Cévennes, telle Marie-Antoinette au Petit-Trianon. La concordance des goûts de Brigitte et de ceux d'une époque est évoquée par Fred Salem, qui l'habillait alors dans sa boutique, Marie-Martine. Dans les années cinquante-soixante, Marie-Martine était, avec Virginie, Alphen et Franck et fils, le rendez-vous « mode » des jeunes filles et des jeunes femmes dorées : « J'ai commencé à habiller Brigitte au moment où elle tournait des films produits par Christine Gouze-Rénal, dit M. Salem. Christine Gouze-Rénal avait beaucoup d'influence sur elle, elle la conseillait ; Brigitte avait ses idées sur le vêtement, mais Christine Gouze-Rénal "pensait" un peu sa façon de se présenter au public. Nous faisions des robes de soirée, et pour les occasions habillées, telles que le Festival de Cannes, on lui prêtait des choses. Mais elle n'a jamais aimé être sophistiquée. Je crois même que c'est elle qui a créé cette espèce de je m'en foutisme du vêtement, ce goût des choses tout à fait simples... A l'époque, on faisait des grandes robes larges, des grandes robes toutes simples, légères, dont l'ampleur était soutenue par des jupons selon un style lancé par Dior. Elle en a donné une interprétation à elle avec le vichy, qui était un tissu très simple, très bon marché. Quand elle s'est mariée avec Jacques Charrier, en vichy, c'était très avant-garde et dans les familles bourgeoises, ça avait été un petit scandale. A ce mariage, elle était extraordinaire...

« Il y a eu un vrai tournant dans la mode. Quand on a créé une mode junior, c'était tout à fait à l'opposé de la mode "femme". Puis, les mères ont voulu porter la mode junior, et la mode junior a cessé d'être la mode des jeunes, elle est devenue la mode, tout court.

« Brigitte a annoncé cette révolution de la mode.

« Après, il y a eu la période du pantalon. Le pantalon allait très bien à Brigitte, et il correspondait à son goût. Le pantalon a vraiment été révolutionnaire, parce qu'il a complètement aboli le rythme de la mode qui existait auparavant. A partir du moment où le pantalon est arrivé, il n'y a plus eu ni moments ni saisons... »

Brigitte contribue à démolir la mode-carcan, elle introduit une façon de s'habiller simple, démocratique, qui permet à toutes les femmes, même celles qui ont peu d'argent, d'être attirantes. Ça a été une des grandes raisons de son succès : si tant de filles se sont habillées comme Brigitte, c'est que les dactylos comme les paysannes pouvaient se payer une robe en vichy, des ballerines, un foulard en mousseline pour les cheveux. De même lorsque la robe le cédera au pantalon : Brigitte contribuera à lancer le jeans, le pantalon pour toutes les occasions qui est devenu la façon la moins chère de s'habiller sexy. Elle contribue également à démoder le manteau et ses variantes (manteau sport, manteau de ville, manteau de fourrure, imper, veste...) en portant des impers sur des robes à danser, ou des duffle-coats tout terrain.

Il en est de même pour la coiffure : la fameuse « choucroute » de Brigitte est une coiffure apprêtée, certes, mais qu'une fille peut réaliser elle-même en se passant des services onéreux du coiffeur. Comment s'étonner du succès de cette mode, jolie et marrante, qui abolit les barrières des classes sociales et des générations ? Elle correspond au genre de vie de Brigitte, au style « copains » qui sera par la suite répercuté, justement, par l'émission « Salut les copains » et le journal *Mademoiselle Age Tendre*, qui en est issu, pendant la période yéyé.

Paul Giannoli, un des journalistes qui ont alors le plus suivi Brigitte, se souvient de son style de vie :

« J'étais journaliste à *Paris-Presse*, jeune débutant, et elle tournait, aux studios de la Victorine, *les Bijoutiers du clair de lune*.

« Ce n'était déjà pas facile de la voir à ce moment-là, mais j'étais bien introduit. J'ai assisté à toute une journée de tournage, et le soir Vadim m'a dit : "Viens dîner avec nous". Nous avons été dans un restaurant du vieux Nice, et après, inévitablement, nous sommes allés danser dans une boîte de nuit. Brigitte, à cette époque, dansait toute la journée. C'est quelqu'un que j'ai toujours vu un transistor à la main, dansant d'une pièce à l'autre. Je ne savais pas danser, je ne sais toujours pas, mais il a bien fallu que j'essaie, vu la situation. J'ai dansé avec elle le mambo, le cha cha. Il faut dire qu'elle avait un don pour entraîner les gens...

« Le lendemain, je suis reparti, en lui laissant un cadeau à l'hôtel *Négresco*, une poupée... pas trop bêtasse... Et je l'avais accompagnée d'un petit mot : "Je m'en vais, vous dormez..."

« Deux jours plus tard, à *Paris-Presse*, rue du Croissant, un coup de téléphone. C'était Brigitte : "Bonjour, est-ce que vous m'emmenez déjeuner ?" Comme ça... J'ai dit oui... Elle m'a dit : "Bon, je viens vous chercher, c'est où, votre truc ?" "C'est compliqué, rue Montmartre." "Bon, je trouverai bien." Et, très simplement, on a vu arriver Brigitte, qui à l'époque était déjà une superstar. "Tu viens ?" Tutoiement tout de suite. Elle avait une grosse voiture de production, une Cadillac bleu marine. Nous avons déjeuné à Notre-Dame, à l'auberge du Petit Pont. Après, elle m'a emmené chez elle, au 71, avenue Paul-Doumer. Elle était en train de faire des travaux. "A ton avis, cette chambre, je la fais écossaise ou pas ?" Ensuite, une couturière est venue lui faire essayer des robes, puis elle m'a dit : "Je vais voir ma productrice (qui était Christine Gouze-Rénal). Est-ce que tu m'accompagnes ?" Tout cet après-midi-là, j'ai été son accompagnateur. Je l'ai revue très souvent. Elle était la simplicité, la gaieté perpétuelles. La période où elle a commencé à poser des questions, à douter, est venue plus tard. Après *les Bijoutiers du clair de lune*, elle a tourné *En cas de malheur*, film difficile, dramatique, très dur. Là, elle est sortie de son personnage mer, soleil, simplicité, sexe et santé. Elle était vraiment dans le noir. Je crois que ses premiers retards de tournage se sont manifestés à partir de ce film. C'était pour les mêmes raisons que Marilyn. Elle avait peur d'arriver sur le plateau et de tourner. Ce n'était ni de l'inconséquence ni de la légèreté. Elle reculait toujours le moment d'entrer en scène, parce que même au cinéma, on entre en scène : à partir du moment où le plan est réglé et où le metteur en scène dit « moteur », vous jouez pour les millions de gens qui vont vous regarder...

« Alors, c'était le coup d'œil à la glace, j'ai un petit bouton là, ça ne va pas, j'ai la fièvre, qu'est-ce que j'ai, je me sens mal... D'où cette réputation de capricieuse... C'est terrible de porter un personnge qui repose tant sur la beauté... Je pense qu'elle avait envie qu'on la transforme en brune à lunettes, comme Godard l'a bien compris. Dans les interviews, c'était pareil, elle en avait assez qu'on lui parle tout le temps de sa beauté. Pour ses contrats, avant de savoir si elle serait en haut de l'affiche, elle demandait à son agent, Olga, de discuter sur les conditions : toucherait-elle un pourcentage, et, dans le cas où elle irait à l'hôtel, y aurait-il un défraiement ? Ce sens du concret n'était pas de l'avarice. Elle se protégeait derrière les choses prosaïques, qu'on peut estimer un peu mesquines, pour éviter le reste, qui était tellement énorme... Françoise Giroud a dit : "L'intérêt est le masque que l'on met à sa passion"...

« Sa passion, en fait, c'était Saint-Tropez, où elle pouvait, comme Sagan, d'ailleurs, se promener en liberté. Elle n'était pas faite pour le métier d'acteur. Quand elle se rendait au studio, elle allait vraiment au boulot. Elle disait : "Ah, dire qu'il faut tourner demain ! Ah, encore un plan à faire, et puis une synchro, si seulement quelqu'un pouvait la faire à ma place !" Elle se laissait mener. Les gens lui disaient : "Est-ce que tu veux faire un film ?" "Combien ?... Oui, je fais le film." C'était son côté nonchalant, petite fille... Elle voulait se laisser vivre, elle avait peur d'analyser les choses... Je ne suis pas sûre que, même avec Godard, elle ait eu conscience de ce qu'elle était en train de faire, c'est-à-dire, de tourner avec un grand metteur en scène et de faire un film qui restera... Ce n'était pas un défaut d'intelligence ; quand on relit toutes les interviews qu'elle a données, on s'aperçoit qu'il n'y a pas une bêtise dedans, et ça, c'est rare. Mais elle s'est trouvée prise dans quelque chose, et elle ne pouvait plus s'en sortir.

« Sa mère a eu conscience du danger dans lequel elle était, mais trop tard. Sa mère disait qu'il faudrait qu'elle rencontre quelqu'un qui l'éloigne de ce milieu du cinéma, qu'elle respire, qu'elle arrive à oublier tout ça. Et bien entendu, à ce moment-là, ce n'était déjà plus possible.

« Brigitte a commencé à comprendre quand elle a fait *Vie privée*, film éprouvant, bien entendu, puisque c'était la photographie de sa vie. *Vie privée* a agi comme une psychothérapie, elle s'est dit : "C'est moi, c'est vraiment moi"...

« Jusque-là elle se contentait de vivre... Elle n'a jamais été l'analyste de son phénomène. C'est le contraire de ce qui se passe avec les actrices d'aujourd'hui, qui gambergent tellement sur ce qu'elles font... On n'obtenait pas de Brigitte, pourtant intelligente, qu'elle explique ce qui lui arrivait. Prenez Huppert ou Adjani, lancez-les là-dessus, elles seront intarissables... »

Si Brigitte avait pu analyser ce qui lui arrivait, elle aurait peut-être prévu et, dans une certaine mesure, contrôlé les conséquences de sa vie publique sur sa vie privée. Mais elle en est empêchée, précisément, par le personnage qu'elle joue, celui d'une « ravissante idiote » — pour anticiper sur un de ses films futurs.

Avec le départ en Allemagne de Jean-Louis Trintignant pour le service militaire, une période de la vie amoureuse de Brigitte se clôt. Elle sait qu'elle ne supportera pas une séparation si prolongée.

Brigitte rêve maintenant d'oublier au soleil les tensions du cinéma. Et elle va, justement, rencontrer un homme qui lui paraît incarner ce qu'elle désire : les fêtes, les rires, la guitare et les copains.

Sacha Distel n'est pas homme à ruminer des idées noires et il est libre comme l'air. Fils d'un émigré russe et de la sœur de Ray Ventura, c'est un fils de famille à l'œil malicieux et aux dents blanches, doté d'un solide appétit de femmes et de gloire. Il a beaucoup de points communs avec Brigitte. Comme elle, il a bâillé d'ennui pendant ses études, il a acquis tôt le goût du soleil au cours de vacances familiales à Juan-les-Pins, et le goût du spectacle en assistant aux répétitions de l'orchestre de son oncle. Il a appris à jouer de la guitare avec Henri Salvador, et lorsqu'il rencontre Brigitte, il est à l'orée d'une carrière musicale en tant que guitariste et accompagnateur de Juliette Gréco. Ses origines russes rappellent celles de Vadim. Il aime les femmes belles et décidées, et il a vécu des amours orageuses avec Juliette Gréco et Jeanne Moreau.

La vie pour ce beau jeune homme à ce moment-là, ce sont les soirées au *Tabou* et au *Club Saint-Germain*. Dès qu'il le peut, il file à toute allure, au volant de son Austin-Healey, vers Saint-Tropez, le *Café des Arts* et le restaurant *l'Escale*, au-dessus duquel il a loué un appartement pour ne pas perdre une miette de la fête permanente.

« Sacha pour les dames », comme il se nomme lui-même dans son autobiographie, *les Pendules à l'heure*, a rencontré Brigitte lors de l'enregistrement de la musique composée par Misraki pour *Et Dieu créa la femme*. Sacha, sur ce disque, joue la musique du film alors que Brigitte en raconte le scénario.

« Sacha pour les dames », cet été-là, va rendre visite à Brigitte, installée dans le camp retranché de la Madrague à Saint-Tropez en compagnie de sa cour, qui se compose principalement de Raoul Lévy, Maguy, sa fidèle doublure, Jicky

Dussart le photographe, Alain Carré le secrétaire, le photographe Michel Simon, et occasionnellement, Christine Gouze-Rénal et Olga Horstig.

Sacha n'est pas homme à douter de lui-même et de ses pouvoirs d'attraction, aussi n'hésite-t-il pas, en racontant ses amours avec Brigitte, à affirmer qu'elle se jette à peu près à son cou. Il faut dire, à sa décharge, qu'il conte de la même façon le début de ses autres liaisons célèbres, mais qu'il n'hésite pas non plus à narrer comment — pour des raisons incompréhensibles — ces dames, un beau jour, lui donnent congé avec autant de franchise et de simplicité qu'elles se sont intéressées à lui.

« Flatté, mais quelque peu effrayé par ces débordements de tendresse » (je cite), le beau Sacha ne perd pas non plus de temps pour noter « l'impact de Brigitte sur les foules ». Apparemment, cet aspect-là le flatte et ne l'effraie pas.

Pleins de santé, de gaieté et de jeunesse, dorés par le soleil méditerranéen, Brigitte et Sacha forment un couple séduisant. Avec lui, Brigitte va retrouver cette insouciance qui est une partie importante de son caractère et qu'elle a, par la force des circonstances, un peu perdue.

Pendant deux semaines, la presse les laisse tranquilles. La Madrague, alors, c'est vin, guitare et fantaisie. Sacha, sur son instrument, accompagne Brigitte qui s'essaie à la chanson avec *Sidonie*. Mais la trêve cesse, l'idylle a filtré, et les photographes se ruent à nouveau à l'assaut de la Madrague. Sacha devient, aux yeux de tous, l'accompagnateur de Bardot.

Or, justement, il commence à en avoir assez de n'être que « Sacha pour les dames », de même qu'il en a eu un peu assez de n'être que le neveu de Ventura, le poulain de Salvador. De plus, l'atmosphère change avec le retour à Paris. Sacha s'installe avenue Paul-Doumer tandis que Brigitte est prise par la préparation d'un nouveau film, *Babette s'en va-t-en guerre*. Fini le farniente sous les arbres de la Madrague ; Sacha découvre une autre Brigitte, complètement absorbée par son travail. Il a l'impression d'être désormais « M. Bardot ». Les choses ne s'arrangent pas lorsqu'il accompagne Brigitte au festival de Venise, où il voit les foules italiennes perdre toute mesure lors de l'arrivée de celle qui fut blâmée par le Vatican en tant que Miss Spogliarello, Miss Strip-tease...

Sacha tente de régler le problème en se jetant lui aussi

dans le travail. Il monte un orchestre et commence une carrière de « crooner ». Il se contente, pour l'instant, d'adapter de grands succès guimauve de l'époque tels que *When* et *Come prima*.

Les choses s'annoncent sous un jour prometteur, puisqu'il est invité à participer au « Ed Sullivan Show », célèbre émission de variétés américaine. Cette invitation d'un chanteur européen peut apparaître comme une consécration. Sacha, chanteur débutant, aurait dû se méfier, d'autant que Brigitte, également invitée, a refusé. Mais, toujours plein de confiance en son étoile, il se rend aux USA et se retrouve, comme il dit, « perfidement piégé » lorsque Ed Sullivan le présente en annonçant que c'est l'anniversaire de Brigitte Bardot. L'Amérique est toujours en transes à propos de Brigitte, et Sacha a été invité pour montrer aux téléspectateurs à quoi ressemble un homme qui a eu le bonheur de la conquérir.

Sacha rentre en France assez dépité mais il sait qu'il n'est pas, contrairement à ce que laissent entendre les mauvaises langues et une chanson à la mode, « Just a gigolo ». Il se remet à travailler d'arrache-pied et adapte une chanson de Peggy Lee. C'est l'histoire d'un jeune homme qui, rencontrant une jeune fille dans une surprise-partie, lui demande ce qu'elle fait dans la vie. La jeune fille répond par cette phrase que la postérité a immortalisée : « Je vends des pommes, des poires, et des... scoubidous. »

C'est un triomphe. Des marchands avisés lancent le scoubidou : l'objet le plus inutile mais le plus rigolo de la fin des années cinquante. Jeunes et moins jeunes, les Français se ruent sur les quincailleries et les dévalisent de ces gaines de plastique servant à protéger les fils électriques, indispensables pour fabriquer le scoubidou, version branchée du tricotin de nos grands-mères. On fait des scoubidous de toutes les tailles et de toutes les couleurs. On parvient finalement, en se creusant les méninges, à lui trouver une utilisation : le scoubidou devient porte-clé. On organise des concours de scoubidous : le scoubidou le plus rapide, le scoubidou le plus gros, le scoubidou le plus long. La France entière est possédée par la fièvre du scoubidou. Lancé par le scoubidou, Sacha est désormais sur orbite. Tout seul.

Brigitte s'en va-t-en guerre

Ce qui sépare Sacha de Brigitte, affirme celui-ci dans ses Mémoires, c'est qu'il refuse d'être M. Bardot. La femme qu'il épousera, au contraire, devra être Mme Distel. Lorsqu'il convolera avec Francine Bréaud, championne de ski, celle-ci s'effacera derrière l'image de son mari.

Brigitte rencontrera souvent ce dilemme. Les hommes qui l'aimeront souffriront de se voir confinés au second rôle, alors que dans la société française l'homme s'attend à être le premier dans le couple. C'est encore vrai aujourd'hui mais on imagine l'importance du problème en 1958, lorsque les hommes étaient des hommes et les femmes des femmes, pour parodier le titre du film de Godard... Désormais, Brigitte va hésiter entre des hommes qui auront de la personnalité et du talent, mais qui se sentiront menacés par sa renommée, son talent à elle, et des hommes plus faibles, un peu féminins, qui auront tendance à profiter de sa gloire.

C'est en compagnie de Sacha Distel que Brigitte s'est rendue un soir au cinéma Marignan pour y voir un film à la mode, *les Tricheurs*, histoire de la nouvelle jeunesse, dorée et amorale, cynique et désabusée. Brigitte, qui commence elle aussi à se sentir désabusée, remarque, dans la bande de jeunes acteurs du film, un nouveau venu au cinéma : Jacques Charrier. Grand et très brun, Jacques Charrier a le beau visage tranquille, aux traits classiques, du fils de famille qu'il est. Mais la sensibilité, la vulnérabilité se lisent dans le regard, dans le pli de la bouche. Il joue au même moment au théâtre, dans le *Journal d'Anne Frank* avec Pascale Audret, une jeune actrice très douée et très en vue. La pièce remporte un succès certain.

199

Brigitte est convaincue : le mélange de sensibilité et de virilité de Charrier en font son partenaire idéal pour le nouveau film produit par Raoul Lévy qu'elle va maintenant tourner, *Babette s'en va-t-en guerre.* Ce film introduit un changement dans la carrière de Brigitte : jouant le rôle d'une femme soldat, elle y sera couverte des pieds à la tête — et même aux cheveux, car elle y portera le casque avec le même charme que les bibis de Barthet. Avec ce film, Brigitte tente de sortir d'une escalade érotique qui lui nuit finalement, comme on l'a constaté avec *la Femme et le Pantin.* Il s'agit de renouer avec le côté « gentille fille » qui la faisait chérir du public et d'échapper aux rôles de garce qui la font attaquer de toutes parts. L'Eglise mormone de France l'a déclarée damnée pour l'éternité. Sa popularité est toujours aussi grande aux USA où ses vieux films repassent pour satisfaire l'appétit d'un public bardolâtre. Six de ses films se donnent à travers les USA au printemps-été 1958, et la Légion de la Décence catholique la condamne à son tour. A propos de *Cette Sacrée Gamine*, le magazine *Time* écrit, le 12 mai 1958 :

« Le sixième film de Brigitte Bardot aux USA contient assez d'images provocantes pour donner la Brigitte aux teenagers et accélérer le Bardotage de leurs grands-pères. » Le 23 juin, *Life* interviewe des spectateurs à la sortie de *Et Dieu créa la femme* au cinéma Paris Theater de New York. Un voyageur de commerce affirme : « Elle est mieux que les actrices de Hollywood. Il n'y a aucune comparaison... C'est la deuxième fois que j'y retourne. » Un ouvrier dit : « J'aime le rythme de son corps ». Un publicitaire se souvient : « Elle est le summum de ce que tout GI qui était en France durant la guerre s'imagine que sa petite amie française était, dix ans après. » Quant aux femmes, une ménagère déclare : « Elle est superbement faite, mais son visage n'est pas beau, et ses cheveux sont dégoûtants », alors qu'une autre, plus magnanime, la trouve « adorable ». « On a l'impression qu'elle ne pourrait rien faire de mal de toute sa vie. »

Le 18 août 1958, *Life* récidive avec un dossier Bardot intitulé : « Le Boom Bardot gonfle aux USA ». « Aucune Française n'a allumé de tels feux en Amérique depuis la statue de la Liberté, et Brigitte ne se contente pas de rester plantée là comme une statue. » Ainsi commence l'article...

Les Bijoutiers du clair de lune atteignent les USA en automne. Le 3 novembre, *Newsweek* ouvre le feu : « Dans ce vingtième film de Brigitte Bardot, l'accent est mis — surprise ! surprise ! — sur le sexe. Les parties de galipette rappellent la question vacharde qui fut un jour posée à propos du talent de Lana Turner : "Enlevez son sweater, et qu'est-ce qui reste ?" *Les Bijoutiers du clair de lune*, c'est Bardot avec et sans son petit cachemire, avec et sans, avec et sans... »

Time, le 17 novembre, est plus amer :

« "Est-ce que c'est amusant de faire l'amour ?" demande la maligne petite coquine tout en donnant des coups de hanche à la caméra, et en "faisant la lippe" (comme disent les Français). Puisque c'est Brigitte Bardot qui joue le personnage, elle n'a évidemment aucun mal à obtenir toutes sortes de réponses à sa question. »

Oui, les choses sont allées aussi loin qu'elles peuvent aller pour l'instant, ici et au-delà des mers.

« Le plus beau nu du monde », la fille au « bikini qui fait songer à un morceau de papier collant« , toujours selon les Américains, doit se refaire une image plus respectable. A Dallas, en avril, la projection de *Et Dieu créa la femme* est interdite dans les cinémas pour gens de couleur, sous prétexte, selon la police du Texas, que le film est « trop excitant pour les Noirs ». Les mères américaines se liguent pour boycotter ses photos, « nuisibles à la santé de leurs fils ». Le 1er novembre, les étudiants de Princeton l'ont sacrée « docteur en philosophie et maître en éducation physique », et en décembre, elle apparaît seule vedette non américaine sur la liste des dix plus populaires. Mais la coupe risque de déborder... Ses photos sont censurées en Yougoslavie, car elle « trouble la jeunesse yougoslave ». En Belgique, elle est la vedette la plus célèbre. A Venise, elle a failli être enlevée par une bande de jeunes bourgeois italiens qui croisaient au large du Lido, munis d'appareils de plongée. En URSS, on saisit ses photos à la douane mais certaines passent quand même et se vendent un bon prix au marché noir.

Bref, on est en pleine folie Bardot.

En France même, l'annonce par la presse d'un nouvel accès de dépression de la star au cours du tournage de *En cas de malheur* ne calme pas les journaux, dont le ton est de plus en plus virulent.

« Accusée Bardot, levez-vous », titre *Jours de France* pour la sortie de *En cas de malheur*.

« Ses fabuleux cachets sont devenus le salaire de la luxure. Hier encore, son nom faisait hausser les épaules en souriant, et ceux qui s'indignaient passaient pour des pudibonds.

« Mais aujourd'hui, tout est changé : un grand procès vient de s'ouvrir, un procès de sorcellerie... C'est celui de la Française la plus célèbre du monde : c'est celui de Brigitte Bardot.

« Voici déjà plusieurs mois que d'innombrables femmes dressaient, au plus profond de leur cœur, le bûcher de cette nymphe de vingt-quatre ans... »

Brigitte sorcière, il ne manquait plus que cela... Heureusement que pendant ce temps-là, à Piccadilly Circus, on dévoile sa statue en matière plastique et que mille sosies sont présents lors d'une fête organisée par Europe 1 pour la Sainte Brigitte...

Brigitte fait même un procès à Bruno Coquatrix et à Yvan Audouard, auteurs d'une revue intitulée *Ça va Bardot !* qu'ils se voient contraints de rebaptiser *Ta bouche, bébé !*

Trop, c'est trop : Brigitte n'en peut plus, Brigitte se révolte. Cette révolte, elle l'annonce d'abord lors d'un passage à la célèbre émission « Cinq Colonnes à la Une », devant quatre millions de téléspectateurs. Et elle déclare à *France-Dimanche* :

« Je ne veux plus me déshabiller pour un oui ou pour un non devant les caméras, simplement parce que mon metteur en scène fait un caprice, parce que mon producteur pense que cela excitera le spectateur. Trop de gens croient que je ne suis bonne qu'à ça ! »

Le 6 mars 1959, elle classe pour *Paris-Presse* son caractère en deux chapitres : ce qu'elle est (« rêveuse, heureuse, amoureuse, courageuse, chaleureuse ») et ce qu'elle voudrait être (« rêveuse, heureuse, courageuse, chaleureuse, amoureuse »), ce qui nous apprend qu'elle estime coïncider avec elle-même...

Si Brigitte veut retrouver son image de fille « gentille », il ne s'agit plus de la fille trop gentille qui s'est un peu laissé mener par le temps et les événements. La nouvelle BB n'a pas froid aux yeux. Elle n'hésite pas à affronter le public et les hommes.

Brigitte déclare qu'elle est « écœurée du sexe » et de ce que l'on a fait d'elle. Elle affirme vouloir élargir son public aux moins de seize ans. Pour qu'elle ne se ressente plus comme une marginale, rejetée par la société des braves gens, le projet de départ de *Babette s'en va-t-en guerre* est modifié. A l'origine, elle devait jouer le rôle d'une prostituée. Finalement, elle sera une domestique, employée dans une maison close. Dès qu'elle refuse les rôles de garce, on la fait retomber dans les pauvres filles soumises — le cinéma connaît peu de nuances quand il a affaire à un sex-symbole ! Mais Babette se transforme en cours d'action : elle se retrouve évacuée de Dunkerque à Londres, travaillant pour la France libre. On lui demande de kidnapper un général allemand, car elle est le sosie d'une ex-maîtresse de celui-ci. Parachutée en France, elle tient tête au chef de la Gestapo. La petite servante de « maison » aura, finalement, les honneurs militaires.

« D'autres metteurs en scène vous ont montré la Bardot effeuilleuse, je vais vous montrer la Bardot comédienne », affirme Christian-Jaque, prenant ainsi la succession d'Autant-Lara. Brigitte continue à provoquer chez les hommes des réactions de Pygmalion. Alors qu'elle a déjà amplement démontré ses dons de comédienne, cette preuve est perpétuellement à refaire. Les gens ont du mal à admettre qu'elle puisse être à la fois effeuilleuse et actrice.

D'autres motifs sans doute poussent Christian-Jaque à vouloir travailler avec Brigitte : mari de Martine Carol, il a fait de celle-ci, pour un temps, la reine de l'effeuillage dans le cœur des Français en la dirigeant dans six films déshabillés. Martine, comme maintenant Brigitte, finit par être elle aussi écœurée du sexe, ou plutôt de la comédie du sexe qu'on lui faisait jouer, et d'avoir à soutenir l'image d'elle qui en résulte dans l'esprit du public. Mais il est trop tard pour s'échapper du miroir-prison.

Christian-Jaque veut-il réparer après coup ses « torts » vis-à-vis de Martine, en offrant à Brigitte une chance de se « racheter » dans un film où elle est très habillée et très honorable ? Brigitte apparaît là en perruque brune, prouvant que sans ses accessoires, Bardot est toujours Bardot.

Avant de commencer le tournage, restait à régler un problème désormais épineux : qui serait le partenaire de Brigitte ? Sacha Distel a, semble-t-il, refusé (« Je suis peut-être le seul homme en France à pouvoir décliner une telle offre, » déclare-t-il toujours modeste). Mais Brigitte tient en Jacques Charrier son partenaire idéal. Jacques Charrier vient d'une famille de militaires : son père, ses trois frères sont dans la carrière. Originaire de Metz, il a appris la céramique aux Beaux-Arts. Il est venu à la comédie par le biais du métier de décorateur de théâtre. Pour lui, le problème de la compétition ne se pose pas. Il n'a pas le genre « latin lover » et ne mesure pas sa réussite d'homme à l'aune de sa supériorité sur les femmes.

« Il y a des choses qu'on ne fait pas dans un parachute », déclare fermement Brigitte en se rendant à Abingdon, dans le Berkshire, un poste de la RAF. Deux cents aviateurs anglais ont sans hésiter sacrifié une permission pour avoir l'honneur insigne de participer comme figurants à des scènes qui doivent être tournées sur le terrain...

La suite du film se fera aux studios de Pinewood, lieu du premier triomphe de BB, qu'elle retrouve avec plaisir. On la photographie en uniforme, portée sur les épaules de braves soldats casqués, souriant de toutes leurs dents. Le reste du tournage a lieu à Paris, aux studios Saint-Maurice. Brigitte est de plus en plus secrète, de plus en plus distante avec la presse.

Yves Barsacq, un des grands petits rôles du cinéma français, se souvient de la Brigitte « inaccessible » qu'elle est alors :

« J'ai, comme on dit vulgairement, servi la soupe à des tas de gens, que ce soit Audrey Hepburn, Rex Harrison, Tati, de Funès... Mais Bardot... Comme j'avais un tout petit rôle de patron d'hôtel — le metteur en scène voulait un type un peu faux-derche — je l'ai vue trois fois cinq minutes. Elle arrivait au moment du "clap prêt", les lumières étant réglées sur sa doublure... Nous ne jouions pas *le Cid*, alors, évidemment, elle n'avait pas besoin de répéter tellement longtemps. Elle était escortée de sa maquilleuse, de son habilleuse, de sa coiffeuse, c'était vraiment la reine qui entrait, entourée de sa cour... On lui disait : "Voilà, tu te mets là, tes places sont là." On répétait une fois et on tournait. Une fois, deux fois, et après elle repartait avec tout son équipage...

« Dans le métier, il y a de très bons comédiens qui ne parviennent jamais à devenir vedettes, et puis il y a des vedettes qui sont de bons comédiens. Bardot, elle, échappe à toute classification. Je m'en suis rendu compte sur ce tournage. On disait : "Elle parle faux, Bardot." Moi aussi, avant de tourner avec elle, je pensais qu'elle parlait faux. Et puis là, j'ai compris que, en fait, elle parlait dans ses films comme dans la vie... Elle avait une espèce de lumière... Avec elle on ne passait pas des heures à régler les éclairages. Le directeur de la photo, à l'époque, disait : "Bardot, on peut l'éclairer avec une pile Wonder"...

« Il y a des comédiennes, même jeunes, qui sont si embêtantes qu'il faut vraiment un papier kraft avec un petit trou de cigarette dedans, pour que le pinceau lumineux touche leur pupille gauche... Elle, ce n'était pas le cas : n'importe comment, elle passait à l'écran... Ce qu'elle avait aussi d'extraordinaire, c'est que dans n'importe quelle position, elle restait gracieuse... Elle me fait penser à un chat : un chat, ça n'a jamais de positions minables. Avec Bardot, aucun geste n'était faux. Entre des gens comme ça et moi, il n'y avait pas de contact, mais pas de mépris non plus. Elle, on sentait que c'était une fille qui devait avoir la trouille d'être pressurée, d'être parasitée. Une fois, il y a eu un scandale, au bar de Billancourt... Elle disait qu'elle en avait marre, parce que tous les gens venaient boire sur son compte. Elle criait : "Bon, maintenant c'est terminé, les gens qui sont avec moi boivent quand je suis là, mais vous arrêtez tout ça !" Alors, après, on disait qu'elle était radine. Ce n'était pas vrai... Mais il y a beaucoup de gens qui ne peuvent pas s'empêcher de parasiter les vedettes.

« On racontait qu'elle aurait dû tourner autre chose, jouer d'autres rôles... Seulement, vous savez, les gens, ce qu'ils voulaient, c'était du Bardot... Il fallait leur filer du Bardot... »

Mais pendant le tournage de *Babette s'en va-t-en guerre*, Bardot, elle, commence à être un peu lasse d'incarner Bardot. Elle émerge de sa retraite pour déclarer au journaliste anglais John Crueseman qu'elle n'aime pas vraiment le métier qu'elle fait. Cela lui semble anormal, car elle pense qu'on doit aimer son travail. Elle ajoute que si elle devait arrêter le lendemain, cela lui serait égal. Et aussi, qu'elle a dû apprendre à se moquer de l'opinion publique. Parce que, si elle ne disait pas zut à tout le monde, sa vie deviendrait une torture.

« Quand on se trouve dans cette étrange position de demi-déesse, qui de toute façon est tellement artificielle, la publicité se venge sur vous. Les gens vous reprochent toujours quelque chose. Si vous ripostez, vous êtes difficile à vivre. Si vous donnez de mauvaises réponses — et il n'est pas toujours facile d'en trouver de bonnes — les mots sonnent affreux.

« Le cinéma est un monde absurde. Mais je suis décidée à vivre ma vie telle que je suis, non telle que d'autres veulent me faire être. Quand je travaille, ça va. Mais quand je réfléchis à tout ça, je suis horrifiée par cette image extraordinaire qui a été créée autour de moi. Je ne suis pas superficielle, et je ne suis pas ingrate. Je sais très bien ce qui se passe. Je veux garder mon équilibre, sans que ma vie devienne tordue. Ce n'est pas facile. Car la vie de Brigitte Bardot, star de cinéma, et la vie de Brigitte Bardot, Parisienne comme des millions d'autres sont incompatibles. Mais il faut bien que je me débrouille avec mes deux moi du mieux que je peux. »

Brigitte reste dans la même contradiction : affirmant qu'elle se trouve ordinaire et qu'elle est « star malgré elle », elle déclare avoir pour but « de se perfectionner, elle-même jouant elle-même ». La génération du moi est annoncée dans ces paroles.

En jouant *Babette s'en va-t-en guerre*, Brigitte montre une autre facette d'elle-même. La critique reconnaît ses talents de comédienne. On la compare de nouveau à Danielle Darrieux. Quant au public, il adore cette Brigitte-là. Le titre du film est sur toutes les lèvres. Pourtant, elle n'a pas tout à fait gagné son pari : en Angleterre, le film reste interdit aux moins de treize ans...

Bébé aime Charrier

Ce slogan pour l'eau minérale Charrier se rencontrera sur le bord des routes de vacances après le deuxième mariage de Brigitte. La firme Perrier, qui possède l'eau Charrier, ne se privera pas d'exploiter, avec l'image d'un bébé souriant en combinaison blanche et bleue, l'heureux événement qui suivra bientôt un mariage très médiatique. Les choses se décident pendant le tournage de *Babette*. Comme pour *Et Dieu créa la femme*, Brigitte est enchantée de son partenaire au point de souhaiter prolonger le rapport jusque dans la vie réelle. Dans un premier temps, son secrétaire, Alain Carré, annonce à la presse que « Mlle Bardot a cessé toute relation avec M. Sacha Distel ». Puis Carré raconte que dès son retour du tournage des scènes d'extérieurs à Abingdon, Brigitte lui a téléphoné, au milieu de la nuit, pour lui confier que Charrier et elle avaient mis un bébé en route.

Brigitte croit à nouveau à l'amour, à l'amour sincère, à l'amour toujours. Ce Jacques, proclame-t-elle, a volé son cœur, il a changé sa vie, elle ne connaîtra pas d'autre homme.

Dans son appartement de l'avenue Paul-Doumer, où elle reçoit, à la fin du mois de mai 1959, un journaliste de *TV Ciné Actualités*, Brigitte dit de Sacha Distel : « Je l'aimais beaucoup trop pour l'aimer vraiment beaucoup ». Jolie définition de la passion. Et elle ajoute : « Nous avons vécu un amour de vacances. »

Dans son appartement dépourvu de l'apparat habituel aux stars, elle-même est habillée très simplement, d'un fuseau noir et d'un chandail lilas. Sacha n'a laissé comme trace de son passage que quelques disques de jazz, les siens et ceux de Charlie Parker, « le prince du be-bop ».

« Je suis au tournant de ma vie. Toutes les vedettes, de tout temps, ont eu une confrontation difficile avec leur destin.

« On a exporté une image de moi tout à fait différente de la mienne. En vendant Brigitte Bardot, je me vends », ajoute-t-elle. Et elle donne une définition très romantique de l'amour, qui montre que, fondamentalement, elle n'a pas changé :

« C'est quelque chose qui vous agrandit, qui vous embellit, qui vous donne des nerfs le matin pour sauter du lit, de l'appétit pour manger la nourriture impersonnelle des restaurants de studio, et qui chaque soir vous pose sans détour le problème : Serai-je heureuse demain comme je le suis aujourd'hui ? » Jacques Charrier, qui jusque-là, avait une réputation de jeune Don Juan, semble épris avec une sincérité totale. Brigitte est pour lui « Une fille incroyablement sympathique et généreuse, qui n'a rien d'une star. Altruiste, égale d'humeur, ponctuelle, souriante avec tout le monde, elle a toutes les qualités. Il n'y a jamais de problème avec Brigitte. »

Idéalisation propre aux premiers temps de l'amour. Si Charrier voit la vie en rose, il a peut-être tort. Brigitte de son côté déclare à Raoul Lévy, faisant à son tour le portrait sans retouches de l'homme auquel elle appartient :

« Vois-tu, si le Bon Dieu m'avait donné un frère, eh bien ! c'est Jacques que j'aurais voulu avoir. » Lorsque Brigitte s'était mise à faire de Vadim son frère, c'est qu'elle commençait à s'ennuyer.

Brigitte et Jacques se marient le 18 juin 1959 à la mairie de Louveciennes. Cette fois, Toty et Pilou ont de quoi être satisfaits. Le promis — bien qu'il ait lui aussi rejoint la grande famille des saltimbanques — est « de leur milieu ». La mère de Brigitte a tenté de préserver la dignité de l'événement en racontant aux journalistes que le mariage avait déjà eu lieu, le 5 juin. La cérémonie devait être secrète et, pour dérouter la presse, Jacques et Brigitte partent d'abord de la Madrague dans deux voitures différentes, allongés sur le siège arrière. Ils se rejoignent à Toulon à bord du Train bleu, puis arrivent en voiture à Louveciennes en compagnie de Maguy, la fidèle doublure, de Mijanou, des parents Bardot et du colonel Charrier, un peu après onze heures. Brigitte porte une robe de vichy rose et blanc à corsage de dentelle, Jacques Charrier un complet en prince de galles gris et une cravate rouge. Le groupe s'engouffre rapidement dans la mairie et monte l'escalier qui mène à la salle des mariages, située au premier étage.

Le stratagème employé par Mme Bardot n'a pas marché. La foule est au rendez-vous, piétinant les plates-bandes du parc. Un gardien a beau défendre la porte de la salle des mariages, il est dépassé par la cohue. Deux photographes réussissent à passer. Cela met tous les autres en folie, et c'est la ruée. Sous la poussée, la porte cède. Le maire de Louveciennes, M. Guillaume, tente néanmoins de marier les jeunes gens. Mais les employés de mairie, trop zélés, veulent confisquer les appareils photographiques. Il en résulte une bataille rangée. Jacques Charrier, bousculé, est séparé de Brigitte qui crie au scandale. Finalement, les deux candidats au mariage parviennent à se faufiler hors de la salle, à se dissimuler dans une pièce voisine, puis à gagner le chalet familial. Au passage, Jacques Charrier déclare aux journalistes qu'ils ne se marieront pas dans ces conditions.

En fait, il s'agit d'une ruse qui, cette fois, réussit : les deux amoureux reviennent en douce à la mairie. Finalement, le mariage se déroule à onze heures trente, sans incident, dans le bureau du maire. On a laissé les portes ouvertes, selon la loi. Les mariés peuvent être photographiés de dos...

Jacques Charrier peut alors serrer dans ses bras celle qui est devenue sa femme. Lorsque le jeune couple, souriant cette fois, sort de la mairie, tout le village les applaudit. Mais ils ne sont pas encore tirés d'affaire. Jacques Charrier ne connaît pas bien les rues de Louveciennes, et partout où il s'engage, la foule lui barre la route. Finalement, il gagne cette espèce de rallye automobile, et le portail du chalet blanc de la famille Mucel se referme sur les mariés.

Pendant son repas de noces, Brigitte n'a pas à venir chiper une cuisse de poulet à la table de famille afin d'emporter des provisions dans la chambre conjugale, comme dans *Et Dieu créa la femme*. Libre, Brigitte n'a plus besoin de provoquer sa famille. Le repas est servi dans le jardin, à l'ombre d'un orme — car le soleil brille fort en cette belle journée de juin. Sur les tables mises bout à bout, on a disposé une grande nappe jaune. Grimpés en haut d'un arbre, les photographes ont sur cette charmante fête intime une vue plongeante. Lorsque le pâtissier arrive pour livrer le gâteau, ils tentent encore une opération de commando, sans succès. Derrière les murs du jardin, on entend des rires...

Pour Jacques Charrier, jeune homme pur au sourire enjôleur et plein de fossettes, l'apprentissage manque. Il va avoir droit à un stage express dans les pires conditions. Le mari de Brigitte Bardot ne peut se soustraire à une certaine dose de publicité. Pour présenter au public la nouvelle Brigitte, on fait des photos du couple fétiche « at home ». Brigitte ne se fait plus photographier prenant le thé comme autrefois, mais goûtant la ratatouille préparée par son mari. Elle joue le rôle de la ménagère libérée. Charrier, en bras de chemise, tient par la main Brigitte en short et en nattes, sur une route de vacances. Charrier sourit à sa fenêtre et Brigitte passe un bras autour de son cou. Charrier serre Brigitte dans ses bras. Charrier...

Dans l'espoir de s'isoler un peu, le couple regagne la Madrague. Les photographes les suivent. Une semaine plus tard, Jacques Charrier doit être opéré de l'appendicite. C'est la première des maladies « conjugales » de ce jeune homme bien élevé qui aime trop sa femme, qui fait de son mieux pour être à la hauteur en face de circonstances insupportables.

La vérité

Brigitte doit à nouveau reprendre le travail. Michel Boisrond, suivant sa méthode habituelle, lui a trouvé un sujet sur mesure, et s'est assuré qu'elle s'amuserait en tournant *Voulez-vous danser avec moi ?*. Ce qui va l'amuser, bien sûr, c'est la danse...

Le réalisateur n'a pas voulu se répéter en tournant le même genre de comédie légère qu'il avait réalisée précédemment. *Voulez-vous danser* est d'abord un policier à suspense. Boisrond utilise les dons de comédienne de Brigitte, et ses capacités à passer du drame à l'humour.

Brigitte, dans ce film, se transforme en détective privé pour découvrir le véritable auteur du meurtre d'une danseuse, Anita Florès. Son mari, Hervé, est le suspect numéro un. Tout l'accuse, pourtant Virginie-Brigitte a confiance en lui. Pour découvrir la vérité, elle se fait passer pour une danseuse, élève du cours d'Anita Florès. Elle découvrira finalement le coupable, en la personne d'un danseur travesti.

Un beau sujet que celui d'une femme prête à tout pour sauver l'homme qu'elle aime.

Pendant le tournage, Jacques Charrier est présent. Il accompagne sa femme aux studios, vient la rechercher le soir. Pour éviter à Brigitte des fatigues inutiles, le couple a quitté la Madrague et a loué, à Cagnes-sur-mer, une maison appelée La Tour Margot, que les badauds s'empressent de rebaptiser La Tour Bardot. La Tour Margot est un lieu poétique. Renoir y a en son temps résidé. De hauts murs l'isolent des curieux. L'ambiance du tournage est difficile. L'atmosphère est endeuillée par la mort de Sylvia Lopez, d'abord choisie pour incarner Anita Florès, qui doit être remplacée par Dawn Addams. Plus tard, Henri Vidal, qui joue le rôle du mari de Brigitte — Virginie — mourra à son tour.

Brigitte est enceinte, et c'est une épreuve pour une femme dont l'image repose sur la perfection du corps. De plus, Brigitte, qui déteste la solitude, doit l'affronter pendant sa grossesse : Jacques Charrier part faire son service militaire à Orange, dans le 11e Lanciers. Sur la demande des médecins de Brigitte, on accorde à Charrier des permissions pour aller la voir. Ces faveurs attisent la jalousie des camarades de chambrée, qui dès le départ lui ont fait chèrement payer d'être le mari de la star. Ecœuré par ces provocations, malheureux de ne pouvoir être auprès de sa femme pour la soutenir autant qu'il le voudrait, ridiculisé par la presse, il craque et se retrouve à l'hôpital du Val-de-Grâce. Il est finalement exempté du service pour cause de maladie de cœur. On conçoit le poids de ces épreuves pour un fils de militaire.

La situation est d'autant plus pénible à vivre pour lui qu'il n'est pas attaqué personnellement mais en tant que mari de cette Brigitte que Marguerite Duras, dans un texte resté célèbre et qui tente de conjurer la haine, appelle « la reine Bardot », affirmant qu'elle fait scandale parce qu'elle nie « toute l'infrastructure morale du monde ».

« Elle n'a pas la beauté fatale, mais aimable. Elle est belle comme une femme, mais préhensible comme une enfant. Elle a le regard simple, droit. Elle s'adresse, chez l'homme, avant tout, à l'amour narcissique de lui-même. Si une femme comme celle-là m'était livrée, pense l'homme, je la ferais, jusqu'à la folie, à ma façon. Elle serait dépendante de moi comme une autre et je pourrais, à son propos, enfin exercer

211

toute ma volonté d'asservissement. Car une femme parfaite donne toujours à l'homme, de façon plus ou moins claire, la nostalgie de la femme perfectible, à l'infini, par ses soins, une matière sur quoi exercer, jusqu'à la barbarie, son omnipotence. »

Brigitte provoque effectivement la barbarie. Celle qui se tient « là où finit la morale et à partir de quoi la jungle serait ouverte », toujours selon Duras, ne se gêne pas pour proclamer — sacrilège des sacrilèges — qu'être enceinte lui est pénible. Ce que le public ne peut alors imaginer, c'est le calvaire de Brigitte, si harcelée par les photographes qu'elle vit maintenant en véritable recluse. Le siège est tel qu'elle devra finalement prendre le risque d'accoucher chez elle. Elle ne peut même pas sortir pour se faire faire une radio. A l'émission *Telle quelle*, Brigitte frémit encore d'indignation au souvenir de la façon dont elle a été traitée : « C'était inhumain, les gens m'ont traitée comme des sauvages. »

Dans cette ambiance confinée, terriblement tendue, la santé de Jacques Charrier se détériore à nouveau. Il se sent impuissant face à une telle situation et ronge son frein. Pourtant, tout se termine bien : le 11 janvier 1960 à trois heures du matin, Brigitte a un fils. L'accouchement s'est bien passé. L'enfant est plein de santé. Il est superbe, il a hérité des fossettes de son père. Lorsqu'elle a appris que c'était un garçon, Brigitte, toujours aussi spontanée, s'est écriée : « Chic, alors ! »

La fin d'un rêve

Bon prince, Jacques Charrier offre le champagne aux journalistes qui attendent au café d'en bas pour célébrer la naissance de son fils. L'avènement de l'héritier de la « reine » prend temporairement le dessus, dans les journaux, sur les nouvelles sinistres de la guerre d'Algérie.

Si le couple Brigitte-Jacques était déjà superbe, le couple

Brigitte-Nicolas est irrésistible. Posant dans des draps fleuris et une chemise de nuit à incrustations de dentelle, Brigitte, coiffée d'une choucroute sauvage dont l'élévation semble croître à mesure de sa réputation, laisse filtrer entre ses longs cils un regard plein de tendresse, en serrant contre elle Nicolas.

Jacques Charrier, qui, en mari moderne, a tenu la main de sa femme pendant l'accouchement, affirme qu'il n'a jamais été aussi heureux de sa vie. La France, à cet instant, est prête à pardonner à Brigitte ses offenses imaginaires. Mère, elle se range enfin parmi les autres femmes, elle abandonne la poursuite du plaisir pour la pratique du sacrifice...

Nicolas est accueilli royalement. Sa chambre d'enfant est blanche et bleue, son berceau est garni d'organdi blanc à volants. La cage à oiseaux de Brigitte enfant est là, remplie, cette fois, d'animaux en peluche. La layette du bébé est superbe. Cinquante petits Parisiens nés le même jour se voient offrir la même. Nicolas est baptisé à l'âge de deux mois, dans l'église Notre-Dame-de-Grâce de Passy, théâtre du premier mariage de Brigitte. La marraine est Christine Gouze-Rénal, le parrain Pierre Lazareff. L'enfant a même un deuxième parrain en la personne du père de Brigitte. Il porte une robe de baptême en organza, avec ruches de dentelle, broderie anglaise et rubans de satin ivoire. La cérémonie terminée, Nicolas est ramené par sa nurse, tandis que Brigitte et Jacques, main dans la main, rentrent chez eux partager le champagne avec leurs invités.

Lors de la cérémonie du baptême, Nicolas ne s'est manifesté que par un éternuement : c'est un enfant calme. Entouré par ses grands-parents, et par son père qui se révèle très attentif, il ne semble pas souffrir des absences fréquentes de sa mère. Brigitte, en effet, dix jours après son accouchement, se remet au travail. Elle doit tourner un film très important : *la Vérité*.

La Vérité sera un des grands films de BB. Henri-Georges Clouzot met assez de passion dans son travail, dans son désir de travailler avec elle, pour communiquer sa foi à Brigitte et vaincre ses réticences devant un engagement émotionnel total. *La Vérité*, c'est la rencontre entre Henri-Georges Clouzot, metteur en scène réputé difficile, qui pousse ses actrices à bout pour en obtenir ce qu'il veut, et une Brigitte qui a mûri. Il ne lui suffit plus de faire des films : elle veut maintenant faire de beaux films, de grands films.

« Je joue en quelque sorte la seconde partie de ma carrière sur Mlle Bardot, déclare Clouzot. On me dit que Brigitte est indisciplinée, fantasque, tyrannique, orgueilleuse et solitaire. Ce sont là les qualités et les défauts d'un enfant du siècle. On me dit aussi que nos deux tempéraments confrontés créeront des étincelles contradictoires, violentes ; bref, que tout n'ira pas tout seul. S'il faut, je contrerai Brigitte. De cette lutte naîtra, j'en suis persuadé, un grand film. Nous sortirons tous deux vainqueurs de la bataille.

« Je n'aurais pas tourné *la Vérité* sans elle », confiera-t-il encore. Brigitte, elle, dira : « C'est mon film préféré. *La Vérité* a été le tournant de ma carrière, le premier rôle dramatique que j'ai interprété. » Elle joue le rôle d'une meurtrière, Dominique Marceau, qui finit par tuer son amant parce que celui-ci lui préfère sa sœur, une sage violoniste. Une partie importante du film est consacrée au procès, au cours duquel la vérité doit se faire jour. Mais Dominique s'aperçoit que c'est impossible. Les ressorts de l'amour sont secrets, incompréhensibles. Confrontée à cette impossibilité, Dominique s'ouvre les veines.

Le choix de l'amant de Dominique a été difficile. Brigitte voulait Trintignant, mais Clouzot a auditionné de nombreux jeunes acteurs avant de choisir Samy Frey. Il est fiancé à Pascale Audret, qui jouait avec Jacques Charrier lorsque celui-ci a rencontré Brigitte.

Pour rendre l'atmosphère très noire de son film, Clouzot met ses acteurs dans une grande tension. Il fait recommencer à Brigitte et à Marie-José Nat, qui joue la sœur, les scènes les plus dramatiques jusqu'à ce que les actrices, dont les nerfs lâchent, donnent une impression convaincante de désespoir. Le tournage est perturbé par une maladie nerveuse de Jacques Charrier. Il sent Brigitte lui échapper et se montre extrêmement jaloux. De plus, Véra Clouzot est malade. On prétend qu'elle aussi est jalouse...

Tout cela n'a rien de très étonnant lorsqu'on sait que Brigitte et Clouzot font un film sur la passion, centré sur un personnage de séductrice irrésistible. La méthode Clouzot, qui mène l'acteur à vivre vingt-quatre heures sur vingt-quatre les tensions de son rôle, entraîne l'entourage des protagonistes dans un maelstrom émotionnel. La maladie de Véra Clouzot — qui mourra la même année — les ennuis de santé grandissants de Clouzot lui-même, amplifient l'atmosphère de tragédie déjà créée par le sujet. Si le metteur en scène accorde tant d'importance à ce film, c'est sans doute parce qu'il sait que ses problèmes de vue vont bientôt l'empêcher de tourner. Sa vie même devient une tragédie.

« Je torture les gens pour en obtenir exactement ce que je veux », déclare avec franchise « Clouzot le terrible ». Lors du tournage d'une scène de *la Vérité*, Brigitte doit pleurer. Clouzot la gifle pour obtenir l'effet de choc désiré. Il dira ensuite que Brigitte lui avait demandé de l'aider...

En fait, il semble que Brigitte ait été reconnaissante à Clouzot de lui avoir permis d'être une actrice, au sens classique du terme. « Et Clouzot créa la tragédienne », dit la presse — qui ne sera d'ailleurs pas unanime à propos d'un film dans lequel Brigitte choque beaucoup, mais pour des raisons cette fois très différentes.

Le public, lui, fait un accueil enthousiaste au film qui se révèle être un grand succès pour box-office de BB. *La Vérité* sera finalement couvert de lauriers : Grand Prix du cinéma français, prix du meilleur réalisateur au festival de Mar del Plata en Argentine, prix de la meilleure actrice étrangère pour Brigitte en Italie.

Le tournage de *la Vérité* laisse des traces sur Brigitte : elle est extrêmement déprimée. Le surcroît de publicité créé par la naissance de Nicolas, la maladie de Charrier, ses rapports avec Clouzot et l'idylle qu'on lui prête avec Samy Frey sont très lourds à porter. Fatiguée par sa grossesse et son accouchement, elle doit de plus fournir la performance professionnelle la plus difficile de sa carrière.

« Je suis une femme comme n'importe quelle autre, déclare-t-elle pendant le tournage. J'ai deux oreilles, deux yeux, un nez et une bouche. J'ai des sentiments et des pensées et je suis une épouse et une mère avant tout. Mais ma vie est en train de devenir impossible. Mon âme ne m'appartient pas. »

Brigitte, si agressée, ne manque pas de défenseurs. Après Marguerite Duras, Simone de Beauvoir plaide en sa faveur dans le magazine américain *Esquire*. Ce n'est pas par hasard que Beauvoir a écrit sur Bardot. Ces deux personnages semblent diamétralement opposés ; en fait, ils ont beaucoup en commun. Les *Mémoires d'une jeune fille rangée* racontent une enfance et une adolescence qui présentent bien des points comparable à celles de Bardot. Les Beauvoir étaient moins riches, et Simone enfant se passionnait pour les livres là où Brigitte rêvait d'entrechats, mais les descriptions de vacances en famille, des traditions d'économie, la scène où la cousine Madeleine essaie maladroitement d'enseigner les choses de la vie à l'héroïne complètement innocente, l'ennui des journées au cours Désir, évoquent le même genre de jeunesse. Toutes deux ont été élevées avec une sœur qu'elles dominaient de leur personnalité ; toutes deux ont été très jeunes enlevées à une vie bourgeoise et précipitées dans une bohème très libre par un jeune homme brillant et extrêmement ambitieux, qui se posait en modèle de vie pour la nouvelle jeunesse. Dans un texte d'une perçante intelligence, celle qui apparaît alors comme l'égérie de l'existentialisme et la grande prêtresse de l'amour libre vole au secours de cette autre « sorcière » qu'est devenue Brigitte. Ce texte ne sera jamais publié en France dans son intégralité, mais le magazine *Arts* en donne de larges extraits : le retentissement en sera certain.

Pourquoi une telle haine ? s'interroge Simone de Beauvoir : « Quand trois propres à rien de familles respectables assassinèrent un vieillard dans le train, à Angers, l'Association des professeurs et parents d'élèves dénonça BB devant M. Chatenay, le député-maire de la ville. C'était elle, disaient-ils, la responsable du crime. *Et Dieu créa la femme* avait été projeté à Angers, et les jeunes gens avaient été immédiatement pervertis ! Je ne suis pas étonnée que les moralistes de profession aient essayé de faire bannir ses films. Il n'est pas nouveau de voir les grands esprits identifier la chair et le péché, et rêver de faire un feu de joie des œuvres d'art, des livres et des films qui montrent la chair et le péché avec complaisance ou franchise. »

Cependant, remarque Beauvoir, la beauté de Brigitte et sa nudité ne justifiaient pas à elles seules ce déchaînement. BB représentait une nouvelle image de la femme. « L'amour peut résister à la familiarité, mais pas l'érotisme. A une époque où la femme conduit une voiture, spécule à la Bourse, à une époque où elle étale sans cérémonie, sur les plages, sa

nudité, toute tentative de ressusciter la vamp était vaine. (...)
Cependant, les marchands de rêves ont aussi regardé dans
d'autres directions. Avec Audrey Hepburn, Françoise Arnoul,
Marina Vlady, Leslie Caron et Brigitte Bardot, ils ont inventé
la garçonne érotique... La femme adulte habite désormais le
même monde que l'homme, mais la femme-enfant se meut
dans un univers où il ne peut entrer. Cette différence d'âge
rétablit entre eux cette distance qui semble nécessaire au
désir... Brigitte Bardot, c'est le parfait spécimen de ces nym-
phes ambiguës. »

Dans la seconde partie de ce texte, Simone de Beauvoir
trace un portrait moral de BB, et recense les raisons qui sont
à la fois à l'origine de son succès et de la haine qu'elle
provoque. Si Brigitte est très exactement de son époque, elle
est aussi, comme tous les mythes, intemporelle : « Elle n'a
pas de mémoire, elle est sans passé, et grâce à son ignorance,
elle conserve la parfaite innocence attribuée à une enfance
mythique. »

Enfin, Simone de Beauvoir insiste sur le côté « petite fille à
son papa » de BB, dont elle signale qu'il lui permet de contrebalancer la peur provoquée par sa sensualité : « BB est une
pathétique enfant perdue, qui a besoin d'un guide, d'un protecteur. Ce cliché a montré ce qu'il vaut. Il flatte la vanité
masculine. Il rassure les femmes mûres. »

Il n'échappe pas non plus à Simone de Beauvoir que
l'agressivité déchaînée par Brigitte est provoquée en partie,
non par son immoralité, mais justement... parce qu'elle est,
malgré tout, un personnage moral. « Elle n'est ni dépravée,
ni vénale.. Il est impossible de voir la marque de Satan en elle
et, pour cette raison, elle semble encore plus diabolique aux
femmes qui se sentent menacées et humiliées par sa
beauté. »

On mesure le chemin parcouru par Brigitte. De starlette
pour journaux populaires, méprisée par l'intelligentsia, elle
est en train de devenir la star des intellectuels. Désormais
associée à des metteurs en scène tels que Clouzot et Autant-
Lara, elle bénéficie du « label d'approbation » américain
(cette Amérique à la fois vilipendée et adorée des intellectuels français). Mais certaines prises de position de Brigitte
vont aussi y contribuer.

Déjà, son comportement avec ses partenaires masculins, le

côté « c'est moi qui choisis, j'assume mon désir », va dans le sens de l'image d'une femme moderne, libérée, « égale de l'homme ». Mais Brigitte n'hésite pas à assumer avec franchise, et même avec défi, une conduite beaucoup plus scandaleuse : elle décide de ne pas sacrifier sa carrière à son enfant.

Le tournage de *la Vérité* sonne le glas du deuxième mariage de Brigitte. Encore une péripétie que le public ne lui pardonnera pas. Lorsqu'elle s'était mariée avec Vadim, elle était pratiquement inconnue. Mais la publicité donnée au mariage Charrier a été telle que les Français ont le sentiment d'y avoir été invités. C'est comme si les mariés étaient de la famille. On a bien voulu accepter un divorce. Mais deux, c'est trop. La France n'est pas l'Amérique. Les midinettes n'apprécient pas qu'on leur casse leur beau rêve de couple princier.

« Ça, c'est un beau mariage. Le plus beau et la plus belle ! » s'écriait une passante interrogée par *Ciné-Revue*. « La plus belle histoire du siècle ! » renchérissait un autre passant, employé de banque de son état. Une fleuriste des rues, elle, déclare, pratique : « Je suis contente qu'ils se marient. On leur enverra des fleurs. Tout ça, c'est bon pour le commerce. » Seule note de mécontentement dans ce concert d'applaudissements : une dame, Blanchette B., qui affirme : « Si j'étais à la place des parents, je serais furieux. On ne s'est pas plus occupé d'eux que s'ils n'existaient pas. Et pourtant, le père de Charrier est un militaire ! »

Lors du divorce avec Vadim, Brigitte avait l'excuse de s'être mariée trop jeune, dans l'innocence. Mais cette fois, c'est le contraire. On reproche à Brigitte l'humiliation qu'a été pour son mari l'interruption de son service militaire. En 1960, nous sommes en pleine guerre d'Algérie. Des jeunes gens se font tuer là-bas, le doute au cœur — et c'est d'autant plus affreux. Jacques Charrier apparaît comme l'innocent qui a quitté Strasbourg pour affronter Paris et ses lumières, et qui s'y est fait piéger. Son parcours professionnel, quand il rencontre Brigitte, est bref, mais sans défauts. Son goût pour la céramique d'art ne fait qu'ajouter à son image de pureté. Bardot-Charrier, c'était le mariage idéal — celui qui « rachetait » Brigitte, la ramenait dans le droit chemin. Ses éclats passés pouvaient être considérés comme des frasques de jeunesse. On avait enfin une Marianne comme il faut.

Quittant Charrier, elle quitte le père de son enfant.

Celui-ci, pour sa part, continuera après son divorce un parcours moins brillant, au cinéma et à la télévision. Il travaillera entre autres avec Chabrol, Deville, Cayatte, Varda... Brigitte Bardot dira plus tard son regret d'avoir, malgré elle, en l'épousant, contribué à briser la carrière d'un homme qui semblait bien parti pour être le nouveau jeune premier du cinéma français.

« *Vous ne pouvez pas juger* »

« Gilbert m'a aimée. Vous tous, vous n'avez pas aimé. Vous ne pouvez pas juger », crie Brigitte-Dominique, en pleine cour de justice, pendant le tournage de *la Vérité*. Une fois de plus, elle pourrait prononcer ces paroles dans la vie réelle.

Brigitte est pourtant « jugée » sur sa vie privée au moment même où elle est enfin acceptée pleinement comme comédienne. Si la critique est mitigée lors de la sortie de *la Vérité*, le talent de Brigitte est généralement reconnu. On ne dira plus, à partir de ce moment, qu'elle ne peut jouer que des rôles de comédie légère.

« J'ai eu, moi, envie de parler de ce film parce qu'il a le visage de l'amour et que je suis amoureux de l'amour », écrit Vadim, élégant, dans *l'Express* du 3 novembre 1960. Il conclut : « Brigitte s'est élevée au niveau d'une grande tragédienne — on l'a dit, on le dira, personnellement je n'ai jamais douté de ses possibilités — mais au-delà encore il y avait cette grâce. Cette grâce de savoir aimer. »

De façon moins émouvante, Louis Chauvet reconnaît dans *le Figaro* : « Brigitte Bardot parvient à nous faire oublier ici — la plupart du temps — son ancien personnage et ses anciennes insuffisances d'actrice. Elle accomplit un grand effort de sincérité dramatique. Effort payant. »

Michel Aubriant, dans *Paris-Presse*, trouve Brigitte « aussi émouvante à l'écran qu'à la ville. Fidèle à son personnage

219

d'allumeuse qui se brûle à sa propre flamme. Avec quelque chose en plus : comme un secret frémissement, une angoisse, un doute ».

L'Humanité pense que *la Vérité* est une sorte de documentaire réaliste sur Brigitte Bardot, que Clouzot nous montre nue, comme le firent déjà Vadim, Boisrond, Autant-Lara et quelques autres, et nous révèle surtout une excellente comédienne, ce que personne ou presque n'avait réussi. »

France Roche, dans *France-Soir*, a une vision plus nuancée des choses : « Brigitte Bardot joue Dominique, c'est-à-dire une fausse Brigitte Bardot. Elle reflète son reflet, perdue dans les miroirs déformants et cruels qui la peignent telle qu'elle est, telle qu'on croit qu'elle est et telles que sont celles qui lui ressemblent. Sur qui ces yeux pleurent-ils ? Brigitte ? Dominique ? On ne sait et ne peut savoir. Elle défie le jugement. Elle "est" : belle, cruelle, faible, menteuse, vraie, inconsciente, crucifiée et pleine d'une grâce si parfaite qu'on est prêt à lui pardonner d'être si malheureuse. »

Quelques fausses notes dans ce chœur d'approbation : « Ce talent "forcé" (comme on le dit d'une plante artificiellement épanouie) ne nous convainc qu'à moitié », écrit Baroncelli dans *le Monde*.

Heureusement, le public plébiscite le film. C'est un succès d'autant plus nécessaire que le budget de cette production a été très élevé — 600 millions d'anciens francs. Le salaire de Brigitte, dit-on, est de 70 millions, somme la plus forte jamais obtenue par une vedette française. Les trois derniers films de Bardot, *En cas de malheur*, *Voulez-vous danser* et *Babette*, encore en exploitation en France, sont des réussites commerciales, sans plus. L'accueil reçu par *la Vérité* démontre qu'il n'y a pas de tassement de l'« effet Bardot ». Il fera comprendre que le public ne refuse pas une Brigitte « vraie comédienne », bien au contraire. Des possibilités de carrière illimitées semblent s'offrir à l'actrice.

Pourtant, Brigitte va ensuite tourner deux films un peu décevants : *la Bride sur le cou*, avec Vadim, et *les Amours célèbres* — dernière collaboration avec Michel Boisrond. Ces choix sont la cause de la rupture professionnelle entre Brigitte et Raoul Lévy. Celui-ci affirme qu'elle ne devrait désormais tourner qu'avec les plus grands metteurs en scène. Il trouve qu'elle mène sa carrière avec fantaisie. Brigitte, de son côté, dit ne pas vouloir sortir des rôles aimés du public. Raoul Lévy comprend difficilement que Brigitte souhaite mener sa carrière, en partie, sur des coups de sympathie.

Craint-elle de devoir donner toujours autant d'elle-même après l'expérience épuisante, éprouvante pour sa santé, lourde de conséquences pour ses proches, qu'elle vient de vivre avec Clouzot ? Elle n'a pas l'intention de passer sa vie à se laisser manipuler par des metteurs en scène, fussent-ils géniaux, surtout géniaux, car ils sont alors plus tyranniques.

Brigitte défend sa personne et son nom. Elle fait un procès aux lunettes Rodenstock qui la représentent charmante avec des carreaux ; à la société d'eau minérale Charrier, pour la publicité « Bébé aime Charrier » ; à son secrétaire, Alain Carré, qui lui sert aussi bien de nurse pour son fils que d'ami et de confident, lorsque celui-ci écrit les souvenirs de sa vie auprès de Brigitte pour *France-Dimanche*. Elle engagera, pour le remplacer, une femme de colonel, d'allure plus austère...

« L'affaire Carré » mérite qu'on s'y attarde, car elle met en lumière la façon dont Brigitte réagit face à la publicité. Dans *Telle quelle*, Brigitte, lorsqu'elle évoque l'événement, semble avoir été surprise de découvrir en lisant le journal que son ami, confident et employé l'avait trahie. Révélant des détails de sa vie jusque-là secrets, il lui aurait donné le sentiment qu'elle ne pouvait vraiment compter sur personne. Dès qu'il arrive ce matin-là pour prendre son travail, elle le renvoie avec un coup de pied aux fesses...

L'affaire apparaît sous un jour différent dans la presse de l'époque. Le 15 juillet 1960, *Paris-Jour* annonce :

« Brigitte Bardot intente un procès à son secrétaire, Alain Carré, qui va faire paraître un livre de cent quarante pages sur les souvenirs qu'il a recueillis après quatre ans de service auprès de la vedette. Titre (provisoire) du livre : *les Mémoires d'Alain Carré*. Lundi matin, Alain se présentait, comme d'habitude, chez Brigitte. Il avait hâte de savoir ce qu'elle pensait du manuscrit qu'il lui avait fait parvenir et qu'elle lui avait permis de rédiger, il y a quatre mois. » Interrogé par le journal, Alain Carré se déclare surpris de la réaction de son employeur :

« Je ne comprends pas pourquoi Brigitte veut m'attaquer à cause de ce livre. Le texte n'a rien de diffamatoire. Mon manuscrit est anodin... Je n'ai rien à me reprocher. Je n'ai jamais été malhonnête. J'aurais pu faire fortune. On m'a déjà proposé des millions pour des photos, des échos sur la naissance de Nicolas. J'ai toujours refusé. Et pourtant, je suis mal payé... très mal ! Je touche 100 000 francs par mois. »

Brigitte, en justice, sera finalement déboutée. Ses avocats plaident que le document ne saurait être publié sans son autorisation ou son contrôle : le conseil d'Alain Carré, ainsi que l'avocat de *France-Dimanche* à qui celui-ci a vendu les droits de son manuscrit, affirment qu'il y aurait dans ce cas atteinte aux droits des auteurs et aux lois sur la presse.

Le 18 juillet 1960, *Libération* conclut :

« Il peut venir à l'esprit des personnes que nul n'eût prêté une attention particulière à ladite prose en préparation, non plus qu'au sujet traité, sans cette instance judiciaire. »

Le texte d'Alain Carré ne contient pas grand-chose de plus que ce qui a déjà été dit et répété par la presse.

Mais mesurant trop tard les ravages exercés sur sa vie par son accession au rang de mythe, à la création duquel elle a pourtant collaboré, Brigitte se débat comme un animal acculé. Conduite apparemment contradictoire, mais symptomatique de sa difficulté à concilier la vie d'une « Parisienne comme les autres » et la vie d'une star. Elle s'apprête justement à tourner un film intitulé *Vie privée*. Louis Malle a été frappé par l'effet très différent produit par Brigitte suivant son état d'esprit du jour : « On est devenus amis au moment de *Vie privée*. Quelquefois je l'emmenais au cinéma, ou au restaurant, seul ou avec des amis. S'ils arrivaient à la conditionner pour lui faire oublier qu'elle était Bardot, les choses se passaient bien. Je me suis aperçu, en apprenant à la connaître, que cela dépendait de son attitude mentale. Quand elle sortait de son immeuble avenue Paul-Doumer, avec un chapeau cloche, des lunettes noires et en s'emmitouflant, vraiment en se déguisant... Elle n'avait pas fait cent mètres que les gens commençaient à l'embêter. En revanche, il m'est arrivé d'aller dans un restaurant avec Brigitte, sans que personne ne réagisse.

« Avec les gens célèbres, c'est vraiment une question d'attitude. Ma femme, par exemple, Candice Bergen, qui déteste être reconnue, peut pratiquement aller n'importe où... » Brigitte ne sera jamais indifférente à l'effet produit à son image.

222

Une image qu'elle préservera toujours, se coiffant et s'habillant encore à cinquante ans comme à trente. « Lorsque Brigitte se plaint d'être embêtée dans la rue, dit Christine Gouze-Rénal, il m'est souvent arrivé de penser que si elle se coiffait autrement, si par exemple elle relevait ses cheveux, on la remarquerait beaucoup moins. Mais elle tient à laisser ses cheveux flottants... »

Bardot veut être Bardot. Qui l'en blâmerait ?

La difficulté de vivre

La difficulté — et la nécessité — dans laquelle Brigitte se trouve désormais de dissocier Brigitte et BB est illustrée de façon aiguë et douloureuse par les suites du tournage de *la Vérité*.

On se souvient qu'à la fin de ce film Brigitte, alias Dominique Marceau, se tue en s'ouvrant les veines.

Or, dans la nuit du 28 au 29 septembre 1960, Brigitte, qui est partie se reposer dans une villa isolée appartenant à des amis et située dans la région de Menton, à proximité du hameau de Cabrolles, est découverte le poignet tailladé par une lame de rasoir, au fond du jardin, près du puits. Elle a également avalé le contenu d'un tube de barbituriques. Après les premiers soins, elle est transportée à la clinique Saint-François de Nice.

« La rançon de la gloire », titre *le Parisien*. L'affaire se retrouve en première page des grands journaux, jusqu'aux États-Unis.

« Une enfant dans un corps de femme », dira Clouzot. Il avait déjeuné peu auparavant à la *Colombe d'or*, le célèbre restaurant de Saint-Paul-de-Vence, avec son actrice qui lui avait paru extrêmement déprimée.

Le 2 octobre, alors que Brigitte lutte contre la mort, Mme Bardot donne une conférence de presse à l'hôtel *Négresco*, à Nice. Son but est de tenter de calmer la meute des journalistes qui traquent sa fille aux portes de la clinique :

« C'est une maman, pas une maman de vedette, une maman comme les autres, qui s'adresse à vous. Une maman qui pleure et qui vous implore. Brigitte Bardot appartient au public. Elle vous appartient à vous tous. Vous l'avez aidée, elle ne l'oublie pas. Mais maintenant, vous allez trop loin... Je ne me suis jamais mêlée de la carrière de ma fille. J'ai toujours voulu rester en dehors de celle-ci, mais aujourd'hui, il s'agit de sa vie... Brigitte est traquée. Elle est prise dans un filet. Souvent, elle me dit : "Je n'ai plus de vie humaine et je suis pourtant comme les autres !" Dans la rue, on la montre du doigt. Si elle ouvre ses volets, un flash éclate. Les médecins sont formels. Elle ne peut plus continuer à vivre comme cela. Si cela continue, elle va recommencer, elle va encore vouloir se tuer. » (*Libération*, 3 octobre 1960)

« Si cela avait dépendu de moi, elle n'aurait jamais fait de cinéma », ajoute Mme Bardot. Le cinéma est maintenant désigné comme l'assassin en puissance. On comprend l'angoisse d'une mère devant la situation de sa fille. Cette idée que son reflet sur l'écran est mortifère reviendra souvent, à l'avenir, dans la bouche de Brigitte. Lors de la mort de Marilyn, elle pense que le cinéma l'a tuée. Lors de la mort de Romy Schneider, en juin 1982, Brigitte dira au *Quotidien de Paris* que, à son avis, le cinéma en est indirectement responsable.

« La tension, la nervosité et les conséquences inévitables de la célébrité sont éprouvantes et destructrices. Moi aussi, j'ai connu la solitude, le désespoir. Vous êtes une star, belle et adulée, apparemment comblée. En réalité c'est la solitude, les accidents de la vie comme chez n'importe qui mais en plus dans un monde trop artificiel où personne ne peut vous aider. Au moment de mourir, Romy a dû éprouver ce que j'ai souvent ressenti : douter de tout, n'avoir personne de sûr, de désintéressé à qui téléphoner. »

A sa première tentative de suicide, Vadim avait pensé que quelque chose, en Brigitte, s'était brisé à jamais. Mais l'incident du 28 septembre 1960 débouchera sur une renaissance, comme elle l'affirmera à Paul Giannoli : « Bien sûr, on peut appeler cela un suicide. Pour moi, c'était plutôt une fuite, un départ, comme si j'allais pouvoir recommencer ailleurs, plus tard. Mais j'ai vu la mort de tellement près que, maintenant, j'ai envie de vivre éternellement. »

Brigitte n'est pas morte. Au dernier moment, son sens de la vie, sa santé solide l'ont ramenée à elle-même. C'est une Brigitte plus adulte, qui affronte à nouveau la vie. L'année 1961 se termine sur une histoire qui met en évidence une autre face de son caractère : le courage. Elle reçoit une lettre de l'OAS, lui demandant de verser 50 000 nouveaux francs à un certain Francat, « envoyé des services financiers de l'OAS ». Cette tentative d'extorsion de fonds doit être prise au sérieux. Les attentats au plastic ont gagné la métropole. Des escrocs ou malveillants divers se servent du sigle OAS pour terroriser les gens et en obtenir de l'argent. Le problème est si sérieux qu'il existe alors une brigade antiracket. Les « rançonnés » en puissance peuvent appeler au numéro Odéon 81-83, afin de prévenir la brigade qui enquête...

Le général Salan, dans l'espoir de redorer le blason d'un mouvement prétendument patriote, écrit : « Nul n'a le droit de se déclarer émanation ou représentation de l'OAS, à plus forte raison son percepteur. » Il envoie des lettres dans ce sens à des industriels et chefs d'entreprise. Brigitte a des raisons de craindre pour elle-même et pour Nicolas. Elle éloigne son fils. Et elle a une réaction courageuse que les Français vont admirer.

D'une part, elle porte plainte pour extorsion de fonds. D'autre part, elle écrit à Jean-Jacques Servan-Schreiber, rédacteur en chef de l'Express, une lettre destinée à rendre publics la demande qu'elle a reçue et son refus de coopérer. Avec le commentaire suivant : « Je vous la communique pour que vous l'utilisiez de la manière la plus efficace dans le cadre de votre combat contre cette organisation... Je suis persuadée, en effet, que les auteurs et les inspirateurs de ce genre de lettre seront rapidement mis hors d'état de nuire s'ils se heurtent partout à un refus net et public de la part des gens qu'ils cherchent à terroriser par leurs menaces et leurs attentats. En tout cas, moi, je ne marche pas, parce que je n'ai pas envie de vivre dans un pays nazi. »

Le retentissement de cette prise de position est immédiat. L'Humanité interroge diverses personnalités du monde du cinéma, qui soutiennent unanimement Brigitte. Daniel Gélin déclare : « Je pense très sincèrement que si l'OAS recherche le moyen d'unir les Français, elle est en train de réussir. » Malgré quelques fausses notes dans la presse, accusant Brigitte de régler des comptes avec les militaires qui lui ont ravi déjà deux hommes « bons pour le service », le geste de Brigitte provoque effectivement une indignation supplémentaire à l'égard de l'OAS... et aussi une nouvelle poussée de bardolâtrie.

« Cette jeune personne fait preuve d'une simplicité de bon aloi », déclare le général de Gaulle, conquis. Quant aux intellectuels de gauche, qui lisent *l'Express*, ils trouvent en Brigitte une héroïne. Son courage est d'autant plus remarquable qu'elle ne sous-estime pas le danger auquel elle s'expose. Colette Audry l'interroge à ce propos pour *l'Express* : « J'ai eu excessivement peur en prenant ma décision. C'est à ce moment-là que j'ai donné une réponse dans *l'Express*. Vous savez que tout le monde était plastiqué. A l'époque, Nicolas, mon fils, habitait là — et j'avais reçu aussi des lettres disant qu'on allait me kidnapper Nicolas. J'étais affolée. J'étais seule à la maison, absolument seule avec mon fils et la gouvernante. J'ai demandé qu'on me donne des sergents de ville, au moins un devant ma porte en bas, parce que j'étais vraiment exposée au plastic. Et je n'en ai pas eu l'assurance. C'est une chose qui m'a extrêmement frappée. Parce que j'avais l'impression, vraiment, qu'on me disait de me dépatouiller toute seule. Alors, j'ai pris des gardes privés, armés, que j'ai gardés sur mon palier à peu près un mois. J'ai expédié mon fils en Suisse.

« Mais j'ai eu une impression de bonheur formidable parce que les gens m'ont soutenue. J'ai eu — pas des milliers — mais des centaines de lettres. De tout le monde. Ma célébrité avait servi à quelque chose, à une cause extrêmement sérieuse. A ce moment-là, c'est merveilleux d'être célèbre. Quand on est connu, et que votre parole peut avoir un poids, quand on peut s'en servir pour des choses qui en valent la peine, il faut le faire. »

On comprend le traumatisme que représente la menace de kidnapper Nicolas. La conscience des risques encourus par son fils justifiait de le confier à son père. Marlène Dietrich, dans ses Mémoires, raconte comment, après la menace d'enlèvement de sa fille en Californie, elle fut contrainte d'élever l'enfant en recluse...

Par ailleurs, la menace de l'OAS a une conséquence positive. Pour la première fois, Brigitte se rend compte qu'elle peut utiliser sa célébrité pour influer sur les affaires du monde. Elle s'en resservira bientôt en faveur des animaux.

Le courage se révèle payant. L'OAS ne met pas sa menace à exécution. Brigitte est maintenant habituée à être menacée, harcelée. Malgré ses coups de désespoir, sa réaction en cette occasion montre qu'elle a appris à se défendre. Sa volonté tenace n'a fait que croître avec les années. En 1961, Brigitte a encore tourné deux films « légers » comme elle en a le goût. *La Bride sur le cou* apparaît *a priori* comme un Bardot sur mesure. Au départ, il s'agit de donner sa chance à un nouveau réalisateur, Jean Aurel. Brigitte a des raisons de lui faire confiance, car il a participé à l'écriture du scénario de *Une Parisienne*. Mais, au bout d'une semaine de tournage, des désaccords apparaissent et Brigitte appelle Vadim à la rescousse. Elle dit dans une interview à *Paris-Jour* : « J'aurais préféré ne pas retrouver Vadim à l'improviste, dans un film qu'il n'a pas eu le temps de préparer et qu'il doit porter à bout de bras. A la veille du tournage, les acteurs ignoraient presque tout des personnages... Jean Aurel, d'ailleurs, n'en savait pas beaucoup plus. Sans doute espérait-il improviser sur le plateau ! S'il avait l'histoire du film dans sa tête, il n'a pas fait trop d'efforts pour l'écrire et la mettre en scène. Il était insaisissable. »

Vadim se souvient du succès américain de leurs premiers films. Il souhaite rééditer ce genre de coup en adoptant le ton des comédies hollywoodiennes, qui remportent en France un vif succès. Plutôt que de mettre l'accent sur des dialogues brillants, il réduit la part des répliques pour développer un comique de situation. Il s'agit d'exploiter la capacité de Brigitte à passer tour à tour de la drôlerie au pathétique.

Une fois de plus, Vadim va composer un hymne à Brigitte. A nouveau, il baptise le personnage Sophie, en fait une cover-girl qui se transforme en détective pour retrouver l'amour d'un homme.

Un chassé-croisé amoureux pimente l'histoire. Vadim n'a pas oublié d'y mettre une séquence de déshabillage dansée sur une chorégraphie de Michel Renaud, danseur étoile de l'Opéra de Paris. Brigitte sort nue d'une baignoire et s'enveloppe dans une serviette de bain sur laquelle est brodé le nom « Hôtel des Neiges ». En fait, elle porte un collant, mais cela

227

n'empêche pas la censure de couper cette scène dans plusieurs pays.

Il semble que la magie Bardot-Vadim ait cessé d'opérer. La critique et le public demandent désormais à Brigitte davantage que de montrer son corps, pourtant toujours aussi ravissant. François Nourrissier, tout bardophile qu'il soit, se lamente dans *France-Observateur* : « Le bardolâtre et le bardologue trouveront sans doute de quoi nourrir, dans *la Bride sur le cou*, l'un sa passion, l'autre sa science. Mais le cinéphile ? »

« Du folklore », déclare Morvan Lebesque à propos des jeux de séduction de la Brigitte éternelle dans le film. Car Brigitte est devenue cela : une institution française. Pour ne pas être « folklorique », il lui faut désormais se dépasser constamment.

Elle ne se dépasse pas davantage dans le second film qu'elle tourne cette année-là, *les Amours célèbres*. Réalisé par Michel Boisrond avec des dialogues de Jacques Prévert, il s'agit d'un film à sketches — genre toujours périlleux. Le sketch réservé à Brigitte raconte les amours d'une jeune paysanne, Agnès Bernauer, avec le prince de Bavière qu'elle épouse en secret. Une guerre civile éclate. Agnès, trop belle, est accusée de sorcellerie et tuée.

Le rôle du duc Albert, prince de Bavière, est tenu par Alain Delon. Brigitte trouve évidemment là un partenaire à sa mesure. Ils forment un couple superbe. *Les Amours célèbres* avait connu un grand succès populaire sous forme de série de bandes dessinées dans *France-Soir*. Brigitte apparaît en costume moyenâgeux à lourdes tresses d'or dans de jolies scènes en costume d'Eve. Elle s'entend bien avec Alain Delon, qui déclare : « Quel garçon de mon âge oserait admettre qu'il ne ressent rien pour Brigitte ? Elle est réellement un être qui a fait rêver le monde entier. »

« Une authentique comédienne », ajoute-t-il. Ce film semble l'allégorie du drame réel vécu par Brigitte, en qui certains voient une espèce de sorcière moderne. Mais le public veut maintenant davantage. Il attend de Brigitte « la vérité ».

Elle ne se gêne pas pour la lui donner lors d'une interview accordée cette année-là à Paul Giannoli pour *Paris-Presse* :

« Ils sont tous moches, les hommes. Je préfère regarder les vitrines ! », déclare-t-elle avec sa franchise et son sens de la repartie habituels. Pourtant, partagée entre son travail et Basoches, une vieille grange située près de Montfort-l'Amaury, Brigitte n'a guère le temps de les regarder, les vitrines. Entourée d'un hectare de bois, la demeure charme par son côté « chaumière ». Une mare dans le jardin remplace la piscine qu'on s'attendrait à trouver chez une vedette.

A Basoches, Brigitte joue à Marie-Antoinette. Elle explore les Puces pour y dénicher les vieux meubles qu'elle affectionne. Basoches devient un lieu de conte de fées, plein d'animaux et de fleurs. Brigitte agrandit la maison en installant des pièces dans le grenier. La fenêtre de sa chambre s'ouvre dans le toit de chaume. Au rez-de-chaussée, une porte-fenêtre à petits carreaux donne de plain-pied sur un parc peuplé d'une végétation abondante, saules pleureurs et massifs d'hortensias. Sous un vieux noyer, Brigitte a placé un lit d'enfant en fer peint, pour les siestes des jours d'été. Le parc est aussi peuplé d'animaux : canards, lapins, chats et chiens. Vingt et un pigeons-paons logent dans le pigeonnier. L'intérieur de la maison est ostensiblement rustique : poutres apparentes, tapis de peau de chèvre devant la cheminée, ail et saucisson pendant du plafond. Elle dédaigne la décoration « star ». Cette façon de donner un pied de nez à sa fonction n'est pas du goût de tout le monde. *Paris-Match*, qui publie un dossier photos de la maison, demande leur avis à six grands décorateurs. Ils sont, au mieux, condescendants : « Sympathique dans le genre mineur. Mieux que la plupart des intérieurs des vedettes hollywoodiennes. Je ne vois rien à reprocher parce que c'est sans prétention. Dire que ça a une personnalité folle, c'est autre chose... Si l'on veut chercher la petite bête : l'abat-jour de la chambre d'amis est déplorable », dit l'un. « L'ensemble de la décoration de cette chambre me paraît bien peu seyant pour une jolie femme. Mais, après tout, c'est sa maison... Quant à la salle à manger, je trouve cet ensemble disparate de chaises mexicaines, anglaises et de canapé capitonné très mauvais pour la digestion », dit un autre.

Qu'elle montre son corps ou qu'elle ouvre les portes de sa maison, Brigitte est toujours critiquée pour les mêmes raisons : la spontanéité, la liberté, le mélange de genres, et le refus de se prendre au sérieux.

Ses maisons campagnardes lui sont maintenant nécessaires. « J'aime bien la terre, dira-t-elle à Colette Audry. Quand j'ai le cafard ou que je suis énervée, il faut que je « bouffe » de la terre — ça m'arrive de temps en temps — il faut que j'aille dans un champ. J'adore la terre. »

Basoches, après la Madrague, devient un refuge où, loin de la foule, elle retrouve la tendresse de ses animaux, l'affection de quelques amis. Les voyages deviennent synonymes de harcèlement. « Il y a des moments où j'ai bien envie d'aller ailleurs, voir ce qui se passe. Mais, voyez les proportions que prennent les voyages... Bon, alors je vais dans le Midi, et encore... Je ne trouve pas le repos. Le pire, c'est de ne jamais avoir le repos. Tout, vous comprenez, prend des proportions internationales. Moi qui aime bien les choses simples, je suis dépassée par les événements. »

C'est pour lutter contre ce sentiment d'écrasement que Brigitte tente d'utiliser à son tour sa célébrité afin d'agir sur le monde. Frappée par le retentissement considérable de ses déclarations à propos de l'OAS, elle décide d'intervenir publiquement en faveur des animaux. Elle établit une comparaison entre les chasseurs qui traquent les bêtes au fusil et les photographes qui la visent de leurs objectifs. La souffrance des animaux, esclaves innocents des hommes, lui semble un écho de la sienne propre. Elle va se faire leur championne. Elle intervient à la télévision pour critiquer, les larmes aux yeux, la façon cruelle dont on abat les animaux à La Villette. Sa démonstration est convaincante et son émotion sincère : l'effet sur le public est considérable. C'est à cette époque que Brigitte commence à recevoir un courrier important de la part d'« amis des animaux ». Le temps qu'elle passe à y répondre la convainc qu'il y a beaucoup à faire — car ces lettres racontent souvent des histoires affreuses de bêtes martyrisées.

Avec les animaux de La Villette, comme dans l'histoire de l'OAS, Brigitte est en train de trouver une compensation à la difficulté de vivre avec son image. Elle comprend que cette image lui donne, en retour, un véritable pouvoir : « En fait, ça, c'est parce que j'étais outrée. Vraiment outrée. Je me suis dit : je vais encore avoir l'air ridicule parce que ce n'est pas du tout à moi de m'occuper de ce genre de chose, mais si je ne le fais pas, personne d'autre ne le fera. Un beau jour, j'ai pris la décision d'aller parler de ça à "Cinq Colonnes à la Une", et j'étais morte de peur, parce que je risquais, vous savez, le ridicule. Les gens pouvaient dire : "De quoi se mêle-t-elle encore ?" Mais je l'ai fait. Vraiment, ça me tenait à cœur. Je peux dire : dans ma vie, j'aurai au moins fait ça de positif, vous comprenez ? »

Vie privée

A l'origine de *Vie privée*, le film que va tourner maintenant BB, se trouve une pièce du célèbre auteur dramatique anglais Noël Coward, *Private Lives*, un grand succès britannique. Louis Malle, lui, a plutôt envie de réaliser un film sur la vie de Brigitte Bardot — tout comme Ophuls, ayant envie de tourner un film sur la vie de Martine Carol, tourne *Lola Montès*.

Louis Malle a-t-il raison quand il pense aujourd'hui que le demi-échec commercial du film est dû à un détour qui peut apparaître comme un compromis ? Sans doute pas. La distance introduite par un scénario de fiction a dû rendre plus facile pour Brigitte le jeu dramatique. Elle est, en tant que Jill, la jeune bourgeoise devenue mannequin, puis star de cinéma et symbole sexuel qui tente vainement de retrouver un amour ancien pour échapper à ce que la célébrité a d'insupportable, un personnage d'une grande force poétique. Mais les retrouvailles avec son ancien amant — joué par Marcello Mastroianni — se révèlent invivables pour le couple. Jill meurt métaphoriquement dans une vertigineuse chute en spirale. La film atteint l'œuvre d'art, ce que n'aurait pas réussi un documentaire sur la vie de Bardot.

Réunir Louis Malle et Brigitte Bardot est une idée de Christine Gouze-Rénal, qui prend d'autant plus d'impor-

231

tance dans la carrière et la vie de Brigitte, que celle-ci ne travaille plus avec Raoul Lévy. Le générique du film est impressionnant : Louis Malle partage l'écriture du scénario avec Jean-Paul Rappeneau, et a pour assistant Volker Shloendorff. Le film, réalisé en couleurs, dispose d'un budget de 700 millions. La préparation dure quatre mois et le tournage est long : quatre mois également.

Louis Malle n'a que deux ans de plus que Brigitte. Elle n'aura avec lui ni un rapport d'élève à professeur, comme avec Vadim, ni de copine à copain, comme avec Boisrond. Malle a commencé sa carrière cinématographique comme caméraman de Jacques Cousteau. C'est un réalisateur extrêmement brillant, audacieux, novateur. Il fait partie du mouvement Nouvelle Vague, mais il n'est pas un cinéaste pour petite salle du quartier Latin. *Les Amants, Zazie dans le métro*, sont à la fois de beaux films et des révélateurs de l'époque.

La rencontre entre Malle et Bardot n'est pas particulièrement facile. Ce sont deux fortes personnalités face à face. Une photo de l'époque montre Brigitte qui regarde Malle en se mordant les ongles — ce qu'elle fait dans des moments d'angoisse et de doute.

A la sortie du film, en février 1962, Louis Malle déclare à *Paris-Match* : « *Vie privée*, pour Brigitte Bardot, c'est un retour à l'humanité : elle avait besoin de ne plus se sentir un "monstre", une anomalie, un cas. J'ai fait le contraire de Clouzot dans *la Vérité* : lui est un metteur en scène dompteur, moi, je voulais, au contraire, la laisser vivre, surtout ne pas la forcer à entrer dans un personnage. C'est elle qui me guidait. »

Louis Malle se rend rapidement compte que la provocation de Bardot cache beaucoup d'insécurité et d'hésitations : « Je voulais la transformer, changer sa coiffure, son maquillage, mais elle luttait, car elle tenait à son violent maquillage, à ses coiffures démesurées, comme aux accessoires fétiches d'une star. Elle avait peur de se trouver laide, une fois ce masque retiré. »

Pour supporter un tournage, Brigitte se cache derrière BB. Or, cette fois, elle ne peut plus se dissimuler derrière son alter ego, puisque le film est, justement, une radiographie minutieuse du mythe. Elle va devoir s'affronter elle-même. Cette démarche ne lui sera possible que parce qu'elle éprouve pour Louis Malle de l'estime et du respect, et qu'elle est sûre de la réciprocité. « Au bout d'un mois de tournage, dit encore Louis Malle à *Match*, la confiance était établie entre nous. Des gens m'avaient dit, en se rappelant d'autres films : "Je me demande si Brigitte Bardot va vous appeler "Loulou" ou "Mama" ». Dès le début, elle m'appela M. Malle. Je n'étais pas un de ses copains, j'étais seulement un ami attentif. Les épreuves qu'elle avait traversées avaient mûri son visage, je la découvrais grave comme un personnage marqué par le destin. Je me souvenais de ce que disait Jeanne Moreau quand je tournais *les Amants* avec elle : "Le succès donne du talent et de la beauté, car il apporte l'assurance et les responsabilités". »

Dans la revue *Cinéma 62*, Jean-Paul Rappeneau explique comment, partis de la pièce de Coward — qui avait déjà été jouée à Paris, au théâtre, avant la guerre, sous le titre *les Amants terribles*, puis adaptée par Marc Allégret au cinéma avec Gaby Morlay et André Luguet dans les principaux rôles —, Malle et lui ont d'abord discuté avec Brigitte, l'ont écoutée parler. Et, finalement, Christine Gouze-Rénal a eu l'idée : « Au lieu de faire la pièce de Coward, si on faisait un film sur Brigitte ? »

« Avec Malle, ajoute Rappeneau, cela nous a tout de suite beaucoup plus excités. Vous comprenez, si Bardot joue une pièce de boulevard, c'est Bardot jouant une pièce de boulevard... Nous sommes dans la tradition, c'est bon, c'est mauvais, peu importe, mais quel intérêt ? Si on fait un film sur elle, si on parle d'elle, de ce qu'elle représente, ce phénomène unique, on parle de notre époque... Cela participe d'une réalité de 1961... C'est intéressant... »

Malle et Rappeneau décident alors de dépouiller la presse : « Nous avons fouillé la collection de *Paris-Match*, de *Jours de France*, de *France-Dimanche*... » Ils prennent conscience de l'importance donnée aux moindres gestes de Brigitte Bardot, et de la façon dont la presse participe à la création du personnage. Ils décident de « tout dire, de démonter le mécanisme, de faire un gigantesque film d'explication », de dévoiler les raisons de la création d'un mythe sexuel. Ils se rendent compte qu'on peut mettre à jour un certain nombre de mécanismes, mais que le mythe conserve son mystère. Un mythe, c'est toujours en partie inexplicable.

« Comme toutes les explications qu'on donnait étaient à la fois bonnes et mauvaises, on a décidé de ne rien expliquer, mais plus simplement de montrer. On s'est dit : "On va la filmer, on va tourner autour d'elle, on va écrire des situations aussi proches d'elle que possible." L'idée de raconter sa vie, vraiment, c'était idiot. On a laissé ça au second plan. Ce qui devenait intéressant, c'était elle, uniquement elle, la manière dont elle marche, dont elle se couche, dont elle mange, pleure ou rit... »

Finalement, Malle et Rappeneau sont pris à leur propre jeu : voulant maîtriser le mythe en l'expliquant, ils sont tombés dans la fascination du mythe. Mais c'est justement cette fascination, ce sentiment d'observer l'indéchiffrable, qui donne au film sa force d'évocation poétique. Une grande part est réservée à l'improvisation lors du tournage. En souhaitant que Brigitte remplisse elle-même les « blancs » avec ses propres mots, ses propres gestes, Malle reprend la technique utilisée par Vadim, qui a l'habitude de faire collaborer Brigitte aux dialogues.

Mais ici, Malle va plus loin. Il cherche à la fois à créer un film littéraire — on parle alors beaucoup de « caméra stylo » — mais il fait aussi ce qu'on appelle à l'époque du « cinéma-vérité ».

« Nous avons essayé de jouer le jeu et ce jeu, c'est Brigitte en partie qui le guidait, affirme Malle. J'ai beaucoup improvisé. C'est même le film où j'ai le plus improvisé et je n'aime pas beaucoup cela. C'est trop fatigant pour les nerfs. »

Cette méthode, certainement fatigante pour Malle, est épuisante pour Brigitte. « La caméra s'acharne sur elle », dit encore le metteur en scène. Brigitte est donc filmée avec cette agressivité, cette curiosité avide qui caractérisent alors l'attitude du public. Mais là, elle sait qu'il s'agit à la fois d'un jeu et d'un travail, et que si Malle le metteur en scène lui impose un type d'épreuve avec lequel elle est familiarisée, et qui lui fait peur, c'est justement parce que Malle, l'homme, a sur elle un regard amical. Elle peut faire la part des choses, dominer l'épreuve qu'elle vit en la jouant. C'est peut-être cela que Malle veut dire quand il parle de lui rendre son humanité...

C'est parce que Malle l'aide à faire la part du mythe qu'il est possible à Brigitte de jouer une Jill cassée, brisée nerveusement, un personnage qui est finalement précipité dans la mort.

Louis Malle, lui, est très clair à ce propos : « Cette fin, cette longue chute dans l'infini ne signifient peut-être pas vraiment la mort. C'est une conclusion lyrique, une fin pour héroïne mythologique... Je n'aurais pas pu tourner une scène où on la voyait vraiment tomber, s'écrasant sur le sol... A vrai dire, je ne suis pas sûr qu'elle meure au sens précis du terme... Ce n'est peut-être qu'une partie d'elle-même qui s'en va, qui se détache et tombe... C'est un peu comme dans un songe. »

Brigitte peut ainsi mieux comprendre ce qu'on lui fait et qui la tue. Il s'agit d'une mort qui la dépasse, elle en tant que personne. Pas de la mort véritable, mais de l'immortalisation. Malle saisit, en étudiant le cas Bardot, qu'on ne peut rendre la presse entièrement responsable du phénomène. Le phénomène n'existe que dans la mesure où Brigitte s'y prête. Et elle s'y prête — parfois même à contrecœur — parce qu'elle en a besoin.

Bien que son tempérament soit très différent de celui de Clouzot, Malle, comme tous les metteurs en scène qui ont forcé Brigitte à donner le meilleur d'elle-même, finit par entretenir avec elle des rapports tendus. C'est qu'il lui fait affronter sa propre peur. Il en parle aussi à *Cinéma 62* : « La séquence où elle tente de se suicider... J'ai eu un mal fou à la lui faire tourner. Elle ne voulait pas... Vous comprenez, elle se heurtait continuellement à ce personnage qui la dérangeait, qui la traquait. J'ai dû faire évacuer le plateau. Il y avait chez elle une extraordinaire pudeur. »

Comme les autres « grands » metteurs en scène de Brigitte, Louis Malle a conçu son film pour elle, autour d'elle. Il n'aurait pas pu le faire avec une autre : « Le film tel qu'il est tire trop d'avantages de la présence de Brigitte, de cette émotion à l'état second, de cette confrontation, si j'ose dire, entre elle et elle. Pour jouer certaines scènes, elle était en état de rébellion, parfois certains mots sortent d'elle avec une violence ! »

Ce que Louis Malle évoque d'abord, vingt-cinq ans après le tournage du film, c'est l'agressivité à laquelle Brigitte était en butte : « Elle ne pouvait pas sortir dans la rue... Je me souviens d'un incident qui avait frappé tout le monde. On avait commencé à tourner dans un passage couvert très luxueux du centre de Genève. J'avais engagé pour jouer le beau-père un homme qui n'était pas acteur, mais écrivain, Gregor von Rezzori, que tout le monde appelait Gricha. Gricha avait lu le script et il m'avait dit : "Ah, je trouve que vous avez quand même exagéré cette histoire, ces gens qui la poursuivent partout." Or, ce soir-là, premier jour de tournage, il avait une scène avec elle, c'était un tournage de nuit. Il y avait une masse de gens, c'étaient des bourgeois de Genève, pas des prolos... Une femme a craché à la figure de Brigitte... Gricha a été très secoué. Il a écrit là-dessus après... Elle avait cet effet-là sur les gens...

« Il y a une scène frappante dans le film, où elle rentre à cinq heures du matin chez elle. Elle montait les escaliers, et une femme de ménage commençait à l'agresser. Cette scène-là, on ne l'avait pas inventée, c'est une histoire qu'elle nous avait racontée... Il y avait quelque chose à l'époque, à propos de son personnage et de son image, qui provoquait l'agressivité. Cette image que les médias avaient contribué à créer en faisait un monstre, un objet d'opprobre. Ça avait beaucoup à voir avec le fait qu'elle menait sa vie comme un homme et ça, beaucoup de gens ne le lui pardonnaient pas. Mais c'est en ce sens qu'elle a joué un rôle libérateur important, qu'elle a été un personnage essentiel dans la mythologie de cette époque.

« Maintenant, évidemment, ça paraît très pâlot quand on voit le mode de vie de Nastassia Kinski, ou même de Catherine Deneuve... Mais c'était un moment où la morale collective était en train de basculer, et elle en a été un peu le bouc émissaire. Elle n'a jamais intellectualisé cela, et le prix qu'elle a payé est décrit dans *Vie privée* : elle vivait dans un entourage de gens qui la protégeaient. Elle était obligée, pour se préserver, de se couper du monde extérieur.

« Non seulement elle était un objet mythologique, mais elle vivait elle-même dans un univers mythique de copains qui n'étaient pas toujours très intéressants... Moi, ça me posait un problème. Brigitte, je l'aimais beaucoup, je la trouvais intelligente, très vive, avec énormément de bon sens, et un merveilleux sens de l'humour. J'aimais beaucoup sa compagnie, mais pour parvenir à la voir, il fallait passer à travers ce cercle de gens qui n'étaient pas passionnants. Des gens très gentils, mais un peu des parasites. Ou alors, souvent, c'étaient des gens avec qui elle travaillait : son coiffeur, par exemple. Ils étaient autour d'elle par le fait des circonstances, ce n'étaient pas des gens qu'elle avait choisis.

« *Vie privée*, c'était une réflexion sur un objet scandaleux, et c'est en ce sens que le film a été mal reçu. Les gens ont trouvé que c'était très exagéré. Ils ne se rendaient pas compte, et ils auraient peut-être mieux réagi si ça avait été un documentaire. Du fait que c'était dramatisé, que Jill était un personnage de fiction qui ressemblait beaucoup à Brigitte, ils ont pu croire que c'était outrancier. Mais je me rappelle la fin du film, qui se passait à Spolete. Mastroianni jouait l'amant de Jill qui essayait de mettre en scène une pièce de théâtre. Or, chaque fois que Brigitte sortait dans la rue, elle était suivie, les gens l'observaient vraiment, comme ça devait se passer dans le film. Les gens savaient qu'elle habitait dans ce palais que nous avait loué Gian Carlo Menotti. Et vraiment, c'était difficile pour elle de sortir dans les petites rues de Spolete, elle était comme le joueur de flûte de Hamelin...

« Et pour la rencontrer... Christine Gouze-Rénal, qui m'avait proposé de faire le film, avait organisé une rencontre avec Brigitte. Eh bien, organiser une rencontre avec Brigitte, c'était pratiquement comme organiser une rencontre avec un chef d'État. C'était toute une affaire... Et puis, elle avait cette manie d'arriver très en retard... Dès l'écriture du scénario, déjà, j'étais venu la voir plusieurs fois avec Rappeneau, et on avait sympathisé, l'atmosphère s'était détendue... On avait besoin d'elle pour écrire, puisque c'était basé sur sa vie... Eh bien, quand on en avait besoin, elle n'était pas là, on ne pouvait pas la joindre...

« Comme on avait décidé que Mastroianni serait son partenaire, on avait organisé une rencontre. Marcello est venu tout spécialement à Paris, et quand il est arrivé, elle avait changé d'avis. Elle était partie Dieu sait où. Là se situe l'origine des problèmes. Marcello est quelqu'un de très gentil, mais à cette époque où il était à l'apogée de sa carrière, il lui était quand même désagréable de s'entendre dire que Brigitte était partie en week-end... Ça m'a valu beaucoup de problèmes pendant le tournage, parce qu'ils ne s'adressaient pratiquement pas la parole...

« J'ai toujours cette image du début du tournage de *Vie*

237

privée : elle est arrivée entourée d'une véritable cour. Cinq ou six personnes la précédaient, et il y avait cette espèce de barrage entre elle et les autres... Cela dit, quand elle respectait le metteur en scène, elle travaillait très sérieusement. Je pense qu'elle a été la victime de son image. C'est un cliché, mais c'est profondément vrai. Sa carrière aurait été différente s'il n'y avait pas eu tout de suite ce succès fulgurant. En fait, il y avait en elle un côté très « trooper », comme disent les Américains. Brave petit soldat... quelqu'un qui veut vraiment remplir sa tâche, travailler. Dans *Vie privée*, je lui ai fait faire des choses très difficiles. Je l'ai fait grimper sur des toits alors qu'elle avait un vertige épouvantable... J'ai toujours eu du respect pour son travail de comédienne. C'était quelqu'un aux dons naturels, avec une réelle spontanéité, et cette présence extraordinaire.

« Mais, visiblement, ça l'embêtait beaucoup de faire du cinéma. Et cet ennui à l'époque où elle était une grande star se traduisait par toutes sortes de caprices, de difficultés parfois insupportables pour un metteur en scène. Son manque de discipline avait pour origine le fait qu'elle avait fini par prendre en horreur, très profondément, la part d'exhibitionnisme qu'il y a dans le métier d'actrice. Cette nécessité d'être une autre, de faire des choses qu'on n'a pas envie de faire, d'exposer des sentiments qu'on voudrait garder pour soi, c'était quelque chose qui la dégoûtait moralement.

« J'étais aussi très ami de sa sœur, Mijanou, qui a été un peu poussée par le succès de Brigitte à un moment donné. On l'avait persuadée de devenir actrice, mais pour elle, c'était vraiment douloureux de se retrouver devant une caméra, c'était l'horreur. Et j'ai toujours pensé que Brigitte partageait cette répulsion pour ce qu'on lui faisait faire... »

A l'issue du tournage de *Vie privée*, Christine Gouze-Rénal expose, pour *Ciné-Revue*, la situation professionnelle de Brigitte Bardot : « Un film français avec elle engage jusqu'à 700 millions. Elle n'y peut rien. Elle est cotée en Bourse comme un gisement de pétrole. Son salaire a été catapulté jusqu'aux nombres à neuf chiffres. Automatiquement. Je lui ai versé pour *Vie privée* soixante fois ce qu'elle avait reçu pour *la Lumière d'en face*. Non, elle ne peut pas me faire des prix. Je ne le lui demande d'ailleurs pas. Parce que je considère la production cinématographique comme un métier sérieux, qu'on ne fait pas au hasard des emballements, des copinages et des combines. Il me suffit — et c'est déjà un énorme cadeau et un juste sujet de fierté — de rester un de ses rares producteurs attitrés. »

Lassitude

La première de *Vie privée* a lieu le 31 janvier 1962, à minuit et demie, au cinéma la Pagode. Les invités — prestigieux — ont été prévenus à la dernière minute et par téléphone. Si l'on a choisi un cinéma de la rive gauche et non une immense salle des Champs-Élysées, c'est parce que le préfet de Police craint un attentat de l'OAS. Même si l'Organisation de l'Armée Secrète n'a pas réagi au refus de Brigitte de lui verser des fonds, celle-ci vit toujours sous la menace.

A la Pagode, à la dernière séance du soir, passe un film des Marx Brothers. Les trois cents invités chics frissonnent sur le trottoir, dans la nuit d'hiver, en attendant que la salle se vide. Des serveurs de Potel et Chabot leur offrent du café pour les réchauffer. Jean Cocteau est là, dans une cape bordée d'astrakan. Michèle Morgan, Marie Bell, Mylène Demongeot, Louise de Vilmorin et bien d'autres encore attendent de juger le film dont on parle tant. Ne manque que la vedette de la fête : Brigitte. Elle a préféré voir le film la veille, seule.

Elle a craint, au dernier moment, d'affronter le public difficile des premières, explique Christine Gouze-Rénal : « Après avoir vu le film dans sa version définitive, nous avons déjeuné ensemble. Elle aimait beaucoup le film, elle me remerciait de tous les efforts faits pour le mener à bien. Nous étions euphoriques et heureuses. Nous avons décidé ensemble d'un gala de première. Ce devait être une soirée digne d'un film de prestige. Je devais y consacrer trois millions. Nous avons fait des projets, trouvé des idées, et même choisi la robe qu'elle porterait ce soir-là. J'ai alerté mes services de publicité, contacté des personnalités, commandé les tapis, les roses et les fanfares, passé la nuit dans l'exaltation et la fièvre. Mais le lendemain, à huit heures du matin, elle me téléphonait pour dire ; "J'espère qu'il n'est pas trop tard pour annuler tout. J'ai réfléchi. Je ne veux pas aller à ce gala." Elle avait imaginé la lumière revenant dans la salle après la dernière image et tous les regards sur elle. "Tous ces gens qui m'auraient vue toute nue, jusqu'au cœur, plus nue qu'on ne m'a jamais vue dans mes premiers films... Je ne peux pas affronter cela. Je ne peux pas le supporter." » (*Ciné-Revue*.)

Brigitte Bardot a toujours eu du mal à regarder en face ce qui lui arrive, à l'analyser. Pourtant, la réflexion que *Vie privée* provoque en elle semble lui avoir donné envie de ne plus supporter passivement les choses. Elle a refusé un projet d'affiche dessiné par Brenot, le spécialiste de la pin-up. Cette affiche — assez belle et certainement spectaculaire — représente simplement la bouche de Brigitte, entrouverte sur trois dents qui avancent légèrement, comme si elle hésitait entre la moue et l'acquiescement. Vulgaire, décide Brigitte, qui préfère en définitive un dessin de Tealdi qui la représente tête tournée vers le spectateur, le bas du visage masqué par le col de fourrure du manteau. Au-dessus du col, deux grands yeux fardés de noir, le regard intense d'une femme voilée.

« Ce n'est pas "ma" vie privée, c'est la vie privée de quelqu'un que j'aurais pu être », dit-elle à propos du film. Mais elle reconnaît que certains épisodes ont été « piqués » dans sa vie, particulièrement la scène où une femme la menace dans l'ascenseur, qui a eu lieu, dans la réalité, deux ans auparavant, alors que Brigitte allait voir une amie dans une clinique. Seule dans l'ascenseur en compagnie d'une employée de la clinique, cette femme, qui portait un plateau repas, a insulté violemment Brigitte, la menaçant d'une fourchette, lui reprochant ses amants, ses films, sa beauté et même sa richesse...

Avant même de savoir comment le film sera accueilli, Brigitte parle déjà d'abandonner le cinéma... affirmant vouloir s'arrêter après son prochain film, *le Repos du guerrier*. « Je ne joue pas le jeu, dit Brigitte, de la grande vedette en vison et diamants, qui assiste aux galas, aux premières. Finalement, les gens aiment mieux les images que la réalité, et ils en veulent à ceux qui détruisent leurs images. Aucun film ne pourra jamais montrer — parce que c'est trop laid — ce que l'on me dit et ce que l'on m'écrit. »

Brigitte a déjà compris ce qui va faire le relatif échec de *Vie privée*. « Le film avait des problèmes de scénario, peut-être qu'il n'était pas suffisamment convaincant. On a tendance à penser qu'il y a toujours une raison si les gens n'acceptent pas un spectacle », dit Louis Malle, modeste. En fait, Brigitte est sans doute plus près de la vérité en expliquant que les gens ne supportent pas qu'on brise un idéal. Et si l'image de Brigitte est en un sens déchirée par le film, le public a aussi le déplaisir d'y voir son propre comportement à l'égard de la star, ce qui lui est sans doute insupportable. Louis Malle, qui a conscience d'avoir pris un risque en refusant de faire un film dans le style « caricature de *France-Dimanche* », va en payer les conséquences. La critique est mitigée. Dans *l'Humanité*, Samuel Lachize est enthousiaste et compare le metteur en scène à un scaphandrier qui affronte les profondeurs de la vie : « Louis Malle est un virtuose de la plongée, et quand il revient à la surface, ruisselant et ravi, il nous vient l'envie d'applaudir. Sur le plan cinématographique pur, son récit est merveilleusement conduit, au bord du rêve et de la réalité. Puissent de tels films lutter contre l'offensive de la bêtise ! »

Dans *le Monde*, même si Jean de Baroncelli promet au film « un prodigieux succès », il ne se montre pas convaincu : « Malgré les exceptionnelles qualités de la mise en scène, malgré la sincérité méritoire de Brigitte Bardot, *Vie privée* m'a déçu. Et la raison de cette déception est simple et brutale : à aucun moment je n'ai été touché, ému, ni même véritablement intéressé par le "mythe" que Louis Malle a voulu créer à partir de la vie "sublimée" de Brigitte Bardot. »

Christine Gouze-Rénal, pour sa part, ne se montre pas surprise du demi-échec du film : « Brigitte a été un mythe, mais elle n'a jamais fait déferler les spectateurs. Aucun producteur ne s'est enrichi en ayant produit Bardot, aucun. C'est vrai que, à un moment, elle rapportait à la France plus d'argent que la Régie Renault, mais par l'exploitation de ses films, qui se vendaient très cher, dans le monde. Je ne dis pas du tout que ses films n'ont pas marché, qu'elle faisait des flops, ce n'est pas ça. Ce n'était pas aussi important que les superstars aujourd'hui, alors que son rayonnement, lui, était

241

plus important. Même comparativement à ce que faisaient les films de l'époque... *Vie privée*, un très beau film, n'a pas dépassé 250 000 entrées en exclusivité.

« Je ne sais pas pourquoi il y avait ce décalage entre les recettes des films et la façon dont le public, dont les journalistes se ruaient sur elle... Ça, c'était le côté exploitation de la mode, du scandale. Brigitte avait une telle beauté, représentait un tel sex-symbole... J'ai vécu des moments avec elle, avec les journalistes, les paparazzi, au bord de la folie. Dans tous les pays du monde... *Vie privée* était au-dessous de la vérité... Nous avons vécu pendant le tournage des moments insupportables... Brigitte au bord de la dépression, n'en pouvait plus...

« Brigitte a subi ce métier. D'accord, elle a pris tous les millions qu'on lui donnait, mais elle n'aimait pas le cinéma... A telle enseigne que, physiquement, chaque fois que Brigitte commençait un film, elle avait, les huit premiers jours du tournage, un herpès énorme, psychosomatique... Les assurances le savaient... On attendait l'herpès des huit premiers jours...

« C'était par trac, par dégoût de se replonger dans une vie qu'elle n'aimait pas, dans une discipline qu'elle acceptait avec difficulté, que les autres lui imposaient... D'où cet effet psychosomatique important et des arrêts de tournage : on ne pouvait pas la photographier sous certains angles, le temps que ça cicatrise...

« Elle n'a pas toujours choisi les metteurs en scène qu'il lui fallait, les partenaires qu'il lui fallait, parce que tout se faisait beaucoup au coup de cœur, par l'effet d'un certain climat qui était autour d'elle à l'époque. Brigitte n'a pas mené sa carrière, n'a pas pensé sa carrière... C'est pourtant une carrière très réussie, mais enfin...

« Louis Malle fait dans *Vie privée* le portrait d'une femme hantée par la solitude. Et Brigitte est obsédée par la solitude, elle ne sait pas, ne peut pas rester seule... Beaucoup de décisions prises dans sa vie l'ont été pour pallier une solitude insupportable... »

Cette solitude dont Brigitte a eu peur dès l'enfance, qui est la solitude incontournable de tout être humain, se trouve décuplée lorsqu'elle devient star. L'objet mythifié, pour rester tel, doit être isolé, tenu à distance. Sa proximité n'est pas supportée, car alors il y a risque que le mythe se dilue dans la réalité. Brigitte est prise dans une situation paradoxale. Tant qu'elle se cache, qu'elle fuit, elle est le mythe, donc les gens sont attirés, ils la suivent, l'épient. Mais dès qu'elle est vraiment là, toute proche, ils ne le supportent pas et l'agressent. Paul Giannoli se souvient de la violence effrayante des réactions du public : « Un jour, j'étais allé avec BB à Orly chercher Christine Gouze-Rénal. Dans ma voiture décapotable, on voyait Brigitte et elle était insultée. Il a fallu que je la protège comme si j'étais un garde du corps... "Salope... Pute... Ah tu l'as vue, tu as vu ses cheveux... Tout ça c'est de l'eau oxygénée... Ah, elle est plus grosse qu'on croyait..."

« Brigitte n'aimait pas conduire à cause de ça. Pourtant elle avait de belles voitures. Je me souviens d'un modèle qu'on appelait l'Océane. Un jour, Simca lui en avait fait livrer une, immatriculée avec sa date de naissance : 1934 BB 75. Au lieu de la conduire, elle la prêtait à ses copains. Elle n'aimait pas conduire elle-même parce que conduire, ça implique que vous risquez d'être seul, et elle avait peur d'être seule, à cause des insultes.

« Un soir, avec Brigitte et Jicky Dussart, on est allés au cinéma, dans une salle qui n'existe plus, près de la Madeleine. On était assis tous les trois, Brigitte, Jicky et moi. Derrière, il y avait deux ou trois mecs qui ont commencé :
"T'as vu qui est devant ?"
"C'est la Bardot !"
"Tu la baiserais, toi ?"
« Je vous passe la suite. L'horreur. Moi, je commençais à me sentir mal. Dussart, qui est un type très costaud, athlète, ceinture noire de judo, s'est retourné :
"Bon, les gars... On se retrouve à la sortie..."
« A la sortie, les types ne se sont pas dégonflés. Ils nous attendaient, ils étaient trois ou quatre et ils ont dit :
"Qu'est-ce qu'on fait ?"
« Dussart a dit : "Bon ben voilà, on va porte Dauphine, on se retrouve dans la première clairière du bois et là, on règle les comptes."
« Chacun monte dans sa voiture. Moi, j'avais ma décapotable. Le sens interdit nous obligeait à repasser par le boulevard Haussmann. A hauteur du Printemps, j'ai dit à Dussart :

"Tu te rends compte où on s'embarque... On a Brigitte dans la voiture, et on va aller au bois de Boulogne se taper avec ces types ! Moi, je veux pas ! On ne sait pas ce qui peut se passer !"

« J'ai essayé de fuir, de prendre une rue... Les types nous ont coincés contre le trottoir devant les Galeries Lafayette... Ils sont descendus et on a commencé à se bagarrer... Moi, j'ai eu le costume complètement arraché. Jicky, l'arcade sourcillière ouverte. Brigitte était dans la voiture, les jambes croisées. Elle avait mis la radio et elle fumait. Et nous, on était là comme des sauvages... »

Anne Dussart, elle aussi, se souvient de scènes d'agression en voiture avec Brigitte... Et même sans elle, car Anne Dussart, qui lui a très occasionnellement servi de doublure, lui ressemble beaucoup : « C'était à Saint-Tropez... Il y avait beaucoup de monde et pour tromper les gens, on a décidé que je me déguiserais en Bardot ; je serais dans la voiture, un peu camouflée, les gens suivraient et Brigitte alors en profiterait pour sortir à la dérobée. Le stratagème réussit. Mais la foule s'agglutinait autour de la voiture... La voiture a commencé à tanguer, j'étais complètement terrorisée... Combien de fois Brigitte à dû supporter cela ? Quand je pense à l'effet que ça m'a fait, il fallait vraiment qu'elle puisse tenir le coup... »

Louis Malle attribue cette agressivité aux réactions hostiles, en retour, de Brigitte : « Cette enfance bourgeoise, protégée, et puis tout d'un coup cette montée, cette carrière... Elle a été exploitée, manipulée, utilisée par les hommes, d'un point de vue de carrière et comme objet sexuel. Mais, comme elle était très indépendante, farouchement libre et qu'elle voulait vivre sa vie, elle a un peu retourné ça. A partir du moment où elle était une star, elle s'est vengée en terrorisant les gens... Et en même temps, elle continuait à être manipulable, par gentillesse, par faiblesse, par naïveté parfois... Je crois qu'elle prenait aussi sa revanche sur les mauvais souvenirs que lui avaient laissé ses débuts. Elle m'a raconté que dans ses premiers films, les gens la traitaient comme un boudin... On lui disait qu'elle n'avait que son cul pour elle, enfin des trucs désagréables qui ont été à l'origine de cette espèce d'horreur qu'elle avait du plateau, du tournage. Et après, quand elle est devenue cette immense vedette, et qu'elle a commencé à se conduire en diva, le public a eu très peur d'elle... »

Le problème incontournable de la solitude, Brigitte en parle à Jean Cau lors d'un entretien publié dans *l'Express*, pour la sortie de *Vie privée*. Non seulement elle est inaccessible, mais lorsqu'elle tente d'aller vers les gens, ce sont eux qui ne le supportent pas : « Les gens qui me parlent ne sont pas naturels. J'arrive dans un groupe et ça y est : les gens ne sont plus du tout les mêmes. C'est horrible. C'est comme dans les contes ou, plutôt, dans les cauchemars. Et, des fois, j'ai l'impression que je ne suis pas moi. Et quand j'ai des élans et que je suis moi, ça m'attire des ennuis. »

Brigitte a vingt-sept ans. Elle affronte une grande difficulté : une partie de son image — celle qui lui permettait à la fois de provoquer et de se faire pardonner — est en train de disparaître. Chaque année qui passe l'effrite un peu davantage. Vingt-sept ans, c'est jeune pour une femme, mais c'est vieux pour un bébé. Brigitte — qui disait à vingt ans qu'à vingt-cinq ans, elle serait une vieille — a peur du temps : « J'ai reçu tous les cadeaux et je ne peux pas m'en servir, dit-elle encore à Jean Cau. Et le temps passe. Je me dis que le temps passe et que je suis bouclée, en prison derrière mon visage. »

« D'un côté les regards, les sourires, les murmures, les ricanements... De l'autre, l'orgueil d'une fille de vingt ans. Dans la sourde hostilité qu'on a pu percevoir parfois entre Bardot et les Français, ce défi entrait pour beaucoup », écrit François Nourrissier dans un livre publié en 1960[1].

« J'étais allé à Francfort et j'ai découvert un livre italien sur Brigitte Bardot composé de photos et d'un texte de Simone de Beauvoir, explique François Nourrissier. Je l'ai acheté pour le compte de Grasset. Rentrant en France j'ai contacté Simone de Beauvoir qui m'a appris que le livre italien était une édition piratée du texte qu'elle avait écrit pour *Esquire*... Il n'était pas question de publier une édition française... J'avais les photos, et j'ai décidé de faire moi-même un texte pour accompagner les photos. »

En 1960, alors que Brigitte était en pleine gloire, François Nourrissier avait parlé, en regard d'une photo de Bardot

---

1. *Brigitte Bardot*, Grasset.

typique — short ultra-court, tee-shirt, cheveux nattés et panier d'osier — déjà au passé. Par quoi Brigitte va-t-elle maintenant remplacer l'orgueil d'avoir vingt ans ?

« Bien sûr que j'ai des réflexions et une expérience de femme, dit-elle encore. Mais l'enfance c'est une... mentalité. C'est quand on est protégé, quand on est pardonné très vite, quand on croit tout, quand... on a des joies et des tristesses rapides, quand on ne se prend pas au sérieux... Moi, il n'y a rien qui m'ennuie plus qu'une dame ou qu'un type décoré... », ajoute celle qui se verra décerner la Légion d'honneur comme cadeau de cinquantenaire.

Le Mépris

Brigitte, ayant compris qu'il n'y a pas de remède à sa solitude, songe maintenant aux moyens de s'en accommoder. Elle a déjà parlé d'arrêter le cinéma après *la Vérité*, elle en parle à nouveau après *Vie privée*. Pourtant, son métier, bien qu'il la mette dans une cage dorée, est devenu le lien qui la rattache aux autres. Brigitte Bardot, le rêve de tous les hommes, se trouve dans la situation de pouvoir difficilement en rencontrer. La foule, autour d'elle, est comme un désert : « J'ai eu beaucoup d'amants, dans ma vie, dit-elle encore à Jean Cau. On a dit que j'étais perverse... Ce n'est pas un problème de perversité, c'est un problème de tendresse. Pour moi, la seule présence qui compte, auprès de moi, c'est celle d'un homme. Mais de quel homme ? Je ne vois personne. Les mêmes passent et repassent, comme au manège. Alors, quand je suis en pleine dépression, quand je me noie, je m'accroche à une poutre, la première qui passe. »

« La seule présence qui compte, auprès de moi, c'est celle d'un homme » : c'est aussi la situation de Geneviève Le Theil, l'héroïne du *Repos du guerrier*, le film que Brigitte tourne en 1963 après *Vie privée*. « C'est mon dernier film. J'ai promis à Vadim de le faire avec lui. Ma décision est irrévocable. J'ai lu le roman de Christiane Rochefort, bien sûr. Vous savez pourquoi il m'intéresse ? Pour une fois, je jouerai un personnage passif, celui d'une femme dominée par un homme. »

Vadim avait pensé tourner *le Vice et la Vertu*, une adaptation très libre de Sade. A Brigitte était dévolu le rôle de Juliette, le vice triomphant face à Justine, la vertu piétinée mais obstinée que Vadim pensa d'abord faire incarner par Annette Stroyberg, puis par Catherine Deneuve. Brigitte ne pouvait pas accepter de se trouver placée dans cette position.

Vadim a alors l'idée d'adapter un roman de Christiane Rochefort, *le Repos du guerrier*. Christiane Rochefort apparaît comme un personnage moderne et scandaleux — et Brigitte est, elle aussi, moderne et scandaleuse. Le roman, lors de sa publication, a causé un beau scandale — fondé sur un malentendu. Christiane Rochefort n'en est pas encore revenue de voir qu'un livre qu'elle avait conçu comme une satire féroce des rapports sado-masochistes entre l'homme et la femme ait pu être lu comme une apologie de ce type de couple. Le film, loin de dissiper le malentendu, va encore l'agrandir.

Christiane Rochefort a participé au scénario de *la Vérité*. Pourtant, elle n'adapte pas elle-même son roman. Vadim a-t-il craint le mordant de cet auteur qui montre l'aliénation absurde d'une femme qui « se sacrifie » pour sauver l'homme qu'elle aime, selon le cliché social toujours en vigueur ? Brigitte Bardot, qui avait aimé le roman, en avait-elle perçu la provocation ? En tout cas, ce qui fait la raison d'être du livre a totalement disparu du film. Brigitte, dans le rôle de Geneviève, la jeune bourgeoise conquise par un marginal autodestructeur, doit avoir le sentiment de rejouer un moment de sa vie. Robert Hossein, dans le rôle de Renaud, mal rasé, le col ouvert et efflanqué, ressemble à ce Vadim jeune, dont la grand-mère de Brigitte craignait qu'il ne parte avec les petites cuillers. « Elle ne sera jamais une grande actrice, car elle ne peut jouer un autre personnage que le sien », continue à affirmer Vadim. Pourtant, on peut penser que la séduction d'un rôle pour Brigitte consiste précisément à changer de personnage.

Vadim voulait lui faire jouer le vice, et finalement elle est ici la vertu, un personnage moral à qui l'homme se rend parce qu'elle est bonne, et non parce qu'elle est une garce. Cela peut apparaître comme une douce revanche...

Le personnage de Geneviève exprime un élément important du personnage Bardot, tel qu'il avait été repéré par François Nourrissier : « Tous les mouvements, toutes les attitudes du personnage doivent collaborer au portrait d'une femme apparemment imprévisible, mais dont le spectateur sait bien que tous les gestes — bouderie, fureur, refus — finiront par basculer dans le consentement. Le consentement est son destin, tout le reste est manège. »

Le Repos du guerrier peut être vu comme l'annonce du retour de la fille prodigue dans le giron de la bourgeoisie, et ce retour sera accueilli avec applaudissements par une critique presque unanime. La sortie du film tombera à point pour calmer un peu les esprits toujours échauffés par celle que d'aucuns voudraient voir brûler.

Au lendemain du show télévisé du Jour de l'An où Brigitte a montré ses talents de chanteuse, et qui a trouvé une grande audience, le Vatican estime nécessaire de lui faire des remontrances par la voix du très sérieux et très solennel *Osservatore della domenica romano*.

Brigitte a remporté une victoire à la suite de son intervention en faveur des animaux de La Villette. Ils seront désormais abattus, avec un minimum de souffrance, au pistolet électrique. Après les bêtes, n'aura-t-elle pas pitié des hommes ? s'interroge l'Église romaine. « Partout où vous passez souffle le vent du fanatisme et de la folie », accuse le journal italien.

En France, Brigitte est maintenant devenue le second personnage du pays, après de Gaulle. C'est ce que constate avec un certain agacement Georges Conchon dans *Arts*, le 16 janvier 1962. Il remarque que dans un seul quotidien en une semaine, le nom du président de la République apparaît soixante-douze fois et celui de Brigitte Bardot, cinquante-trois fois. La bardophobie de Conchon est combattue dans le numéro de *Positif* du mois de mai par José Pierre :

« L'opinion publique en France n'est fascinée par la personne de Brigitte Bardot que dans la mesure où celle-ci représente l'ennemi(e). En d'autres termes : personne n'est aussi détesté en France que cette jeune femme. Reste à savoir pourquoi. »

Le « e » mis entre parenthèses par José Pierre représente la première prise de conscience de la haine que suscite l'androgynie de Brigitte. Vadim, pour qui la femme moderne, compagne idéale, avait un cerveau de garçon et un corps de fille, n'avait pas prévu quels fantasmes cette association pouvait déclencher. Plus femme que toutes les femmes, Brigitte apparaît aussi plus virile que les hommes. Apparemment elle a tout, elle est la femme phallique par excellence. Le nombre de gens qui, l'ayant connue, font à son propos le lapsus du « il » dans la conversation est étonnant. Jean Cau, dans son portrait de *l'Express*, la traite de « volontaire petit garçon ».

« Au moment où quarante millions de Français tremblaient de peur, la nuit, à la pensée d'une visite possible des plastiqueurs, une jeune femme de vingt-sept ans avait eu, et elle seule, une réaction virile. Un tel adjectif fera sourire et la virilité, ici, est chose relative. N'empêche que, du jour au lendemain, quarante millions de Français — dont pour le moins vingt millions de mâles — se sentirent ridiculisés. Surtout les mâles, qui ne pardonnent pas ce genre d'affront : paraître moins viril qu'une femme extrêmement "féminine" à tous égards... »

Certes, ajoute José Pierre, la presse et le public ont bien réagi à cette occasion. Apparemment seulement. Brigitte, affirme-t-il, par la liberté de son comportement, est plus progressiste que les progressistes. Elle est à la pointe de l'émancipation féminine en France, elle annonce un changement de mœurs très profond, qui dépasse de beaucoup une « révolution sexuelle » confinée à l'alcôve.

« Les progressistes français partagent avec leurs adversaires politiques la conviction naïve et invétérée d'une absolue supériorité masculine dans tout ce qui relève de l'organisation sociale ou de l'exercice de la pensée. Le "progressiste" français méprise la femme ou, plus exactement, il lui refuse la revendication de tout ce que lui-même, mâle et "progressiste" ne daigne pas lui accorder. Il veut bien lui concéder quelques libertés sexuelles, dont il compte bien profiter en retour, mais il aime trop les petits plats, les pantoufles et...

les responsabilités de chef de famille pour être capable d'y renoncer. Saint-Simon et Fourier sont oubliés. »

Enfin, José Pierre rappelle les déclarations du grand romancier italien Elio Vittorini à *l'Express*, en février 1959 : « Les virtualités de résistance des Français au fascisme se trouvent symbolisées par Brigitte Bardot. (...) Par tout ce que Brigitte Bardot représente (qu'elle le veuille ou non) comme liberté de mœurs françaises. De ces libertés dépendent d'autres libertés. »

En lisant ces lignes, on est stupéfait de mesurer le chemin parcouru par une femme qu'on a accusée, à ses débuts, de n'avoir que ses fesses pour elle.

Nouvelle vague

Brigitte avait annoncé ses adieux au cinéma après *le Repos du guerrier*. Elle tourne moins à cette période puisqu'elle ne participe qu'à un seul film en 1962. Mais le moyen de refuser l'appel de Godard ? Cette collaboration apparaît comme l'ultime revanche de la starlette d'autrefois, méprisée par les gens intelligents. « Il était dit qu'un jour Camille se mettrait à penser », titre *l'Express*. Camille, c'est le nom du personnage incarné par Brigitte dans ce film. Un film qui tourne autour de deux personnages, que Godard considère comme des « prototypes » : Fritz Lang, jouant lui-même un metteur en scène, mais aussi « porte-parole des dieux » — ce qui, pour Godard, revient peut-être au même — et Brigitte Bardot, jouant Brigitte Bardot, mais aussi Camille « l'épouse touchante, intelligente et sincère du scénariste Paul Javal » (Michel Piccoli), comme le déclare Godard en décembre 1963 à Yvonne Baby au cours d'un entretien publié dans *le Monde*.

La statue mythique de Brigitte Bardot fait d'elle l'actrice idéale d'un film double, film sur le cinéma, d'une part, film sur les relations de couple, entre un homme et une femme, d'autre part. « *Le Mépris*, dit Godard au *Monde*, c'est aussi l'histoire d'un malentendu entre un homme et une femme. Je crois que le malentendu est un phénomène moderne. Il faut essayer de le contrôler ou de le fuir pour qu'il ne finisse pas — comme dans ce cas — en tragédie. Il est des moments de la vie où l'on ne peut pas revenir en arrière et où quelque chose définitivement se casse qui n'est ni de la faute de l'un ni de celle de l'autre, chacun en éprouvant souffrance, amertume ou regret. »

L'articulation entre les deux sujets du film est expliquée par Godard dans un texte écrit pour *les Cahiers du cinéma* (reproduit dans *Jean-Luc Godard par Jean-Luc Godard*, Belfond).

« Le sujet du *Mépris*, ce sont des gens qui se regardent et se jugent, puis sont à leur tour regardés et jugés par le cinéma, lequel est représenté par Fritz Lang jouant son propre rôle ; en somme, la conscience du film, son honnêteté. »

Issu d'un roman moral traitant d'un sentiment moral, le *Mépris* est un film moral. Il confirme la nouvelle orientation du personnage de Brigitte. C'est donc le sujet qui plaît à Godard dans le roman de Moravia. Il écrit, d'ailleurs, que c'est « un vulgaire et joli roman de gare, plein de sentiments classiques et désuets, en dépit de la modernité des situations. Mais c'est avec ce genre de roman que l'on tourne souvent de beaux films ».

Iconoclaste par rapport à Moravia, Godard l'est aussi à l'égard des dieux. Le metteur en scène Fritz Lang tourne une adaptation de *l'Odyssée*, et Godard en profite pour peindre de couleurs vives les statues de dieux grecs. Il est également iconoclaste à l'égard de Brigitte Bardot, à qui Godard fait porter une perruque noire, la privant de son « fétiche de star », symbolisé par sa chevelure blonde. Mais ce n'est pas pour lui déplaire, puisqu'elle éprouve à cette époque le désir de casser son image.

D'autant qu'avec ce film Godard fait un pied de nez aux producteurs, qu'il caricature à travers le personnage de Jérôme Prockosch (Jack Palance). Godard a eu des problèmes avec Carlo Ponti, à qui il a proposé une adaptation très fidèle du roman, réalisée avec Kim Novak et Frank Sinatra. Ponti préfère Loren et Mastroianni, mais ils s'accordent finalement sur BB, d'autant que les Américains financent partiel-

251

lement le film et que le nom de Bardot est toujours magique pour eux.

Godard dit à Gilles Lapouge (*Figaro littéraire*) : « Je voulais Sinatra et Kim Novak. La Kim Novak de *Vertige*, passive, molle. Ça n'a pas pu se faire et j'ai appris que Brigitte Bardot s'intéressait à mon projet — c'est elle qui l'a fait aboutir ; c'est une fille loyale ; elle s'était embarquée dans l'affaire ; elle a tenu jusqu'au bout ; elle m'a soutenu quand j'ai eu des démêlés avec la production. Donc, Brigitte Bardot, vous savez que je l'aime depuis longtemps. Il y a dix ans, j'avais voulu tourner avec elle. Elle n'avait pas voulu. J'aurais aimé travailler avec elle à ce moment-là, mais c'était aussi passionnant de l'utiliser dans *le Mépris*. Dans ce film, pour la première fois, elle a son âge véritable, vingt-neuf ans, et ça devient extraordinaire. Parce que vous avez des images qui montrent une jeune femme de vingt-neuf ans et puis, tout d'un coup, il se passe quelque chose et le visage change, vous voyez surgir une toute jeune femme qui a, je ne sais pas, moi, vingt, vingt-deux ans peut-être. »

Ponti et les Américains attendent de Godard, à partir d'un roman grand public, et avec une vedette grand public, un film très commercial. Pendant six semaines, Godard tourne librement en Italie, à Rome et à Capri. Fritz Lang — qui a aussi des comptes à régler avec l'industrie cinématographique — , Brigitte et Jack Palance sont tout à fait complices du « détournement de film » que Godard est en train d'opérer. Lorsque Michèle Manceaux, envoyée sur le tournage par *l'Express*, demande à Jack Palance pourquoi il a accepté le rôle, il répond : « Parce que je croyais qu'il s'agissait d'interpréter le rôle d'un producteur italien. Il y en avait dont j'avais étudié les moindres gestes. Je voulais faire de la satire et me venger un peu de ces salauds qui m'ont escroqué de 75 000 dollars. Le rôle a été changé, il s'agit maintenant d'un producteur américain. Je me sens un peu dupe. »

Si les acteurs ne savent pas très bien à l'avance quel rôle ils doivent jouer, c'est que Godard fonctionne à sa façon : « Ce que je cherche dans ce film, dit-il, je ne le sais vraiment pas. Au moment où je trouve une scène, j'ignore un peu ce qui va se passer. J'ai besoin de voir les acteurs en action pour le savoir. Ils ne comprennent pas toujours. Si je leur donne peu

252

d'indications, ils croient que je ne leur demande rien. Or, c'est tout le contraire. »

Entre Brigitte et Godard, l'entente se trouve sur le terrain du jeu — lui aussi a compris qu'il faut « amuser » Brigitte : « Elle est très bien. C'est une star. Je n'ai pas l'habitude de manier les stars. Il suffit d'adopter leur rythme. De les accepter comme elles sont. Par exemple, quand je lui demande de baisser sa coiffure de deux centimètres, elle me demande de marcher vingt mètres sur les mains. Par jeu. Je marche vingt mètres la tête en bas. Quarante mètres pour deux centimètres de coiffure. C'est amusant de travailler comme ça, non ? »

Amusant, peut-être, mais la méthode de Godard n'a rien de facile pour les acteurs : « Je ne les dirige pas beaucoup. Je cherche à les décontenancer. Il ne s'agit pas de les brutaliser. Il est facile de faire pleurer une actrice en lui envoyant des claques, mais le résultat est sans valeur. Non, comment dire, je les laisse plutôt dans le noir, je leur parle très peu, je me borne à les placer dans une certaine situation de façon qu'ils y réagissent selon leur inclination, comme l'homme ou la femme qu'ils sont. C'est un homme libre que vous devez avoir devant vous. Une liberté en face d'une liberté. Il faut que l'acteur contrôle sa vie, mais que ce contrôle lui échappe. Moi, mon rôle, c'est de les rendre vulnérables. »

Godard concède que cette façon de faire peut entraîner une souffrance, surtout chez les « vrais comédiens », pas chez lez « acteurs primaires ». « Les acteurs primaires comme Brigitte Bardot ou Belmondo — "primaire", ce n'est pas péjoratif, cela ne veut pas dire moins intelligents, mais plus immédiats, plus instinctifs, des espèces de végétaux — alors, avec eux, ça marche très bien. Brigitte Bardot, c'est un bloc. Il faut la prendre comme un bloc. »

L'atmosphère confinée du tournage est lourde de tensions. L'« effet BB » est très fortement ressenti par Michel Piccoli, comme le montrent ces propos recueillis par Jean Vietti pour *Ciné-Revue* : « Toute l'action, qui se déroule en deux jours, représente un "état de crise" sans issue dans lequel se trouvent les personnages. L'héroïne incarnée par Brigitte est le centre autour duquel les protagonistes masculins tournent comme des éphémères autour d'une lumière. Godard s'est régalé de cette atmosphère, mais il faut bien dire qu'ajoutée au climat déjà particulier de Rome et de Capri, de leur chaleur envahissante et de leur couleur pénétrante, cette ambiance étonnante n'a pas été sans nous placer, nous, les interprètes, dans l'étrange sentiment du vase clos : parce que BB, surtout, déplaçait toute l'affaire dans une dimension inhabituelle au point que nous avons ainsi vécu pendant trois mois un peu hors de l'humain, dans un état second qui m'a personnellement considérablement troublé. »

Film sur les mythes, *le Mépris* représente pour Michel Piccoli — qui n'est pas encore superstar — la rencontre avec un mythe féminin et sa séduction dangereuse. « J'avais plaisanté avant cette expérience sur les "risques" prétendus des partenaires de BB sur le plan intime, à la faveur du travail à ses côtés, mais compte tenu du fait que nous avons véritablement subi un huis-clos total en marge même du tournage, j'avoue que, à la longue, nous avons formé une sorte de groupe particulièrement disposé à toutes les folies, parce que disponibles, et je reconnais qu'à la fin, j'ai dû prendre sur moi et me dominer pour ne pas subir l'impérieuse séduction de cette féminité épanouie et rayonnante qu'est BB. J'ai enfin compris pendant ce tournage en Italie combien notre métier pouvait dégénérer sur le plan sentimental et même sexuel, jusqu'au domaine obsessionnel dont il est tant question dans la légende du cinéma. »

Le sentiment de claustrophobie ressenti par Michel Piccoli lors du tournage du *Mépris* est partiellement imputable à la foule qui, une fois encore, traque BB. Le photographe Sam Levin, qui travailla avec les plus grandes stars américaines et contribua à la création d'une BB aérienne et virevoltante, époustouflante de grâce et d'élégance candide, se souvient qu'à cette époque la célébrité de BB gênait le travail : « Je suis allé à Capri faire des photos d'elle sur le plateau avec Godard. Comme avec Ava Gardner à Rome, j'ai dû lui donner rendez-vous le soir pour œuvrer tranquille. Elle était très professionnelle et avait confiance en moi : j'ai essayé de créer pour elle une image qui corresponde à ce qu'elle pensait. C'était un plaisir de la photographier. On se chauffait, on s'amusait, on essayait des choses... Mais à partir du moment où elle a été tellement traquée que nous étions obligés de travailler la nuit, les choses sont devenues difficiles. »

D'autres problèmes se posent lorsque Godard montre son

film aux producteurs. Si Ponti est satisfait, trouvant le film « un peu plus normal que ce que Godard fait d'habitude », les Américains, pour leur part, sont déçus. Ils trouvent ça « très artistique, mais pas commercial », et exigent des changements. Godard propose de leur laisser le film et de retirer son nom. Ce désaveu n'arrange pas du tout les Américains qui pensaient s'offrir du cinéma artistique et du cinéma commercial à la fois pour le même prix.

« Le temps a passé, raconte Godard au *Monde*. Quelques mois après, les Américains se sont plaints de perdre de l'argent. Dans leur chambre de palace — vous voyez que les clichés les plus usés sont parfois vrais — ils pleuraient presque afin d'obtenir deux scènes de plus, et l'une où l'on verrait Michel Piccoli et Brigitte Bardot dénudés. »

L'impact Bardot pour le public américain, c'est l'érotisme, le nu. Godard va céder aux exigences américaines sur un point : il acceptera de tourner une scène de nu entre Brigitte Bardot et Michel Piccoli pour ouvrir le film. Mais la Brigitte nue filmée de Godard n'est pas, bien entendu, la Brigitte nue filmée par un autre cinéaste : « Ici, je l'ai faite en rouge et bleu pour qu'elle devienne autre chose, pour qu'elle ait un aspect plus irréel, plus profond, plus grave que simplement Brigitte Bardot sur un lit. J'ai voulu la transfigurer parce que le cinéma peut et doit transfigurer le réel. »

L'histoire du tournage du *Mépris* illustre les changements qui sont en train de se produire dans le cinéma français à cette époque, tant du côté de l'attitude des metteurs en scène, que de celle des acteurs. Contre un système hollywoodien usé s'affirme un cinéma d'auteur. L'expression « Nouvelle Vague » fera recette auprès du public comme le mot « existentialiste » quelques années plus tôt, non parce qu'il rend véritablement compte du phénomène, mais parce que c'est un slogan. Le sentiment des acteurs vis-à-vis de leur métier change aussi, particulièrement en ce qui concerne les actrices. Elle ne seront bientôt plus divisées en une catégorie qui montre ses fesses et donc ne sait pas jouer, et une autre qui, ne les montrant pas, a droit au talent.

« Tu vois mon derrière dans la glace ? demande Brigitte/Camille à Javal/Piccoli. Tu les trouves jolies, mes fesses ? Et mes seins ? » Naturellement, la critique se rue sur ce type de répliques, qui sera condamné au même titre que les astuces

255

godardiennes du style « Monte dans ton Alfa, Roméo ». Dans les deux cas, il s'agit du même ludisme provocateur. Brigitte demandant devant les spectateurs si on aime ses fesses est une Brigitte qui se venge des millions de gens qui, effectivement, les aiment, et qui, en plus, lui en veulent pour ça. Non seulement elle est vengée, mais, de surcroît, elle est transfigurée, ce qui donne à ceux qui « n'aiment que ses fesses » le statut d'imbéciles. Comme le dit encore Godard, obligé de mettre les points sur les i : « Le fait de la nudité n'allait pas contre le film qui n'est pas érotique, au contraire. »

Plus tard, lorsque Brigitte aura quitté le cinéma, elle déplorera elle-même le retournement de situation, prolongement pervers de ce qui, en 1963, apparaît comme une libération : le droit pour une actrice de se dénuder à l'écran, qui aura bientôt pour conséquence le droit pour une femme de montrer ses seins sur une plage. Ce droit va très vite être ressenti comme une obligation, ce qui n'est plus une liberté.

« Dans la vie, on voit les femmes habillées et au cinéma, on les voit nues », dit Javal dans le film. Brigitte, malgré elle, va contribuer à ce qu'on les voie nues partout ou à peu près — car il est difficile, comme elle le sait, de contrôler un phénomène qu'on a lancé.

En tout cas, pour Brigitte, *le Mépris* est une réussite sur toute la ligne. « Chic, je rejoins la Nouvelle Vague », dit-elle. La presse aussi dit « Chic ! ». Car si le film, comme tous les Godard, suscite de violentes controverses, le personnage de Camille est sympathique à (presque) tout le monde. *Le Figaro*, hostile au film, admet cependant : « Ainsi, le film devra-t-il son éventuel succès moins à Godard qu'à Brigitte Bardot. La comédienne assume des risques en l'honneur d'un thème et d'une entreprise qui, théoriquement, justifiaient l'estime. »

Une certaine similitude entre le jeu de Brigitte et celui d'Anna Karina est remarquée. Mêmes cheveux noirs lisses, même nonchalance, même provocation innocente et tranquille. Oui, Brigitte aurait pu être une héroïne de la Nouvelle Vague. Pourtant, elle ne renouvellera pas l'expérience.

Samba

« Brigitte Bardot Bardot... Brigitte Bardot — oh ! — oh ! », ainsi va le refrain d'une samba qui remporte un grand succès au festival de Rio. Brigitte est une fille du bord de mer, et Saint-Tropez — où les touristes continuent à affluer dans l'espoir naïf de la voir au bain — ne lui suffit pas toujours. Après le tournage du *Mépris*, elle rencontre un homme d'affaires brésilien, play-boy international, Bob Zaguri. Elle est maintenant divorcée de Jacques Charrier. Comme la première fois, les choses se sont déroulées de façon digne et même amicale. Jacques Charrier a la garde de l'enfant, mais Brigitte pourra l'avoir avec elle six mois par an.

Brigitte semble, dans sa vie, alterner les hommes du genre « timide, sensible, vulnérable, secret » et un autre genre, incarnant plutôt une virilité traditionnelle. Mais ils sont toujours à la fois beaux et ténébreux. Bob Zaguri est dans la ligne. Il est grand, brun, intelligent, et il sait ce qu'il veut. Il vend des voitures — sur une large échelle —, ce qui fait de lui un homme « moderne » dans ces années de sacralisation de la bagnole. C'est une personnalité forte et autoritaire. Il n'est ni acteur, ni metteur en scène. Il n'a pas à se poser le problème de la concurrence, son domaine d'influence n'est pas le cinéma. Il a suffisamment réussi dans la vie pour n'avoir rien à prouver aux autres ni à lui-même. Et il vient de loin. Le « cirque » autour de Brigitte est trop français pour qu'il s'y sente fortement impliqué.

Brigitte n'abandonne pas le cinéma pour aller mener sur les côtes du Brésil la vie sauvage et retirée dont elle a souvent prétendu rêver. Même le Brésil ne serait pas pour elle un endroit tranquille. Il y avait eu des émeutes à Rio à l'époque de *Et Dieu créa la femme*... Où qu'elle aille, elle est de toute façon traquée par les photographes, comme le montre le documentaire de Jacques Rozier, *Paparazzi*, « le film du film » réalisé pendant le tournage du *Mépris*.

Pourquoi Brigitte arrêterait-elle le cinéma, puisque de toute façon sa vie n'est pas tellement plus « privée » lorsqu'elle est chez elle que lorsqu'elle tourne ? Et puis, consacrée comédienne par ses derniers films, elle a sans doute envie de continuer à travailler.

Après *le Mépris*, dans lequel elle incarnait un personnage de femme qui se met à penser, elle va tourner... *Une Ravissante Idiote* ! « Le titre du film, évidemment, tourne en dérision le personnage qu'on avait vu en Brigitte à ses débuts, le genre "dumb blonde" du cinéma américain, raconte Edouard Molinaro, le réalisateur. Le film est une adaptation d'un roman d'Exbrayat. C'est l'histoire d'une fille qui joue les idiotes pour se protéger, une espionne amateur, sympathisante communiste. Le thème offre une espèce de parabole symbolique du comportement de Bardot par rapport au public et par rapport aux médias. Brigitte est tout sauf une idiote, évidemment. C'est quelqu'un qui appréhende très bien les gens. Ce qu'elle faisait était réfléchi. Elle avait toujours des positions très saines. Avec un amour de la vie exceptionnel...

« Le fait qu'elle ait pu avoir un certain temps cette réputation de ravissante idiote, et d'ailleurs en jouer, est dû à l'époque. Dans ces années-là, il suffisait qu'une femme soit belle pour qu'on en déduise qu'elle était idiote. C'est un vieux truc judéo-chrétien de compensation ; si vous étiez mignonne, vous n'aviez pas le droit d'être intelligente. Brigitte n'était pas idiote ; simplement, elle s'en foutait. Elle ne cherchait pas à donner une image d'elle-même, à déformer son image pour se valoriser. Elle était comme elle était, elle préférait les copains, jouer aux cartes, écouter de la musique...

« C'est Jean-Pierre Cassel qui s'est trouvé à l'origine de l'idée du film. Il avait découvert le roman d'Exbrayat, que j'avais trouvé amusant. On avait proposé ensemble le film à Brigitte. Finalement, Cassel n'a pas été engagé pour des raisons de box-office. Il fallait un partenaire plus important, non du point de vue de la qualité du comédien, mais pour des raisons commerciales. C'est Anthony Perkins qui a été choisi, ce qui m'a mis dans une position difficile. Mais, heureusement, Brigitte a fait un autre film avec Cassel par la suite, et les choses sont rentrées dans l'ordre. Anthony Perkins était quelqu'un qui réfléchissait. Il voulait que chaque plan du film — qui était une œuvrette sans importance — ait un prolongement. Il était délicieux, très professionnel, comme tous les comédiens américains, mais il se posait beaucoup de

258

questions... Chaque fois qu'il devait traverser une porte devant la caméra, il y avait un petit moment de métaphysique, c'était difficile...

« Perkins était donc à l'opposé de Brigitte, qui laissait sa belle nature agir. Mais les choses se sont bien passées entre eux parce que, justement, chacun jouait selon son tempérament. Brigitte était extrêmement amicale, elle avait des rapports professionnels avec les gens, mais en dehors du tournage, elle rentrait chez elle, elle voyait ses amis, ses amants, je ne sais pas... C'était sa vie... Le rideau était tiré, mais pas d'une façon hostile. Simplement, il était tiré.

« 1963, c'était l'époque de la grande gloire de Bardot. Il était important pour moi, jeune metteur en scène, de faire un film avec elle. Je dois dire que ce n'est pas son meilleur film, ni le mien... Le livre d'Exbrayat est un roman d'espionnage parodique, genre très difficile au cinéma... A mon avis, on s'est un peu cassé le nez, Brigitte et moi, surtout moi : ce qui reste du film aujourd'hui, c'est la grâce, la présence de Brigitte. Elle représentait alors un box-office dont on n'a pas l'idée aujourd'hui en France : elle était quasiment propriétaire de l'entreprise. Cette situation aurait pu induire quelquefois des rapports délicats entre le metteur en scène et sa vedette ; or, aucune difficulté n'a surgi, car Brigitte est une fille adorable, absolument facile à vivre.

« Le seul problème, c'est qu'elle était légèrement paresseuse. Non parce que c'était sa nature d'être paresseuse, mais, je crois, parce qu'elle donnait priorité à la vie, à sa vie de femme et au plaisir qu'elle éprouvait à aimer, à manger, à respirer et à se mettre au soleil. Option respectable, mais qui implique, quand on travaille avec elle, des petits inconvénients... Elle n'aimait pas trop se lever de bonne heure, il lui fallait un peu de temps pour se mettre en train. Sur le plateau, jamais l'ombre d'un problème ; elle ne se comportait pas du tout comme une star, mais comme une comédienne absolument normale, d'une grande souplesse. Elle apportait beaucoup par sa beauté, sa fraîcheur, sa présence. Mais pour la faire travailler plus de quatre ou cinq heures, alors là, c'était toute une histoire... Vers six heures, six heures trente, elle me disait : "Ah, Doudou, j'en ai assez... si on s'arrêtait..." "Mais, Brigitte, c'est aussi ton film, c'est ton argent... Il vaut peut-être mieux travailler..."

« Elle n'aimait pas trop les heures supplémentaires. Le travail à haute dose, ce n'était pas son truc... D'autres choses la sollicitaient... »

Les problèmes principaux ne se posent pas sur le tournage même, mais autour. Lors de *Rendez-vous à Rio* et de *Babette s'en va-t-en guerre*, Brigitte avait tourné en extérieur en Angleterre, sans problème. Certes, il y avait déjà foule, mais rien de comparable à ce qui se produit lors du tournage du film de Molinaro. Même Anthony Perkins, grande star américaine, n'avait jamais vu une chose pareille. Les bardophiles made in Albion assiègent l'hôtel *Westbury*, situé près de Bond Street, où est descendue la vedette. Dans la foule houleuse qui attend devant l'hôtel se trouvent non seulement les paparazzi auxquels Brigitte, bien malgré elle, est habituée, mais toutes sortes de gens. Lors du premier jour du tournage, le 23 octobre, à Hampstead, la foule sera telle que l'équipe du film se repliera sur la France, où le décor anglais devra être reconstitué en studio. Jamais plus Brigitte ne tournera en Angleterre.

L'automne 1963 voit l'éclosion de la Beatlemania. Les « quatre garçons dans le vent » descendus des brumes de Liverpool suscitent une hystérie populaire qui, pendant les années soixante, va dépasser — pour la première fois — l'effet Bardot. Après Brigitte, et à partir des Beatles, les superstars ne seront plus des actrices, mais des musiciens pop. La nouvelle génération rencontrera ses rêves dans le rythme plutôt que dans l'image. Il faudra les années quatre-vingt et la crise de l'industrie du disque pour que les producteurs, à l'aube d'un nouveau changement d'identification populaire, empêchent l'usine à rêves de la pop de s'essoufler, en unissant, par le vidéoclip, image et musique dans une débauche d'évocations violentes.

La bardolâtrie avait commencé à Londres. C'est à Londres également qu'on assiste à la naissance des stars nouvelle manière que sont les Beatles. L'impact de Brigitte sur les Anglais dans les années cinquante-soixante est vérifiable par les réactions du jeune John Lennon, futur Beatle, qui lors de ses années d'étudiant aux Beaux-Arts, dans sa province natale, estimait les filles selon leur ressemblance plus ou moins grande avec Bardot. Dans sa biographie[1] de John

1. Ray Coleman, *John Lennon*, Futura.

260

Lennon, Ray Coleman interviewe l'amie de jeunesse de Lennon, Helen Anderson : « Même à seize ans je savais qu'il était destiné à un grand avenir. Pendant ses six premiers mois au collège, ses tableaux étaient très sauvages et agressifs. Chacun d'eux contenait le décor d'un night-club, le dessin avec des lignes très fortes, presque noires, et il y avait toujours une blonde assise au bar qui ressemblait à Brigitte Bardot. »

Lorsque Lennon rencontre Cynthia, qui deviendra sa première femme, il est attiré par une ressemblance avec BB : « A ses yeux elle offrait d'abord une évidente ressemblance avec Brigitte Bardot, son principal fantasme. Beaucoup de ses précédentes petites amies avaient dû accepter les exigences de John : "Laisse pousser tes cheveux, comme Brigitte". Il leur montrait par des dessins à quoi elles devaient ressembler. Une étudiante, Joni Grosby, ressemblait tellement à Bardot, que Lennon salivait en la voyant à la cafétéria. Durant la pause du thé, il répétait tous les jours à Helen Anderson : « Bon Dieu, elle est fantastique — juste comme Brigitte Bardot. »

« Je n'ai jamais rien connu de tel, c'était très effrayant », dit Brigitte de sa dernière expérience anglaise. Elle a trop fait rêver les Anglais. Sa renommée est telle que sa vieille recette — faire deux comédies légères pour se remettre d'un film « lourd » n'est même plus sûre. Le bruit et la fureur l'accompagnent où qu'elle aille.

Le film n'est pas très bien accueilli. Au *Figaro*, Louis Chauvet trouve des mots gentils pour une entreprise qui montre une Brigitte visible par les familles : « Un espion maladroit déboussolé par l'amour, une héroïne que l'on croit naïve, un agent russe pourri de mansuétude et que harcèlent ses chefs, un haut-fonctionnaire de l'Amirauté plongé dans les affres de l'inconfort moral. Tout le monde s'agite autour d'un faux dossier dont le cheminement sera parfois inattendu. (...) Brigitte Bardot joue la ravissante couturière qui fait semblant d'être idiote. Elle a l'air de s'amuser beaucoup, toute heureuse, peut-on croire, d'être sortie saine et sauve des bizarres cogitations de M. Godard. » Si *le Figaro* parle d'un « film pour distraire », *France-Soir* titre « Bébette s'en va-t-en guerre ».

C'est la même comparaison avec le personnage qu'elle

jouait dans Babette qui revient sous la plume de Michel Aubriant dans *Paris-Presse* : « Brigitte Bardot, pour une fois autorisée aux moins de dix-huit ans, joue les fausses idiotes avec une fantaisie et une finesse que nous ne lui connaissions plus depuis *Babette*. »

Au *Monde*, Jean de Baroncelli est également amusé : « La ravissante en question est Brigitte Bardot, qui joue avec une malice délicieuse son rôle de gourde. Sa simplicité, sa bonne humeur font merveille. Elle se promène dans le film exactement comme si elle faisait son marché dans une rue de Saint-Tropez. »

Si le but de Brigitte était de se faire pardonner ses audaces, elle a réussi. Une fois de plus, la preuve est faite qu'on l'accepte lorsqu'elle paraît s'excuser de sa beauté par un semblant de bêtise.

Pourtant sur cette voie se présente un écueil perçu par Henry Chapier dans *Combat* :

« De deux choses l'une : ou BB décide de devenir l'une des premières actrices mondiales, et ainsi de survivre à sa mythologie, ou alors elle se contente d'accepter les rôles qu'on lui propose, sans autre ambition que celle d'entretenir sa popularité. Il est évident qu'avec *Une Ravissante Idiote*, BB a montré le bout de l'oreille.

« Mais cette envie de s'amuser, ce retour aux minauderies, ne lui préparent pas la voie des cinémathèques.

« Or, pour nous qui aimons Brigitte Bardot, pour tous ceux qui croient à son talent et le défendent, c'est là une méprise : on ne peut impunément coiffer un béret de collégienne lorsqu'on n'a plus dix-huit ans.

« En 1964, Brigitte Bardot doit choisir : je crois que son avenir est du côté de Louis Malle et de Jean-Luc Godard. »

Si Brigitte, en 1964, est confrontée à un choix de carrière lourd de conséquences pour l'avenir, ce n'est pas seulement parce qu'il devient difficile de coiffer un béret de collégienne lorsqu'on n'a plus dix-huit ans. C'est aussi parce qu'elle court un des plus graves dangers qui menacent une star incarnant une légende : la surexposition.

Ce danger était évoqué dès 1961, par Raoul Lévy, dans une interview accordée au *New York Herald Tribune* au moment de sa rupture professionnelle avec la vedette. Lévy commence par donner une impressionnante série de chiffres destinée à montrer que plus Brigitte devient célèbre, moins elle est rentable. Pour *Et Dieu créa la femme*, affirme-t-il, BB a touché 12 000 dollars, le film a coûté 300 000 dollars, et il en a rapporté 7 000 000. Pour *Une Parisienne*, elle aurait touché 25 000 dollars pour un budget de 450 000 dollars et des recettes de 3 000 000 de dollars. Enfin leur dernière collaboration, *la Vérité*, c'est 250 000 dollars pour Brigitte, 1 500 000 dollars de budget, et lors de la sortie du film, Lévy espérait des recettes de 7 000 000 de dollars.

« Mais cela, dit-il, c'est parce que *la Vérité* avait d'autres "plus", tels que le metteur en scène, Henri-Georges Clouzot, et une vraie histoire. Ce qui donne, sur l'écran, un bon film. Les autres films étaient seulement amusants, divertissants. *La Vérité* est un divertissement et en plus un film superbe. »

Raoul Lévy explique sa séparation professionnelle avec Brigitte : celle-ci croit qu'elle peut continuer de tourner dans des films légers alors qu'il considère, pour sa part, qu'elle coûte trop cher désormais pour se permettre de faire autre chose que de « grands » films. Raoul Lévy reproche ensuite à Brigitte d'avoir perdu le mystère nécessaire au mythe. Il fait la comparaison avec Marilyn qui se serait trop révélée au moment des *Misfits*.

« Le public américain s'intéresse moins à Brigitte et pour les mêmes raisons. La démystification des stars due à trop de publicité autour de leur vie personnelle les tue au box-office.

« Il n'y a plus de mystère à propos de Bardot. Le public sait trop de choses intimes sur sa vie. Chaque fois que la vie privée est mentionnée publiquement, c'est une partie vitale de l'être qui est enlevée. Brigitte fait vendre des journaux et des magazines, mais elle ne fait pas vendre de tickets au box-office. Après la lecture des journaux et des magazines, que reste-t-il à apprendre ? Plus il y a de publicité, plus le box-office baisse. »

Raoul Lévy a-t-il raison, ou bien justifie-t-il leur désaccord de façon à se donner le beau rôle ? On peut noter des changements de ton dans la presse. En août 1961, le *Daily Express* publie un article de Leonard Mosley, le journaliste anglais qui avait remarqué la starlette en bikini sur la plage de Cannes.

« Bardot va prendre sa retraite et en tant que celui qui l'a découverte, je suis content. » Au-dessus, un gros titre : « Derniers jours d'une déesse vieillissante. » L'article est féroce. Après avoir récapitulé les charmes de la Brigitte d'autrefois, Mosley conclut : « Brigitte Bardot a maintenant vingt-six ans. Alors qu'elle ressemblait autrefois à une écolière précoce, aujourd'hui elle ressemble à une Juliette vieillissante — et Roméo regarde ailleurs. Le style a changé. Les beatniks sont démodés. La femme redevient femme. Et Brigitte Bardot commence à avoir l'air horriblement, pathétiquement démodé. Il est temps qu'elle prenne sa retraite. Son époque, son style et son genre sont terminés. »

La virulence du ton est curieuse de la part d'un homme qui a beaucoup soutenu Brigitte. Plus curieux encore, Marguerite Duras, auteur du texte très laudateur *la Reine Bardot*, rédige en septembre 1964 dans *Candide* un nouveau portrait de BB pour son trentième anniversaire. Duras reproche d'abord à la star de jouer avec les hommes, de les séduire et de les abandonner sans pitié. Elle déplore que Brigitte gâche ses merveilleuses possibilités. Elle parle aussi de son attitude à l'égard de son fils :

« De ce corps sublime, dans sa plus glorieuse vigueur un enfant a été fait. Mais il n'y a pas eu de miracle. On regrette autour d'elle qu'elle ne s'occupe pas plus de cet enfant ou qu'elle s'en occupe de façon conventionnelle. Pourquoi ? Parce que sans doute n'aimait-elle plus assez l'homme de qui elle l'a eu mais aussi parce qu'elle n'avait pas, à ce moment-là de sa vie, le moyen de passer à l'acte maternel. Dans un réflexe d'autodéfense elle s'en est gardée. L'autre, impitoyable, inévitable, qu'aurait été l'enfant, ce rival d'elle-même, elle a évité de le rencontrer.

« L'enfant, c'était elle. C'est encore elle peut-être aujourd'hui. A elle la liberté, les plaisirs et les joies, bien sûr, mais ce n'est pas si simple : demain sera si vaste et si vide que vous ne suffirez plus à le meubler. Il faut élargir l'égoïsme ou alors... Mais il est certain qu'elle connaîtra plus tard l'ennui de n'être que dans sa peau. »

Son côté « BB » a beaucoup joué en faveur de Bardot à ses débuts. Voici maintenant le revers de la médaille : elle n'a pas trente ans qu'on lui promet le crépuscule des stars.

L'aventurière

A partir de cet âge, trente ans, quelque chose se durcit dans le personnage Bardot. La femme est toujours splendide. Gainsbourg, pour sa part, pense qu'elle n'a jamais été aussi belle que pendant ces années. Mais pas de la même façon. Le corps toujours aussi longiligne, aussi délié, semble fait d'une autre matière que la chair, comme si Brigitte était une statue vivante. L'androgynie s'est accentuée avec la disparition des rondeurs enfantines. Vers cette période, elle change de style. Elle quitte ses jupes très ceinturées pour les pantalons de velours, puis les jeans. Le pantalon épouse les formes et les stylise, il supprime le mystère qu'on croit deviner sous la jupe.

Elle va également cesser de relever haut ses cheveux. La célèbre choucroute, fétiche démodé, sera remplacée par des chignons moins volumineux noués bas sur la nuque. Puis elle laissera flotter ses cheveux en longues mèches plates tombant sur les épaules et le dos. Les blouses paysannes, les robes au corsage audacieux sont remplacées par des tee-shirts ou des pulls moulants encore plus révélateurs mais de lignes plus strictes. Tout cela correspond au changement de la mode, une mode qui bouge avec Brigitte. Il lui arrive encore de la précéder, mais le plus souvent elle est maintenant parmi les premières à la suivre. En plein cœur de la période hippie, elle adoptera le genre « chiffons glorieux » du couturier Jean Bouquin, étrange personnage à l'allure rabelaisienne qui passera de la couture à la restauration. Sous l'influence de Jean Bouquin, Brigitte portera de grands jupons flottants, proches des ampleurs de vichy de ses débuts. Pieds nus en été, bottée en hiver, cela lui donne un air « gitane de luxe » qui correspond bien à son personnage. Pendant ces années-là, le « fétiche » de la haute chevelure sera remplacé par un lourd trait de khôl autour de l'œil qui à son tour devient immense, fascinant. Ce style qu'elle adoptera et perfectionnera dans la seconde moitié des années soixante, elle ne l'abandonnera plus jamais. Elle semble ne plus devoir quitter les imprimés indiens, les jupons flottants, les bottes cavalières, et les shorts en jeans effrangés au ras de la fesse.

Une nouvelle époque Bardot va naître en 1965 avec *Viva Maria*. Brigitte s'excusait de ses incartades, comme surprise de sa propre audace. C'est fini. Elle n'en fera plus maintenant qu'à sa tête, et sans remords. Sa conduite en amour et en affaires est tout à fait masculine. Brigitte choisit les hommes, repère un personnage intéressant, l'apprivoise et lorsque la lassitude succède à la passion, elle ne se laisse pas prendre de vitesse. Elle passe à autre chose ou à quelqu'un d'autre.

La liste des prétendants dans ces années est impressionnante. Deux personnalités dominent le lot : Bob Zaguri et Günther Sachs. Avec ces hommes, quelque chose de nouveau apparaît. Ce sont toujours des ténébreux exotiques aux traits à la fois classiques et forts. Et ils sont riches. A vrai dire, Brigitte a toujours affirmé aimer les choses simples — mais luxueuses. Et elle n'a jamais manqué d'argent, loin de là. Mais celle qui méprisait fourrures, bijoux et belles voitures mène désormais la vie hypersophistiquée du jet-set. La Brigitte quatrième époque, malgré le genre hippie qu'elle se donne, est bien en train de rejoindre, lentement mais sûrement, les rangs de sa bourgeoisie d'origine. Ses parents n'ont plus à s'inquiéter de la voir s'acoquiner avec des faméliques aux poches retournées. En fait, c'est lorsqu'elle assume les oripeaux de la bohème qu'elle la quitte, de même que, autrefois, les robes écossaises de la jeune fille de Passy cachaient une émancipation prête à exploser.

Avant de tourner *Viva Maria*, Brigitte suit Zaguri au Brésil. Il lui fait découvrir un pays immense et fascinant, qui dans ces années est en train de passer, à vitesse record, de la vie sauvage au vingtième siècle.

Le Brésil connaît alors des années de fièvre civilisatrice et d'enrichissement. L'immensité des ressources naturelles, le mythe du défrichement amazonien, la construction de gratte-ciel futuristes à Rio et Sao Paulo ont de quoi séduire et émerveiller, avant qu'on ait eu le temps de comprendre les conséquences sociales de cette politique d'expansion sauvage.

Au Brésil à cette période, tout est possible. Dans la baie de Rio est ancré le yacht de Zaguri, sur lequel il va emmener sa belle. Dans les premiers temps les journalistes les ont harcelés, jusqu'à ce que la paix soit signée sous la forme de ce qu'on appelle « le traité de Copacabana ». Puis, Zaguri l'en-

266

traîne à Buzios, petit village de pêcheurs, un des lieux idylliques du monde, auquel la venue de Brigitte donnera une réputation de choix pour happy few. Le soleil de Buzios est plus violent que celui de Saint-Tropez, ce qui n'empêche pas Brigitte, comme dans sa chanson, de se tenir « sous le soleil, exactement — juste en dessous ». C'est la vie de contes de fées dont elle a toujours rêvé, l'Eden d'avant la chute. A Rio, Bob et elle vont habiter la Vallée Enchantée, le nouveau quartier chic. Brigitte danse la samba, s'émerveille du carnaval. Les Brésiliens l'adorent. Son genre un peu outré, qui a toujours suffoqué les Français, est tout à fait dans la ligne des extravagances tropicales. Va-t-elle épouser Bob, devenir sud-américaine ?

Eh bien non... Même si Zaguri est « un homme, un vrai », même si Brigitte ne peut vraiment plus se servir de l'alibi financier, elle retourne au cinéma. Sa retraite du bout du monde apparaît, rétrospectivement, comme un signe de profonde lassitude. Buzios pour Brigitte, c'est un peu Tahiti pour Martine Carol.

Pourquoi Brigitte accepte-t-elle de tourner dans *Viva Maria* avec Louis Malle ? Même si *Vie privée* a reçu un accueil mitigé, l'intelligence, la tendresse et le respect de Malle à l'égard de Brigitte sont exceptionnels. Elle a besoin de ce genre de regard. Malle, échaudé par les problèmes avec Mastroianni, et souhaitant sans doute mettre Brigitte dans une situation nouvelle, jamais exploitée, a l'idée de la faire jouer avec Jeanne Moreau. Il veut, au départ, adapter un roman de Preston Sturges, *The Beautiful Blonde from Bashful Bend*. Les westerns sont à la mode et Malle a avec ce genre la distance d'un Européen fasciné par l'Amérique. Il sera d'ailleurs un des seuls réalisateurs français à y faire carrière. Il souhaite exploiter le style western à sa façon, par une parodie. Avec Bardot dans un film à l'américaine, il a en main toutes les cartes pour séduire le public américain. Et il va redonner un second souffle au mythe Bardot en sortant BB des rôles de petite fille paumée ou de garce fatale, en lui faisant incarner un personnage de femme nouvelle, autonome, courageuse, bagarreuse et qui s'appuie, non sur l'amour d'un homme, mais sur la solidarité avec une autre femme. C'est une héroïne révolutionnaire, à une époque où le mot « révolution » commence à être dans l'air.

Malle a compris l'impossibilité, pour Brigitte, de se retirer brusquement du cinéma comme elle avait souhaité le faire, et la nécessité d'effectuer la transition du sex-symbole à un personnage de femme capable de s'assumer. Il est persuadé que Brigitte n'arrêtera pas le cinéma, qu'elle est profondément une actrice et qu'elle saura effectuer le virage vers des rôles de comédie, une seconde carrière à la Danielle Darrieux.

Son idée de mettre Brigitte en union-rivalité avec Jeanne Moreau se révèle géniale. Moreau est une des meilleure actrices du monde, elle est de taille à faire face à Brigitte. Comédienne charismatique, elle n'a jamais fait carrière sur une réputation d'objet sexuel. Le jeu de chacune doit mettre en relief les qualités de l'autre. Dernier argument : le tournage doit avoir lieu au Mexique, ce qui est de nature à plaire à Bob Zaguri.

Brigitte accepte donc le projet de Malle. Elle rencontre Jeanne Moreau, dîne avec elle et, apparemment, sympathise. Brigitte déclare, lors d'une interview à Europe 1, que Moreau et elle sont deux aspects de la femme idéale.

Avant le début du tournage, Brigitte passe un mois au Brésil avec Zaguri. Une pluie battante tombe sur Rio en ce mois de décembre 1964 lorsque Brigitte, vêtue d'une robe fourreau à rayures noires et blanches, moulante et décolletée, descend d'avion. Elle est accueillie avec les honneurs officiels, comblée de cadeaux. Émue, elle serre dans ses bras la reine de beauté venue l'accueillir, selon les meilleures traditions locales.

D'excellente humeur, Brigitte sourit aux photographes, envoie des baisers, et achève de conquérir les journalistes lorsqu'elle déclare, au cours de la conférence de presse qui suit : « Je veux ici prendre des vacances et profiter au maximum de votre beau pays qui est très admiré en France. »

Brigitte prend très au sérieux son rôle d'ambassadrice de charme. Cependant, elle demande aussi aux journalistes brésiliens, qui l'ont harcelée lors de son précédent séjour, de la laisser tranquille cette fois-ci, car elle a « besoin de repos ». Propos de nature à les exciter davantage.

Escortée par douze policiers casqués de blanc et armés de

matraques, puis par des motards, Brigitte et Zaguri passe-
ront un week-end mouillé à Rio avant de se rendre à deux
cents kilomètres de là, à Cabo Frio. Trois semaines plus tard,
le 11 janvier 1965, Brigitte et Zaguri quittent le Brésil dans
des circonstances moins euphoriques. Ni les reporters ni les
touristes n'ont laissé le couple en paix.

A leur arrivée au Mexique dans la soirée, une foule de
vingt-cinq mille personnes attend. Toute la police de Mexico
City se trouve sur le pied de guerre. Pendant vingt minutes,
l'avion est bloqué par la foule de trois cents journalistes et
photographes qui a pénétré à l'intérieur de l'aéroport.

Brigitte se rend directement à Cuernavaca, petite ville
romantique, typique du Mexique colonial, située à quatre-
vingts kilomètres de Mexico. Brigitte y occupe une maison de
style traditionnel, avec balcons ouvragés et piscine. Elle s'y
repose une semaine en attendant le début du tournage. Le 18
janvier, elle doit se rendre à Mexico pour y donner, dans les
salons de l'hôtel *Presidente*, une conférence de presse en compagnie de Jeanne Moreau et Louis Malle. Ce jour-là, à nouveau, plus de trois cents reporters et journalistes l'attendent.
La police mexicaine est sur les dents. Brigitte porte une robe
noire à pois blancs. Ce contraste moderne fait partie de son
nouveau personnage. Elle ne semble pas de très bonne
humeur, mais conserve son sens habituel de la repartie. A un
journaliste qui lui demande quel a été le plus beau jour de sa
vie, elle répond : « une nuit »... Elle parle d'elle à la troisième personne. Lorsqu'on lui demande avec quels metteurs
en scène elle a préféré travailler, elle répond : « Avec ceux
qui préfèrent travailler avec Brigitte Bardot. » Bonne façon
de résumer sa manière de faire des choix.

Le lendemain, Brigitte fait une entrée éblouissante lors
d'un festival du film français qui présente *le Feu follet*, le
dernier film de Malle. Portant une robe de dentelle noire
courte qui montre ses célèbres jambes, elle fait un triomphe.
La presse mexicaine est dithyrambique. Le tournage de *Viva
Maria* commence le 21 janvier dans une hacienda historique,
le Moulin des Fleurs, autrefois incendiée par Zapata. Brigitte
retrouve, avec *Viva Maria* les costumes début de siècle qui lui
vont si bien : larges jupes ceinturées, hauts chemisiers, chignons à bandeaux noués bas sur la nuque. Elle retrouve
même les lavallières qu'elle affectionnait jeune fille. Brigitte

semble ravie d'incarner Maria, la fille de l'anarchiste irlandais, recueillie, dans un Mexique dévasté par la guerre, par une troupe de comédiens ambulants. Parmi ceux-ci, une chanteuse française, qui se prénomme aussi Maria. Jeanne Moreau est donc Maria I et Brigitte Bardot Maria II dans cette histoire. Maria une et deux vont rivaliser lors d'un numéro de strip-tease sur fond de tour Eiffel et d'Arc de Triomphe en toile peinte. Le côté « fausses jumelles » est accentué par leurs costumes identiques, guêpières noires, bas noirs et porte-jarretelles ou robes à volants au décolleté vertigineux et larges chapeaux.

Louis Malle a tablé sur le fait que les deux monstres sacrés que sont Bardot et Moreau se sentiraient en compétition, toute sympathie réelle mise à part. Cette situation, qui peut servir le film, est exacerbée par les médias :

« A un moment donné, dit Malle, c'est devenu assez difficile entre Jeanne et Brigitte. Des histoires, des jalousies, des ragots colportés par les journalistes qui n'arrêtaient pas de raconter ce que, soit disant, l'une avait dit de l'autre... C'est devenu absolument affreux... En fait, je crois que toutes les deux sont devenues réellement très amies par la suite... Mais Brigitte connaissait son pouvoir, elle savait ce qu'elle représentait, et puis il y avait toujours cette cour autour d'elle qui compliquait les choses... Brigitte était souvent merveilleuse dans le travail, bien qu'elle n'hésitait pas à faire passer toujours sa vie privée au premier plan. La plupart d'entre nous, ne faisons pas cela afin d'éviter que se créent des situations très compliquées, très malsaines... Avec Brigitte, on savait toujours. Si à neuf heures elle n'était pas là, alors que la séance de maquillage était prévue à sept heures, on était prévenu. Ça fichait la journée en l'air, évidemment. Mais j'ai toujours eu un certain respect pour cette espèce d'honnêteté qui consiste à dire : « Moi, c'est comme ça, alors débrouillez-vous »... Elle était une très grande star au box-office, elle pouvait se le permettre... J'ai toujours admiré Brigitte, en dehors de certains aspects difficiles et agaçants de son comportement. J'ai toujours eu du respect pour l'être humain qu'elle était, et pour sa rigueur. Lorsqu'elle tient à quelque chose, elle y met une opiniâtreté et une énergie admirables et que l'on sent physiquement, dans sa démarche. Pour moi, le personnage de Brigitte s'exprime dans sa démarche. Il y a un plan dans *Viva Maria* dont j'étais très fier, une espèce de long travelling dans lequel, après avoir fait des choses épouvantables d'un point de vue moral — elle avait passé une nuit d'orgie — elle rentrait dans sa roulotte, et elle marchait avec ses vêtements en lambeaux... Sa démarche montrait une énergie, un équilibre... qui venait sans doute de son passé de danseuse, mais pas seulement... La démarche, c'est la chose qui vous habite le plus. Un acteur peut fabriquer tous ses gestes, mais quand les gens truquent leur démarche, c'est ridicule. La démarche, c'est ce qui vous trahit le plus sûrement.

« Et elle, elle avait sans aucun ridicule, ce côté à la fois altier, souverain, royal qui dégageait une force et une certitude que, souvent, elle ne montrait pas par ailleurs »...

Viva Maria, malgré les difficultés du tournage, est un succès public. La critique, elle, est divisée. Dans *le Nouvel Observateur*, Cournot, qui n'a pas aimé le film, écrit :

« Un très grand bruit avait couru que nous aurions quand même à nous mettre sous la dent deux femmes, deux grandes actrices même qui avaient fait leurs preuves, l'une dans *Et Dieu créa la femme*, *la Vérité*, *le Mépris*, l'autre dans *Jules et Jim*, *le Feu follet*, *les Amants*. Des centaines d'articles nous l'avaient dit, redit. Ce n'était pas la vérité. La vérité, c'est M. Jean-Claude Carrière qui l'a révélée, et seulement la semaine dernière : "Notre problème a été de faire oublier Jeanne Moreau et Brigitte Bardot."

« L'une de ces donzelles a un moral de fer : elle ne s'est pas laissé avoir. Mais dans les "histoires drôles" et les toilettes bon chic, elle est quand même un peu paumée. »

Dans *Les Lettres françaises*, par contre, Georges Sadoul est nettement pour : « Certains attendent comme le résultat du tiercé le résultat de l'affrontement Bardot-Moreau. Au premier abord Jeanne paraît mettre Brigitte « dans sa poche » avec son tonitruant métier de tragédienne. En finale c'est Bardot qui a le dessus par sa gentillesse, son charme, le rayonnement discret et puissant de sa personnalité, la sûreté aussi de son jeu dramatique... »

On reproche surtout à Malle le côté luxueux de sa réalisation et ses décors léchés, d'autant que le film reçoit une promotion agressive, nouvelle pour une production de ce genre. *Viva Maria*, sous forme de bandes dessinées, est publié

271

dans *France-Soir*. On vend des robes et des objets Viva
Maria... et on offre Brigitte Bardot en pâture au Tout-Paris
lors de la première. Jean de Baroncelli dans *le Monde*, compare le film à : « Un superbe arbre de Noël. Un arbre décoré
avec un soin et un raffinement extrêmes, tout scintillant de
lumière, chargé de guirlandes, de fanfreluches, de boules
multicolores, de gadgets étonnants, de farces et attrapes et
de mille joujoux destinés à l'amusement des spectateurs. »
Viva Maria reste comme un des bons films de Bardot. Louis
Malle a tenu son pari : faire tourner ensemble les deux plus
grandes actrices avec qui il avait travaillé. Il a réussi sans
doute parce qu'il les connaissait si bien... »

La conquête de l'Ouest

En 1965, Brigitte fait deux apparitions en « guest star »
dans des films. Tout d'abord, un film américain dont le titre
lui est dédié, *Dear Brigitte*. Il s'agit d'un film d'Henry Koster
produit par la Fox, avec James Stewart en père d'un petit
garçon prodige, mathématicien de génie, très fort sur les
pronostics de turf. Le rêve de la petite merveille est de rencontrer Brigitte Bardot, et ce rêve va se réaliser. Brigitte
refuse de se rendre aux Etats-Unis pour un tournage qui
aurait été très bref, et comme le film dépend de sa présence,
la Fox se déplace. Cette péripétie confirme la popularité
persistante de Bardot aux USA, ainsi que son refus d'une
carrière américaine.
   BB, pourtant, semble garder un excellent souvenir de ce
bref tournage : « J'ai eu la chance de connaître James Stewart. J'ai tenu un petit rôle, interprétant moi-même, dans un
film de lui tourné à Paris, *Chère Brigitte*. J'ai trouvé ce monsieur absolument extraordinaire. Sa gentillesse, son aspect,
sa conscience professionnelle, tout est merveilleux en lui.
C'est sans aucun doute une des plus grandes vedettes du
monde. »

Brigitte acceptera de se rendre, pour la première fois de sa vie, en Amérique du Nord, pour le gala de lancement et la promotion de *Viva Maria*. Ce geste indique toute l'importance que Brigitte attache à ce film divertissant tourné par un grand metteur en scène.

La conquête de l'Amérique est un challenge puissant pour notre Don Juane nationale. Elle n'oublie pas que les USA l'ont reconnue, autrefois, avant la France. Elle n'oublie pas non plus que les Américains ont l'habitude des stars. Elle leur montrera que, partout dans le monde, elle est « hors catégorie ».

Elle reste une semaine aux USA, et l'accueil est aussi enthousiaste à New York qu'à Hollywood. Les difficultés d'un long tournage sont presque oubliées lorsque Brigitte joue Brigitte devant la foule des journalistes américains. Elle réédite, à des années de distance, le numéro de charme qui l'avait fait adorer des Anglais.

« L'offensive Bardot », titre *l'Express*, à propos du voyage de Brigitte. En effet, l'enjeu de carrière est important. BB a toujours refusé d'aller travailler aux USA, et elle se tiendra à cette politique. Elle sait qu'elle s'est taillé sa réputation outre-Atlantitque grâce à son charme français dans des films français. Mais notre vedette « made in France » sait aussi que les Américains investissent de plus en plus dans les films français à gros budget. *Viva Maria* en est un exemple.

Pour affirmer son existence aux Etats-Unis, Brigitte mène sa conquête tambour battant en une semaine. Elle reste quatre jours à New York, pendant lesquels elle donne deux conférences de presse auxquelles assistent six cents journalistes. Elle répond à soixante-quinze questions, avec un esprit d'à-propos qui séduit totalement les Américains. Vingt-neufs caméras de télévision et seize micros la guettent lorsque, moulée dans une mini-minijupe citron, orange et framboise, elle lève les bras au ciel dans un geste digne du général de Gaulle.

Descendue à l'hôtel *Plaza*, elle parvient cependant à forcer un véritable blocus pour aller dîner au *Cattleman Restaurant*, dans un décor western. A Times Square, elle découvre son nom écrit au néon, mais, en bonne « flower-child » qu'elle est, elle préfère Greenwich Village. Elle est également impressionnée par les décorations de Noël qui illuminent New York en cette seconde moitié de décembre.

La première de *Viva Maria* a lieu à l'Astor Theatre. Soixante-quinze agents et vingt-sept policiers privés tentent vainement, le 19 décembre au soir, de contenir une foule en délire. Sept barrières de protection sont brisées, des caméras de télévision renversées par cinq mille New-Yorkais déchaînés. A l'intérieur, la salle est comble, les places se sont arrachées au marché noir. Mille célébrités américaines assistent à l'entrée de Brigitte dont la robe blanche brodée de nacre, dévoilant une vertigineuse chute de reins, et le manteau blanc à col de renard ont été abîmés dans la mêlée. Elle a également été blessée à l'œil, atteinte par les éclats de verre d'un flash.

A l'issue de la projection, elle parvient à s'échapper par l'escalier de secours d'un cinéma voisin. La foule se rue sur Julie Christie, qu'elle confond, dans la folie, avec BB. L'actrice anglaise voit à son tour sa robe mise en pièces.

Cette épreuve n'empêche pas Brigitte de finir la soirée en beauté. Stoïque, elle se rend à une réception « amicale » (six cents personnes) au célèbre cabaret *El Morocco*.

Le lendemain matin, elle reçoit la presse française à son hôtel, les yeux protégés derrière les lunettes noires prescrites par l'ophtalmologue : « Je ne connais vraiment de la ville que des monte-charge, des sorties de service, des sous-sols, des cuisines et des arrière-cuisines, dit-elle à *France-Soir*. Je crois que j'ai balayé avec ma robe blanche à peu près tout ce qui était à balayer dans New York. »

Brigitte déchante. « Finalement, ici, ce n'est pas rigolo. Ils sont dingues, les Amerlos », conclut-elle après que plusieurs restaurants lui ont refusé leur entrée, sous prétexte qu'elle est en pantalon.

L'accueil du film est mitigé aux USA. La censure catholique le classe dans la catégorie « à désapprouver en partie pour les personnes de tous âges », parce que « l'utilisation apparente d'un personnage ressemblant au Christ dans une séquence d'un réalisme érotique est particulièrement choquante pour les chrétiens ».

Les péripéties du voyage sont filmées par le cinéaste François Reichenbach, désireux de montrer la vie quotidienne d'un monstre sacré. Il a bien choisi son moment...

A Los Angeles, les choses sont un peu plus calmes. A l'hôtel *Beverley Hills*, Brigitte est logée royalement dans une suite qui fut occupée par la princesse Margaret. Détail touchant et très américain, les murs sont décorés de faux Renoir et de faux Monet. Et la suite comporte une salle de bains de star en marbre rose.

Lors de la première de Los Angeles, huit cent cinquante personnes sont présentes au Bruin Theater de Westwood. Rita Hayworth, Marlon Brando, Robert Mitchum, Paul Newman entre autres ont répondu à l'appel de l'érotisme french style.

Brigitte, dans la ville des stars, profite à fond du système. Elle se déplace dans une gigantesque Cadillac équipée d'un poste de télévision. Elle enregistre un « Ed Sullivan Show » qui sera diffusé le week-end du nouvel an, et qui achèvera de convaincre les Américains qu'elle est autre chose qu'une « poupée de celluloïd préfabriquée », selon ses propres termes.

Et elle ne manque pas de charmer les journalistes par son sens de l'humour et son insolence.

« Qui êtes-vous, Brigitte Bardot ? » interroge un reporter.

« Vous avez tout vu, » répond-elle en se levant.

« Mais qui êtes-vous vraiment ? », insiste l'homme.

« Venez vivre avec moi pendant huit jours, vous le saurez. »

« Mais je suis marié. »

« Venez avec votre femme, bien sûr. »

« Quel âge avez-vous ? » demande un autre journaliste.

« Trente ans, et vous ? » répond BB.

Et lorsqu'on lui demande « quels sont les hommes les plus sexy », elle répond : « les cosmonautes », s'attirant un gros succès. En effet, la presse américaine est alors partagée entre le voyage de BB et les cosmonautes de Gemini.

Cette façon d'avoir le dernier mot enchante. Lors de son départ, les journaux américains ne l'appellent plus « le sex-symbole », mais « le charme français. »

En 1965, Brigitte accepte d'apparaître dans le film de Jean-Luc Godard, *Masculin-Féminin*, dont les principaux acteurs sont Jean-Pierre Léaud et Chantal Goya.

« Je voulais utiliser le cinéma pour parler de la jeunesse ou plutôt utiliser des jeunes pour parler de cinéma », dit Godard à propos de son film. Brigitte y représente la génération adulte, préoccupée de questions plus graves. Godard marque ainsi le passage d'une époque à une autre : celle des jeunes de ces années-là, les « yéyés », obsédés non plus de *Cinémonde* mais de *Mademoiselle Age Tendre* comme l'indique la présence dans la distribution de Chantal Goya, d'Elsa Leroy, « Miss MAT », et Françoise Hardy.

Dans *Masculin-Féminin*, Brigitte est montrée en discussion avec le metteur en scène Antoine Bourseiller[1].

« Je pense que Godard est arrivé à l'idée de nous faire tourner ça ensemble pour plusieurs raisons, dit Bourseiller. D'abord, ma famille et moi avions à l'époque des liens avec Jean-Luc Godard. C'est lui, en particulier, qui m'a permis de prendre le Théâtre de Poche en charge, il m'a aidé financièrement à le faire, et il m'a aussi aidé financièrement quand j'étais directeur du Studio des Champs-Elysées. La plupart des enfants que l'on voit dans les films de Godard, ce sont mes enfants. Il y avait donc d'un côté cette amitié avec Godard, et de l'autre une amitié avec Brigitte Bardot, parce qu'il se trouve qu'à une époque les hommes qui traversaient sa vie étaient mes amis. Quand j'ai été directeur du Studio des Champs-Elysées, j'ai mis en scène Samy Frey dans *la Jungle des villes*, une pièce de Brecht. J'avais déjà rencontré Brigitte Bardot auparavant, alors que j'étais au cours Dullin et que j'y avais pour « camarade d'école » Jean-Louis Trintignant. Il venait de tourner avec elle *Et Dieu créa la femme*. Par un matin ensoleillé, rue Pierre-Ier-de-Serbie, Trintignant m'a dit : "Je voudrais te présenter une fille", et c'était Brigitte Bardot, qui n'était pas encore une star puisque le film n'était pas sorti.

« Godard a peut-être su que j'avais eu un projet de théâtre avec Brigitte — je voulais diriger *le Misanthrope* au TNP de Chaillot avec elle dans le rôle de Célimène et Samy Frey dans le rôle d'Alceste. En tout cas, dans *Masculin-Féminin*, il me fait travailler avec Brigitte une scène de théâtre, où je lui explique son rôle. A l'époque, j'étais un peu considéré comme un metteur en scène d'avant-garde. Je suppose que dans cette

1. Contrairement à ce qui est indiqué dans certaines filmographies de Bardot, elle ne figure pas dans le film de Bourseiller *Marie-Soleil*, réalisé l'année précédente.

scène, Brigitte représente la gloire et moi, je suis le théâtre face à la gloire. Mais en fait, je n'en ai jamais parlé avec Jean-Luc. Un jour, il m'a téléphoné en disant : "Mardi, tu tournes une scène avec Brigitte." Je n'ai même pas posé de questions... Et on a tourné la scène... Ce qui m'avait frappé, dans mes rencontres avec Brigitte, j'ai pu le vérifier avec d'autres acteurs à un niveau moins élevé : c'est qu'on ne mesure pas l'impact qu'on peut avoir sur le public. Elle en avait éprouvé les difficultés, elle en connaissait les retombées, elle savait qu'accepter cet esclavage faisait partie de son métier ; mais elle ne se rendait pas compte du poids qu'il représentait. Que le pouvoir soit politique ou mythique, il isole de la réalité des choses. Puisqu'elle ne pouvait pas mener une vie normale, elle ne pouvait pas juger normalement de ce qu'elle signifiait. La gloire, à ce niveau-là, implique une solitude terrible, une méfiance. Est-ce qu'on vous aime pour ce que vous êtes, ou pour ce que vous représentez ? C'est très troublant.

« La troisième chose que j'ai apprise à son contact, et que j'ai pu vérifier avec d'autres, c'est qu'au départ vous ne savez pas pourquoi il y a cet impact ; puis à mesure qu'on avance, surtout au cinéma, plus on représente quelque chose, plus on devient lucide et on se dit : "S'ils savaient la vérité par rapport à ce qu'on m'impose... Je n'y suis pour rien, je ne suis rien..." Je pense que cette espèce de décalage, finalement, peut amener à abandonner le cinéma... L'incertitude dans laquelle on se trouve par rapport à soi : "Je vaux tant de centaines de millions, je vaux tant d'entrées... Alors que..."

« J'ai remarqué que cela troublait plus les femmes que les hommes, sans doute parce que chez une femme, la présence dans l'univers cinématographique repose davantage sur le physique, sur l'âge, sur la beauté, denrées tellement fragiles... En fait c'est un malheur, dans une certaine mesure... BB en a profité comme tout le monde, ce qui lui permet maintenant de vivre. Mais comment ? »

Pluie de roses sur la Madrague

Bob Zaguri continue à protéger Brigitte de la presse. A la Madrague, les photographes, désormais, débarquent par bateau et éxécutent même des raids en hélicoptère. Brigitte se faisant plus discrète dans ses confidences à la presse, celle-ci en est réduite à spéculer sur l'éventualité d'un mariage.

« BB et Bob, une chaumière et un cœur », titre *Cinémonde* dans son style inimitable en septembre 1964, dans un article affirmant que Brigitte obéit à Bob « au doigt et à l'œil » et montrant un Zaguri barbu et résolu sous le chaume de Bazoches. La France attend une conclusion morale : BB enfin matée, domestiquée, ayant « trouvé son maître ». Mais quel homme serait assez fort, King-Kong n'étant plus de ce monde, pour mater celle qui s'affirme de plus en plus comme l'incarnation de Superwoman ? Lors de son voyage aux Etats-Unis, un journaliste lui a posé cette question :

« Le général de Gaulle est-il votre type d'homme ? »

« Oui... Politiquement ! » a répondu Brigitte.

Il semble que Brigitte, dans son nouveau personnage de femme qui s'assume, cherche désormais un homme à sa mesure. C'est alors qu'elle rencontre Günther Sachs. Il fait certainement le poids. Né en 1932 en Bavière, il a à peine deux ans de moins que Brigitte. Il est le petit-fils d'Ernst Sachs, l'inventeur de la roue libre pour bicyclettes. Après le suicide de son père, le consul de Suède Willy Sachs, sa mère a épousé en secondes noces le baron von Opel. Sachs a tout pour plaire à Brigitte : nez volontaire, bouche décidée, chevelure abondante, air germanique ensoleillé par un bronzage permanent. C'est un grand sportif, ex-champion de bobsleigh, passionné de tir, adorant les voitures très rapides. Play-boy, on l'a vu en compagnie des plus belles femmes ; il est de la même petite bande du « super jet set » qu'Aly Khan ou Rubirosa. Il est sorti avec Tina Onassis et Soraya. Il a été marié, dans les années cinquante, à une Française, Anne-Marie Faure, morte tragiquement trois ans plus tard en lui laissant un fils. Cette aura romantique est complétée par une renommée d'homme d'affaires. Il est président de la SA

Saxoit, société dont le chiffre d'affaires serait, dit-on, de deux cent cinquante millions de marks.

Parmi les amis de Sachs se trouve Serge Marquand, frère de Christian Marquand. Vadim le connaît aussi, et c'est lui qui présente Sachs à Brigitte dans un restaurant de Saint-Tropez, où Sachs séjourne souvent car il y possède — comme en bien d'autres endroits — une maison. Sachs est mêlé de près à la vie dorée de Saint-Tropez, il est même propriétaire de la marque de vêtements Mic-Mac, une des locomotives vestimentaires de l'endroit. Il a déjà croisé Brigitte en plusieurs occasions, mais ils ne se sont jamais remarqués avant ce jour. Or, depuis quelque temps, Brigitte semble plus disponible. On la voit toujours avec Zaguri, mais aussi avec un dentiste de la région du nom de Paul Albou, un ami de vieille date qui, questionné par la presse sur ses rapports avec la vedette, répond : « J'attends ».

Sachs, lui, n'est pas du genre à attendre. En matière de femmes comme en matière de sport ou d'affaires, il fonce toujours. Il y a, dans son visage, dans le regard et dans le profil, la tension de la mâchoire, quelque chose de sauvage et de félin, la concentration de l'animal qui guette une proie.

Le regard pénétrant de Sachs a compris très vite un trait important du caractère de Brigitte : le romantisme. Vivant sur le mode « copain », elle est d'autant plus éblouie par un homme qui joue le grand jeu.

Pour conquérir sa belle, Sachs n'hésite pas à faire livrer cent roses à la Madrague... par hélicoptère. Pour Brigitte qui a toujours voulu voir la vie comme un conte de fées, le rêve devient réalité. Cette pluie de roses est irrésistible.

L'argent en lui-même n'a jamais suffi à séduire Brigitte — mais Sachs, qu'elle va bientôt surnommer « Saxy », a décidément la passion du jeu dans tous les domaines : au lieu d'être rendu ennuyeux et pompeux par la richesse, il s'en sert pour transformer la vie, la rendre féerique et amusante. Brigitte a toujours trouvé irrésistibles ceux qui savent la distraire. Enfin, elle a rencontré un homme qui comprend tout à fait son côté « fleur bleue », un homme assez sûr de lui pour être capable de jouer vraiment le rôle du prince charmant. Au fond, c'est ce que toutes les femmes désirent, et que la plupart des hommes hésitent à leur accorder.

Lorsque le terrain est préparé par ces précipitations providentielles, le prince charmant débarque à son tour, venu d'abord du ciel, puis des eaux, dans une combinaison du personnage de Zeus et de Neptune qu'il a peut-être piquée à Godard. Musclé comme un dieu grec — mais pas peint en bleu — il arrive lui-même en hélicoptère au-dessus de la mer devant la Madrague, jette dans les flots des valises étanches dont la postérité n'a pas retenu la marque, saute à son tour et débarque, sans trident mais ruisselant, conquérant. Sachs, à cette époque, s'intéresse au cinéma. On dit qu'il veut y investir. Il a sûrement dû voir les films de James Bond dont c'est la grande vogue.

En tout cas, il fait mieux que Vadim, mieux que tout les autres. Il ne promet pas à Brigitte de transformer son existence en conte de fées en la faisant jouer dans des films. Il se promène dans la vie comme dans un scénario. Il abolit, enfin, les frontières entre l'imaginaire et la réalité. Il va permettre à Brigitte d'oublier, quelque temps, cette division déchirante entre le vrai et le faux, entre la chair et l'image.

Lorsque Sachs emmène sa fiancée sur son propre terrain, en Bavière, le monde n'est qu'un immense jardin, l'air du soir est rempli de sérénades.

Brigitte n'a jamais vu ça. D'ailleurs, aucune femme n'a jamais vu ça, sauf en rêve ou dans des romans roses. Brigitte n'hésite pas à s'habiller en jupon court et blouse paysanne tandis que Günther est superbe en culotte de peau. Ne ricanons pas : peu de gens peuvent se permettre ça. Ces deux-là, oui.

Il faut trois semaines à Günther Sachs pour faire de Brigitte Bardot sa femme. Ils se marient le 14 juillet 1966 à Las Vegas. Le lieu est exotique, mais décidément Marianne, par la date choisie, ne renie pas ses origines françaises et républicaines.

Brigitte avait épousé Vadim en 1952, Charrier en 1959, et maintenant Sachs en 1966. Les trois mariages sont séparés chacun par sept ans. Celui-ci durera-t-il davantage ? En tout cas, le temps des fiançailles se raccourcit...

Avant leur départ pour l'Amérique, le 1er juillet, à Paris, Sachs et Brigitte signent un contrat de séparation de biens. A Orly, ils empruntent une fausse identité mais sont reconnus ; ils prétendent partir en voyage au Mexique. A leur arrivée à Los Angeles, ils sont attendus par une foule qui admire Brigitte en minijupe et Sachs en uniforme de play-boy, chemise blanche très ouverte sur un torse bronzé, blazer bleu assorti à ses prunelles, et mocassins blancs sans chaussettes, of course. De Los Angeles, ils ne prennent pas l'avion en direction de Mexico : un avion-taxi les attend, qui les emmène à Las Vegas, la ville des mariages express. Le mariage est célébré par John Mowbray, juge du district du comté, qui leur souhaite aimablement dans son speech « d'avoir le vent dans le dos ». La cérémonie dure en tout et pour tout huit minutes. Sachs est toujours en pantalon blanc, mocassins et blazer mais Brigitte a échangé sa minijupe rose pour une robe violette. Elle a laissé ses cheveux flotter sur ses épaules. Du voile brodé de Barthet du premier mariage au chignon-robe vichy du deuxième, et enfin au troisième, sa tenue devient de plus en plus libre, informelle.

Le mariage express a été arrangé par Edward Kennedy, un ami de Sachs. Le marié offre à sa nouvelle épousée un bracelet bleu blanc rouge composé de saphirs, diamants et rubis. Ce luxe contraste avec la simplicité de l'accoutrement de Brigitte qui porte, en guise de bouquet de mariage, une seule fleur à la main. A propos de cette fleur, la presse se divisera, une partie prétendant qu'il s'agit d'une rose, l'autre d'un chrysanthème, fleur très courante aux USA mais d'un symbolisme inquiétant chez nous. Brigitte jeune fille disait bien qu'à trente ans on était « bon pour les chrysanthèmes »... Quant à l'absence de chaussettes de Sachs, les journalistes pas assez « branchés » n'y verront pas la marque de la désinvolture suprême, et écriront qu'ils les a « oubliées dans sa hâte »...

Philippe d'Exéa, photographe attitré de Brigitte, et Serge Marquand sont témoins du mariage célébré à minuit et demi. Ensuite, l'entourage composé d'amis de Sachs ne s'attardera à Las Vegas que le temps d'un petit déjeuner. Brigitte a déjà compris que l'enlèvement par son prince charmant n'est pas ce qu'elle avait rêvé. Le conte de fées se déchire. De ce qui avait été prévu comme un mariage secret, Sachs fait un événement publicitaire. De plus, Brigitte, habituée à avoir une cour autour d'elle, doit maintenant affronter celle, parfois un peu exubérante à son goût, de son nouveau mari. Sachs est certainement amoureux de sa femme, mais il s'est aussi offert un caprice de milliardaire. Il possède celle qui est alors la plus belle femme du monde, la plus séduisante. Marilyn est morte depuis trois ans déjà, la main sur le téléphone et ses cheveux blonds épars, dans une solitude épouvantable. Brigitte n'a plus de rivale.

Anne-Marie Bardot, la mère de Brigitte, apprend la nouvelle du mariage en écoutant la radio dans sa maison de la propriété la Pierre Plantée à Saint-Tropez. Elle déclare qu'elle est heureuse pour Brigitte et que, de toute façon, ses filles ne lui ont jamais confié les secrets de leur vie privée.

En Allemagne, on pavoise : la conquête de Marianne par l'aigle Günther apparaît comme une mini-revanche sur la défaite de la guerre. « C'est mieux que de gagner la coupe du monde de foot », écrit-on outre-Rhin. C'est tout dire.

La nuit du mariage, Bob Zaguri est remarqué chez Castel. Il porte lui aussi un pantalon blanc et une chemise largement ouverte sur la poitrine, il est en excellente compagnie et paraît en forme. Tout va pour le mieux dans le meilleur des jet-sets...

De retour à Los Angeles, le couple des nouveaux mariés s'installe au *Beverley Hills Hotel*, dans un bungalow ombragé par les bougainvillées. Bien entendu, les journalistes sont là, oiseaux familiers. Le soir, un dîner de mariage chinois est cuisiné par le comédien Dany Kaye. Vadim et Jane Fonda sont également présents.

Brigitte et Günther ne restent que deux jours à Los Angeles. Ils repartent ensuite passer leur lune de miel à Tahiti. Là encore, les photographes les attendent au milieu des vahinés.

Feu d'artifice imprévu, le couple est témoin de l'explosion, à Mururoa, de la deuxième bombe expérimentale française.

De retour en France, Brigitte a une fois encore maille à partir avec l'Église. Dans *la Vie catholique illustrée*, paraît une lettre ouverte d'un dominicain. Il accuse Brigitte de passer d'homme en homme et de donner le mauvais exemple à ceux dont elle est l'idole. Brigitte, qui s'est pendant sa lune de miel blessée au pied en marchant sur un oursin, constate qu'il y a des piquants partout.

A leur retour en Europe, BB et Sachs se rendent en Suisse où Sachs possède une maison à Pully, sur les bords du lac Léman. C'est également en Suisse, à Lausanne, qu'est élevé le fils de Sachs, âgé de dix ans et demi. Il se montre aussi impressionné par la beauté de Brigitte que n'importe quel fan. Mais même en ce pays paisible, le couple ne parvient toujours pas à trouver le calme. La foule stationne devant la maison, pourtant défendue par une épaisse végétation. C'est finalement à Paris, dans l'appartement de Sachs avenue Foch, qu'ils se sentiront le mieux protégés. Extrêmement luxueux, l'appartement ressemble à un musée. La collection de tableaux modernes de Sachs en est le principal décor, ainsi qu'une collection de pierres semi-précieuses.

« Mes tableaux font partie de moi, déclare Günther dans une interview accordée au *Sunday Express* en juillet 1966. Ils me donnent un plaisir immense et, en même temps, ce sont d'excellents investissements. »

Il revendique sa condition de play-boy et de millionnaire : « Je n'ai pas honte d'être riche, parce que je sais quoi faire de mon argent », ajoute-t-il. D'ailleurs, il l'a prouvé...

Et les femmes ? Sachs ne pense pas être aimé pour son argent. Il croit séduire aussi bien par sa façon de se coiffer, d'enlever ses chaussures (toujours la fameuse absence de chaussettes) ou de ... faire l'amour. « Penser que les femmes ne pensent qu'à l'argent, c'est les sous-estimer, et il ne faut pas sous-estimer les femmes. Ce sont les créatures les plus divines du monde. »

On ne peut pas dire que Sachs ait du « sexe faible » une vision avant-gardiste. Mais justement, ce côté pacha a sans doute de quoi charmer... C'est un homme qui recherche la puissance, sous toutes ses formes. Il avoue une étrange obsession de la vitesse ; il aime le jeu, tous les jeux, le jeu de l'argent, les joutes amoureuses et aussi le jeu avec la vie... et la mort : « Beaucoup de gens ne peuvent pas comprendre pourquoi des hommes comme Aly Khan ou Rubirosa — qui avaient tout pour désirer vivre — aimaient flirter avec la mort. Je pense que c'est parce que nous avons tellement à perdre que nous provoquons le destin », dit-il encore à Clive Hirshhorn.

Pourquoi, enfin, s'est-il marié ? Günther affirme qu'il est un sentimental. Et que les hommes sentimentaux ont besoin d'épouses... Un homme qui aime la beauté, l'argent, le pouvoir, et les sentiments : voici beaucoup de traits communs avec Brigitte, surtout la Brigitte de cette époque...

Dans un premier temps, ces deux êtres sont éblouis l'un par l'autre. Chacun croit avoir rencontré la quintessence du sexe opposé. Brigitte admire le côté surhomme de Sachs, y compris sa capacité à jouer avec les émotions amoureuses. Lui, de son côté, est impressionné par l'intelligence de son épouse. Lors de leurs séparations, fréquentes bien sûr à cause de ses affaires à lui et de ses tournages à elle, elle lui enverra de nombreuses lettres, dans lesquelles il dit déceler un talent d'écrivain.

Brigitte, après chacun de ses mariages, a juré qu'on ne l'y reprendrait plus. Alors, pourquoi convoler une troisième fois alors que l'institution conjugale, mai 68 approchant, n'a plus la cote ? En fait, pour la même raison que Sachs : par sentimentalité. Brigitte ne croit plus au mot toujours... Sauf dans l'instant.

« Dans le moment où l'on décide de se marier, c'est le plus beau cadeau que l'on puisse faire à l'autre. Même si cela ne doit pas durer, c'est tout de même formidable de dire à un homme : "Je serai ta femme." »

Pourtant, rapidement, comme dans tous les coups de foudre, la désillusion va apparaître. Brigitte avait connu le play-boy décontracté, amoureux de la mer et du sable, elle découvre ensuite l'homme d'affaires. Et elle n'est pas du genre à servir de potiche décorative...

Lui, de son côté, est étonné par les changements d'humeur rapides de Brigitte, et par son besoin d'avoir toujours avec elle l'homme qu'elle aime. Les vacances ne sont pas toute la vie et en dehors des vacances, ils n'ont pas le même mode d'existence. Le luxe glacé et un peu ostentatoire de l'appartement de Sachs, heurte le côté « vie simple » de Brigitte. Et puis, en fait, Sachs déteste être seul tout autant qu'elle. Mais si pour elle, la compagnie, c'est l'homme qu'elle aime, ses animaux favoris et à l'occasion quelques copains, Günther se plaît dans la foule. Tous ces amis apparaissent à Brigitte comme des parasites. Alors, Brigitte trouve son remède habituel aux déceptions de la vie : elle va reprendre le travail.

La vie, c'est du cinéma

Le nouveau film de Brigitte s'appelle *A cœur joie*. Il est réalisé par Serge Bourguignon, qui s'est révélé comme un nouveau talent du cinéma français avec *les Dimanches de Ville-d'Avray*, joli film inspiré d'un fait divers célèbre. Brigitte continue à alterner metteurs en scène connus et jeunes talents, films difficiles et plus faciles. Dans celui-ci, elle joue le rôle d'une beauté infidèle, partagée entre deux hommes : un photographe — rôle joué par le blond Michael Sarne — et un géologue — le brun Laurent Terzieff. Le tournage doit avoir lieu en Écosse, pays de brumes romantiques, et le film est coproduit par Bob Zaguri. A propos de la fin ambiguë de ce film, Brigitte affirmera qu'il est dangereux de se marier quand on est aveuglément amoureuse, mais fatal si on ne l'est pas : déclaration en écho des difficultés de sa vie...

« Elle est Bardot. Les imitations sont ridicules. Ses yeux sont des lasers. Aucun homme ne peut y résister. Elle a deux fois plus d'énergie vitale que n'importe quelle autre femme. Elle ne connaît pas le sexe, mais seulement l'amour », affirmera son partenaire, Michael Sarne, complètement sous le charme. Le film de Bourguignon ne fera pas date dans l'histoire du cinéma : il n'est qu'un festival Bardot de plus, ce qui de toute façon enchante les bardophiles, mais déçoit ceux qui attendent d'elle davantage.

Après cet interlude, Brigitte reprend sa vie dorée auprès de Sachs. Celui-ci n'est toujours pas avare de surprises. Il lui a offert un guépard apprivoisé, et il l'emmène en croisière en Méditerranée sur son yacht, le *Dracula*.

Brigitte, cette année-là, est en plein dans sa période hippie de luxe. Plus que jamais, elle aime porter des fleurs dans ses cheveux, autour du cou. Si Günther a lancé la mode « sans chaussettes », elle va contribuer à répandre en France celle des pieds nus.

Brigitte atteint alors l'extrême de son style : les cheveux complètement libres, simplement lavés et séchés au soleil et au vent, les pieds nus, et les paréos. Il y a là une logique, celle qui la pousse depuis toujours à être elle-même le plus possible. Comme d'habitude avec elle, cette logique va dans le sens de l'époque. Si l'on compare les photos des différentes périodes BB, à chaque fois on a envie de dire qu'elle n'a jamais été aussi belle. A travers le temps, elle reste la même et pourtant elle change. Les années ne marquent pas son corps, mais lui donnent une fragilité qui est l'envers de sa force : la marque de l'expérience. Il y a maintenant une fixité tragique dans le regard cerné de khôl, un indicible effroi. Le goût pour le dépouillement et la guenille qui aura, comme tous ses coups de cœur, des retentissements lointains dans la mode pauvre et déchirée d'aujourd'hui, est peut-être une protestation contre l'excès d'opulence qui l'entoure. Le mariage avec Sachs apparaît comme une espèce de défi, de réponse à une question posée au monde alors qu'elle a passé les trente ans : « Est-ce qu'il n'y a pas autre chose ? », une certaine façon d'essayer de calmer une angoisse envahissante. Dans une interview accordée à *Ciné-Revue* en décembre 1965, quelques mois avant sa rencontre avec Sachs, elle déclarait : « Je n'aime pas l'ostentation ni faire étalage de luxe. Les laquais et les Rolls-Royce avec chauffeur ne sont pas mon genre. Qu'en ferais-je ? Devenir leur esclave ? Tous ceux qui s'entourent de domestiques finissent par en devenir les esclaves. J'aime voyager avec peu de bagages et plus le temps passe, plus je désire me sentir libre. Je pense que le type de vie que je mène correspond à la nouvelle mentalité des gens. On m'envie et on me déteste à la fois pour cela. Jean Harlow ferait rire aujourd'hui avec ses chiens magnifiques. »

Celle à qui Sachs offre un guépard se déclarait alors contre le mariage : « Je déciderai peut-être un jour de me remarier. Mais je ne vois pas pourquoi. Pour la société ? Laissez-moi alors vous dire quelque chose : je me fiche éperdument de la société. Je n'y accorde aucune importance. On m'appelle la pécheresse, mais je vis en accord avec moi-même. »

Christine Gouze-Rénal expliquait à *Ciné-Revue* après le tournage de *Vie privée* : « On s'est parfois étonné que Brigitte Bardot, que toutes les femmes copient pour chercher à plaire, "l'archétype de la féminité pure", comme l'a dit Thierry Maulnier, ait en vérité une vie amoureuse si médiocre. Son bilan sentimental est nettement débiteur, se solde par des déceptions souvent cuisantes. C'est que, dans ce domaine, elle n'a jamais marchandé. Alors que tant de grandes réussites féminines s'appuient et s'expliquent par des liaisons brillantes ou profitables, elle n'a jamais suivi que son cœur ou son tempérament, qui s'inclinaient vers des êtres jeunes comme elle, pour qui l'amour était un jeu délicieux et grave, qui avait ses lois propres, indépendantes, affranchies de l'argent ou du métier ou du social. Pourtant, plus d'un homme — nous parlons d'hommes valables — a été attiré par Brigitte, l'a aimée, a renoncé à elle avant même de l'avoir conquise. Parce que tous savaient, comme elle, que c'était une aventure sans espoir. *Vie privée* préfigure ce que serait le couple de Brigitte et d'un homme ayant une carrière, une responsabilité. Il lui serait impossible d'épouser les préoccupations ou les réussites de cet homme, parce qu'elle traîne derrière elle, comme une comète sa queue, une horde envahissante qui bouscule et piétine tout. Sans parler de la difficulté pour l'orgueil masculin d'être, obligatoirement, éclipsé par la réussite professionnelle et matérielle de Brigitte. Il y a, là aussi, impasse. »

Même si des problèmes semblent s'annoncer dans son troisième mariage, BB et Sachs donnent régulièrement le spectacle de retrouvailles éblouissantes. Il est allé la rejoindre en Écosse sur le tournage du film de Bourguignon, et il est à nouveau à son côté en mars 1967 lorsqu'elle tourne son troisième — et dernier — film avec Louis Malle. Il s'agit d'un sketch dans un film qui est l'adaptation des *Histoires extraordinaires* d'Edgar Poe. Deux autres sketches seront réalisés par Vadim (avec Jane Fonda) et par Fellini. *William Wilson*, le sketch de Brigitte, est l'histoire d'un officier de l'armée autrichienne d'occupation en Italie au XIXe siècle. Wilson est persécuté par un « double » chaque fois qu'il commet une mauvaise action. Cet ange gardien dangereux révèle une tricherie au cours d'une partie de cartes. Poussé à bout par la femme avec laquelle il joue, l'officier ne se supporte plus, tue son double en duel et se suicide.

Brigitte porte une perruque noire pour ses retrouvailles avec Alain Delon, qu'elle avait déjà eu en face d'elle dans un film en costumes, *Agnès Bernauer*. Elle a une espèce de grandeur figée dans ce film où elle représente le danger de l'hyper-féminité, la femme selon Poe, possédée par la mort et qui entraîne celui qui l'aime vers sa propre mort.

Brigitte est d'abord très heureuse de se trouver dans ce

film qui constitue pour elle une diversion, alors que Malle, lui, ne montre pas le même enthousiasme : « Je traversais un moment de vie compliqué et j'avais un peu fui à Rome pour adapter cette nouvelle de Poe. Il y avait là un personnage de femme qui ne me paraissait pas correspondre très bien à Brigitte. Franchement, j'estimais que c'était une mauvaise idée de déranger Brigitte pour ça. J'avais dans l'esprit de faire le film avec Florida Bolkan ; elle n'avait jamais fait de cinéma, mais je la connaissais, tout le monde la connaissait à Rome, du reste. Elle était très belle et elle convenait parfaitement au rôle. Mais les producteurs voulaient absolument des grands noms, parce que c'était un film très cher. Alors le coproducteur français m'a dit : "Et Brigitte ?" Moi, je savais que Brigitte était alors en croisière avec Günther Sachs, quelque part au large de la Grèce. Cherchant à gagner du temps, je dis : "Oui, bien sûr, demandez à Brigitte", en pensant qu'elle refuserait. Le tournage d'ailleurs était commencé. Je travaillais avec Delon depuis une ou deux semaines. Et puis, deux jours après, le producteur me dit : "Voilà, Brigitte est rentrée à Paris, je lui ai téléphoné, elle arrive !" Je ne sais pas ce qui s'était passé. Je crois, en fait, qu'elle s'ennuyait. Mais puisque BB ne pouvait être BB dans ce rôle, on a eu cette idée — qui n'a pas été totalement un succès, du reste — de l'affubler d'une perruque noire. On a essayé d'en faire quelqu'un d'autre, mais son image était tellement prédominante et sa personnalité tellement forte, qu'il lui était évidemment presque impossible d'incarner un autre personnage... Quand j'ai vu les premiers rushes, j'ai su que ça ne marchait pas et que, en fait, il aurait mieux valu la laisser comme elle était...

« Brigitte n'avait pas tourné depuis six mois. Ce qui m'a frappé, c'est que dans les autres films que j'avais faits avec elle, elle s'était ennuyée, et que là, elle était très contente de travailler. C'est pourquoi je pense que, si le début de sa carrière avait été différent, si elle n'avait pas connu ce succès fulgurant qui l'a terrifiée, elle aurait pu être une autre comédienne, elle aurait pu aimer ce métier, et ne pas le quitter. »

BB, finalement, n'a pas aimé le film, elle le dira à Gilles Jacob : « J'en ai gardé le souvenir d'un film raté. D'ailleurs, c'était vraiment terrible. Ça, c'est encore une mauvaise façon de me changer. Louis a tout d'un coup voulu que je fasse le rôle en me changeant complètement : perruque noire corbeau, attitudes figées, froides. Il ne restait rien. Moi, ce qui fait partie de ma personnalité, c'est de bouger. En plus, je devais continuellement fumer le cigare, je me rappelle, c'était effroyable. Je n'en pouvais plus. Voilà une erreur grandiose pour moi. Pour Delon, probablement pas. »

Günther Sachs s'occupe maintenant de cinéma. En mai 1967, son film *Batouk*, un documentaire, est présenté lors du gala de clôture du Festival de Cannes. L'accueil n'est pas délirant. Alors que Sachs paraissait occuper d'autres sphères de pouvoir que Brigitte, il se trouve attiré dans la sienne. Le problème de la compétition se pose donc, et cela suscite la méfiance de Brigitte qui craint toujours que ses proches exploitent sa notoriété...

Après coup, Brigitte aura effectivement ce sentiment désagréable : « Günther Sachs avait tourné un film au Kenya. Il voulait le présenter à Cannes. Le responsable du Festival, Favre-Lebret, lui a dit : "C'est d'accord pour la cérémonie de clôture, si Brigitte vient." Je ne voulais pas y aller, Günther m'a menacée de divorcer si je refusais. Alors, j'ai accepté. J'ai eu tort puisque j'ai divorcé quelques mois plus tard. »

« L'amour est la plus grande illusion », avait déclaré Brigitte au *Sunday Times* pendant le tournage de *A cœur joie*, alors qu'elle était mariée depuis six semaines. « Au moment où l'on croit partager le monde entier avec quelqu'un d'autre, on est en fait complètement seul. C'est l'expression suprême de l'égoïsme. Comme le dit Graham Greene, lorsqu'on est follement amoureux, on ne voit dans les yeux de l'autre rien d'autre que son propre reflet, démesurément grandi. Cette émotion, le coup de foudre, est à la fois extatique, douloureuse et désespérée. C'est une des émotions humaines suprêmes, mais ça n'a rien à voir avec le mariage ou les enfants ou la vaisselle à laver. »

Pourtant, en septembre 1967, BB, radieuse, en minijupe noire, est à nouveau au côté de Sachs lors du vernissage d'une exposition de sa collection de tableaux dans un musée de Munich. Des toiles de Dali, Picasso, Chirico, Mathieu, Matisse, Tanguy et Fautrier, qui ornent habituellement les murs de ses résidences de Lausanne, Saint-Tropez et Paris, ont été réunies. Les camions qui ont transporté les tableaux jusqu'à Munich ont été assurés pour deux cent cinquante-deux millions d'anciens francs...

Brigitte se fait plus rare sur les écrans, mais il n'est pas question d'une retraite. Elle marque la fin de l'année par un show télévisé dans lequel elle est plus belle que jamais. Et elle s'intéresse de plus en plus à la chanson, grâce à Gains-bourg avec qui elle travaille, et qui est fasciné. Il a toujours aujourd'hui un grand portrait de Brigitte dans son apparte-ment.

« La première fois que je l'ai vue, dit Serge Gainsbourg, elle attendait le petit Charrier. C'était mon premier film, où je jouais un rôle secondaire mais plaisant. Elle m'appelait "Guinguin"... Elle était charmante, très entourée, inaborda-ble, avec tous les photographes, les journalistes... Il y avait son fauteuil, sa maquilleuse, sa coiffeuse, son habilleuse, et tout ce monde-là s'affairait... C'était l'époque du star-sys-tème.

« Ce n'était pas une petite prétentieuse, c'était BB, une délicieuse adolescente, un petit bouton de rose blanche qui s'est ouvert dans les années soixante-cinq-soixante-huit. D'une jeune gamine très fraîche, elle est devenue la femme la plus belle que j'aie jamais vue. La gamine, charmante mais sans grand intérêt à mes yeux, s'est muée en une femme sublime dans sa gestuelle, sa morphologie, l'élégance de sa démarche. Elle avait des hanches et des jambes d'adoles-cente. C'était une vraie chorégraphie quand elle marchait...

« Dans cette prescience de son corps, de son aura, elle rejoignait Monroe par la façon dont tout cela sous-entendait une disponibilité — car une actrice qu'on sent indisponible perd son charisme...

« Tout cela avec une malice, un charme hallucinant, une photogénie à vingt-quatre images seconde ; dos, face, profil, close-up... C'était autre chose qu'un mannequin. Il y a peu de choses sublimes dans sa filmographie, pourtant elle, elle reste sublime, dans le souvenir qu'on en a... la magie de cette affaire, c'est qu'elle s'en est sortie : le film s'évanouit, elle reste.

« La première chanson qu'on a faite ensemble, c'était *Bub-ble-Gum*, en 1960. Elle est arrivée au studio, une splendeur... Je n'aurais pas osé l'aborder, c'est elle qui est venue me parler. Puis, en 1967, on a fait *Bonnie and Clyde*, et son show télévisé, qui était un vidéo-clip avant la lettre.

« Brigitte a des pleins et des déliés. Elle peut être pathétique et caustique, nostalgique, malicieuse, acidulée, poivrée... Toute la gamme de la femme... Et jamais un milligramme de vulgarité, malgré des scénarios d'une grande faiblesse. Je crois qu'elle ne choisissait pas vraiment, elle s'en remettait aux producteurs, à son agent, aux metteurs en scène ; elle leur faisait confiance. Quand c'était trop nul, elle était insupportable — ce qui est un signe d'intelligence. Mais elle ne cassait pas : elle ne s'est jamais fait virer d'un tournage. Tout l'argent reposait sur elle, et elle en avait conscience. Son destin cinématographique est dû aux producteurs, qui la voyaient sensuelle et champagnisée : ils pensaient que c'était ce qu'attendait le public. Pourtant, quand Clouzot lui a serré la vis, il en a sorti quelque chose d'intense. Il n'y a plus de comptes à régler, de toute façon ; aujourd'hui c'est fini. Mais dans les *Misfits*, par exemple, elle aurait été aussi pathétique, fragile, humaine et ardente que Marilyn...

« On avait un joyau, on n'a pas su ouvrir l'écrin... Actuellement, nous n'avons pour stars que des pierres semi-précieuses. Elle a été la seule star de l'après-guerre.

« Un jour, elle me dit : "Ecris-moi la plus belle chanson d'amour que tu puisses imaginer !" Alors, dans la nuit, j'ai écrit *Je t'aime, moi non plus*. On l'a enregistrée, et l'enregistrement a été très éprouvant ; il y avait une turbulence émotionnelle terrible. Voilà que les journaux à scandale se mettent dans le coup.

« Je pouvais passer outre, la chanson était faite. Mais, par galanterie, j'ai dit : "Arrêtez tout." Elle était mariée avec Sachs ; ça prenait une tournure dégueulasse.

« Le master est dans les coffres-forts de Phonogram. Quand j'aurai cassé ma pipe et elle aussi — le plus tard possible —, ils le ressortiront.

« Je m'étais fait la promesse alors : "Cette chanson, puisque c'est comme ça, je n'en ferai rien." Et puis, je me suis parjuré. Jane est arrivée. Je lui ai donné la chanson, on a fait un hit... Là, je crois que j'ai blessé Brigitte ; je n'aurais pas dû. Et j'ai également blessé Jane, en lui révélant que la chanson avait été écrite pour Brigitte. Ah, si Brigitte me

donnait le OK aujourd'hui, je la sortirais, cette chanson !
Mais je ne crois pas qu'elle le fera...

« Maintenant elle se cache... Çà l'emmerdait d'aller en
tournage, à cause des paparazzi. Les gens avaient pour elle
une espèce de haine. Je l'ai vue agressée dans la rue : "Vous
êtes dégueulasse." Mais qu'est-ce qu'elle faisait, cette pauvre
gamine ? Elle n'a jamais pris personne à personne, elle a
vécu sa vie, choisi ses gamins... Elle était la prémonition de
l'époque cool, d'un changement de couleur. Elle était récep-
tive à toutes les osmoses.

« En l'observant, j'ai capté chez elle des possibilités, un
potentiel de dramaturgie que je n'ai jamais vu chez aucune
autre femme, et que n'ont capté aucun de ses metteurs en
scène... Je trouve ça terrible que le celluloïd, à part *la Vérité* et
le Mépris, n'ait pas pu capter toute cette richesse...

« Elle est toujours présente à mes yeux, dans mon subcons-
cient et chez moi, puisqu'elle m'a donné deux sublimes
photos de Sam Levin. Ces photos égalent des tableaux d'In-
gres, par leur sublimation du beau. Elle est là... Pour ne pas
blesser Jane, je les avais laissées chez mes parents, mais
maintenant elles sont chez moi, je les ai fait encadrer d'or.

« Quand on se promenait ensemble, dans la rue, partout,
elle avait une espèce de sixième sens : elle repérait les photographes. Elle les sentait, littéralement. Elle disait : "Je sais
qu'il y en a un", et pourtant on ne voyait rien, mais elle avait
toujours raison. C'était comme un animal qui sent un chasseur...

« Cette gamine, hein, eh bien, je peux dire qu'elle m'a
marqué au fer rouge... »

Avec ses shows télévisés, Brigitte chante et danse, elle
retrouve un plaisir artistique qui a toujours compté pour
elle. Gainsbourg lui écrit des chansons qui lui permettent,
mieux que beaucoup de ses films, d'affirmer sa sensibilité. A
la télévision, le show, c'est Brigitte, rien que Brigitte. Les
décors, les accessoires, les objets sont là pour lui servir
d'écrin, ce sont les attributs royaux, presque les ornements
liturgiques. BB célèbre la grand-messe Bardot du Nouvel An
français. Juchée sur une énorme moto, ses jambes longues et
nerveuses pressant les flancs de la machine, elle affirme la
nouvelle femme, érotique mais non soumise : « Je n'ai
besoin de personne en Harley-Davidson », chante-t-elle

impérieuse, et ses cheveux flottent en longs rubans métalliques au vent artificiel des studios.

Et pourtant, la femme à la Harley, divinité archaïque et futuriste, court vers la mort. La mort se rappelle d'ailleurs à Brigitte en cette période, avec le suicide de Raoul Lévy. Il s'est tué devant le domicile d'une employée des magasins Mic-Mac dont Günther Sachs est actionnaire. Brigitte ne travaillait plus avec Lévy, mais lui disparu, une porte se referme définitivement sur sa jeunesse. Elle n'est plus la jeune femme qui dit en riant qu'elle ne vieillira jamais, et qui envoie les plus de trente ans aux chrysanthèmes...

En 1968, Brigitte n'apparaît que dans *Shalako*. Le tournage à l'origine devait avoir lieu au Mexique. C'est finalement Almeria, en Espagne, qui a été choisi, afin que Brigitte en ce mois de février ne soit pas trop longtemps séparée de Günther qui a promis de venir la voir.

En fait, lorsqu'il arrive, c'est pour repartir très vite.

« Günther est resté ici trois jours et quand il a vu comme c'était vilain, il a annoncé qu'il s'en allait. J'aurais bien voulu partir avec lui, mais ce n'était pas possible. Je m'étais engagée pour ce film et je devais le faire. Mais les jours après son départ, j'ai pleuré sans arrêt », confie-t-elle au journaliste anglais Roderick Mann.

Shalako est un film anglo-américain, réalisé par le célèbre metteur en scène Edward Dmytryk. Brigitte affirmera avoir eu confiance en la réputation de Dmytryk. Sans doute a-t-elle cédé également au désir de tourner avec Sean Connery. On lui a proposé de jouer dans un *James Bond* mais Brigitte a expliqué qu'elle ne trouvait intéressante l'idée de tourner avec Sean Connery qu'à une condition : qu'on lui donne le rôle de Bond lui-même...

L'action de *Shalako* se passe en 1880, au Nouveau-Mexique. L'argument du film est fondé sur des données historiques réelles. A cette époque, de riches Européens n'hésitaient pas à se rendre aux Amériques pour s'y adonner à la chasse à l'homme. Ce thème est déjà celui d'un des plus grands classiques du cinéma d'horreur, *les Chasses du comte Zaroff*. Dans *Shalako*, toutefois, le gibier n'est pas constitué par des naufragés, mais par des Indiens.

Le Far-West de Buffalo Bill, le sourire carnassier de Sean

Connery, bête de sexe en face d'une autre bête de sexe, et Brigitte à cheval, bottée et enjuponnée, tout cela paraît de bon augure. Le style « western » lui a d'ailleurs très bien réussi avec *Viva Maria*.

Shalako se révèle un échec. Les Anglais ont pourtant titré « BB + 007 = TNT ! » Mais Brigitte, toujours aussi belle, semble s'ennuyer, ce que la critique française ne manque pas de noter. Dans un entretien accordé à Gilles Jacob pour *les Nouvelles littéraires* en 1969, après la sortie du film, Brigitte regrette amèrement cette expérience :

« Si on me proposait plus souvent de bons scénarios, j'aurais fait moins de conneries dans mon existence. Mais ils sont tous ennuyeux, déjà vus. Vous parliez de *Shalako*. C'est vraiment le drame de ma vie. Je voulais tenter ma chance en parlant anglais. Je n'avais pas tout le film sur les épaules et, s'il avait été réussi, ç'aurait pu être une entrée sur le marché américain. Il y avait Sean Connery, c'était dirigé par Dmytryk, qui a fait des choses bien ; enfin, j'ai essayé, j'ai essayé...

« Faire du cinéma de façon médiocre, ça ne m'amuse pas du tout ; ça sûrement pas. Mais si je devais attendre le chef-d'œuvre pour tourner !

« Tout en étant paresseuse, j'ai bien travaillé. Il y a quelques années, j'ai fait cinq ou six bons films ; au milieu, il y en avait de mauvais. Mais je tournais trois films par an : on retenait les bons, on oubliait les mauvais. Maintenant que je ne tourne qu'un film par an, comme j'en ai fait deux de suite mauvais, les gens restent sur cette impression beaucoup plus longtemps. C'est très difficile de sortir de ça. Il faudrait que je tourne plus : un par an, ce n'est pas assez. Si le film n'est pas bon, il en faut un autre, derrière, pour compenser. »

Pourquoi Brigitte ne tourne-t-elle pas davantage ? Aux États-Unis, le magazine *Playboy* publie une *Histoire du sexe au cinéma*. Rédigée par deux critiques de poids, Arthur Knight et Hollis Alpert, la partie du texte dévolue à Bardot est cruelle. Le ton admiratif de la presse américaine a disparu. Brigitte est accusée d'être une allumeuse dont le principal accessoire est une serviette de bain. Pire, elle est traitée comme une « has-been » :

« Elle a été prise au sérieux, en tant que premier symbole mondial du non-conformisme féminin. Elle a bientôt acquis une réputation de femme indiscrète, car elle dédaignait de dissimuler ses changements d'amants, rapides comme le mercure, à son mari ou au public. Au début des années soixante, la folie BB commençait à montrer des signes de faiblesse, et à la moitié de la décennie, elle avait à peu près disparu aux États-Unis. »

Knight et Alpert citent alors les propos de Raoul Lévy sur la destruction des stars par l'excès de publicité sur leur vie privée : « Bardot vend des journaux et des magazines, mais elle ne vend pas de tickets au box-office. »

Qu'en est-il véritablement de ce fameux box-office Bardot ? En janvier 1972, *Le Film français* publie le nombre d'entrées obtenues par les films de BB de 1962 à 1971 sur Paris. En 1962, *le Repos du guerrier* tient vingt-cinq semaines en première exclusivité, et fait 481 869 entrées. *Le Mépris* ne tient que onze semaines avec 234 374 entrées. *Une ravissante idiote*, six semaines avec 202 772 entrées. Le plus gros succès est *Viva Maria* en 1965, avec trente-sept semaines et 643 190 entrées (première exclusivité).

A partir de là, la chute se produit. *A cœur joie* ne tient que douze semaines avec 121 377 entrées, *Shalako* cinq semaines avec 135 227 entrées, et la plongée continue avec le film suivant, *les Femmes* : six semaines et seulement 81 725 entrées.

On comprend mieux, à la lumière de ces chiffres, la rosserie des propros de *Playboy* et l'inquiétude sensible dans la phrase de Bardot elle-même : « *Shalako*, c'est le drame de ma vie. »

Après la tournée publicitaire triomphale de BB aux États-Unis pour *Viva Maria*, les trois films suivants y sont virtuellement ignorés. C'est grave pour celle que l'Amérique avait « faite », et dont le rayonnement international ne peut se contenter d'une réputation hexagonale.

Mais la magie n'opère plus. Pour la première fois, BB ne semble plus coïncider avec son époque.

Contre-offensive

Quelque chose, après 1965, s'est effectivement cassé dans la machinerie Bardot. Pourtant, le mariage avec Sachs lui assure une publicité considérable, elle mène une vie digne des *Mille et Une Nuits*, à faire, plus que jamais, rêver Margot. Elle est au sommet de ses pouvoirs de séduction.

Jean Cocteau a dit de BB qu'elle était « prête à haïr un univers qui refuse d'entrer en elle ». Les années soixante ont été les années Bardot. Selon une étude faite par Guy Desplanques, chercheur à l'INSEE, Brigitte en 1960 détrône Martine en tant que prénom féminin le plus choisi. Jusqu'en 1965, Brigitte rassemble en elle les traits de l'époque, toujours avec un peu d'avance, juste assez pour que les femmes se reconnaissent en elle. A partir de 1965, Brigitte n'est plus à l'avant-garde. A partir de 1968, elle décroche, refuse son temps. Il faut relever une coïncidence curieuse : les années 1968-1969, qui représentent pour elle le creux de la vague cinématographique, sont le théâtre d'une révolution de mœurs. La jeunesse revendique tout un mode de vie qui avait été prophétique chez Bardot : l'amour libre, les longs cheveux flottants, les jeans, la mode unisexe et le slogan « il est interdit d'interdire ».

1968, en France, c'est la destruction des idoles. Brigitte est étrangement silencieuse pendant cette poussée de fièvre ; on ne trouve guère de traces d'elle dans une presse pourtant habituellement féconde.

Brigitte est choquée par les événements de mai. Elle ne comprend pas une révolte qu'elle juge excessive, des comportements dont le sens lui échappe. Elle dira à propos du film de Costa-Gavras : « Z, je l'ai vu et je l'ai détesté. Parce que j'avais l'impression de revivre les événements du mois de mai, que je n'avais pas vus d'ailleurs, puisque je n'étais pas là. Je trouvais que c'était laid, cruel, affreux. »

De plus en plus, Brigitte va porter sur le monde un regard désabusé, presque de rancune. Les valeurs auxquelles elle tient, la sentimentalité, la joliesse, deviennent objets de dérision. Elle n'aime pas les nouveaux films, préfère ne plus aller au cinéma. Elle se réfugie dans la lecture.

Brigitte parle de « quitter le monde » depuis longtemps. Mais ce n'est qu'à partir de 1968 qu'elle s'engage sur la voie de la réclusion. Les fastes de son troisième mariage semblent avoir été une ultime tentative de s'insérer socialement, de profiter pleinement de tous les cadeaux que la vie a déposés à ses pieds.

Elle est de plus en plus mal à l'aise dans un mode de vie à la Sachs. Elle le dit à *Ciné-Revue* en février 1968 :

« Il était un des rares hommes à être aussi fort que moi dans ma spécialité. Et ma spécialité, c'est l'argent. Nous nous valons. Et puis, il est beau et séduisant et toutes les femmes en ont envie. Mais cela signifie aussi qu'il y a une sorte de lutte entre nous. Il n'a pas envie de changer son genre de vie pour moi et je n'ai même pas envie de le changer pour lui.

« Quand je suis avec lui, je fais tout ce qu'il veut. Je vais aux soirées, dans les restaurants. C'est une vie étrange, toute à l'extérieur. Oh, nous savons aussi manger du caviar et boire du champagne chez nous, mais c'est inhabituel. J'habite dans son appartement à Paris, mais dès qu'il est parti, je retourne chez moi. J'ai besoin de me sentir en sécurité et mon appartement me donne ce sentiment. Pas le sien. Il est pourtant magnifique, mais je n'ai pas participé à son installation. Il n'y a là rien qui soit de moi, pas un meuble, pas un objet, pas un souvenir. C'est un décorateur qui l'a meublé, ce qui le rend fort impersonnel. »

Brigitte fait un tableau détaillé et cruel de l'appartement de Sachs. Lors de sa première visite chez lui, elle a suggéré qu'il fasse du feu dans la cheminée : « C'était un peu comme si je demandais la lune. Je crois qu'il avait peur que cela ne salisse son salon. »

Dans la splendide bibliothèque, les livres aussi sont des façades : « Cela m'a fait un choc, lorsque j'ai ouvert les vitrines. Ce sont des œuvres achetées au mètre, pour la décoration. Des livres sur la dentisterie au XIXᵉ siècle et des choses comme cela. »

Comment Brigitte, qui symbolise la vérité, l'authenticité, a-t-elle pu vivre ce qui apparaît, selon ses propres dires, comme une trahison d'elle-même, des valeurs qu'elle représente ?

Elle déclare encore en 1968 : « Quand je suis abandonnée

comme maintenant, je suis perdue. C'est même dangereux. C'est quand je suis abandonnée à moi-même que je bouleverse ma vie... En partant avec quelqu'un d'autre. Il ne faut pas me laisser seule. »

Le combat contre la solitude va devenir le leitmotiv de ses interviews. D'ores et déjà, la solitude a gagné, elle est la plus forte.

Mais ce n'était pas la seule raison d'un mariage à propos duquel on ne saurait invoquer le coup de tête. Brigitte qui avait gaiement tourné le dos à l'univers de ses parents, tient aujourd'hui le discours contraire : « Ils mènent une vraie vie mondaine tandis que moi, je suis une vraie bohémienne », dit-elle avec regret. Et elle affirme comprendre que sa mère soit « désespérée » de ce qui lui est arrivé, de sa façon de vivre.

Oui, Brigitte semble, à cette époque, être parvenue au bout du chemin de BB. Et ce qu'elle y trouve n'est pas ce qu'elle cherchait. Ce qu'elle y trouve, c'est la solitude. Un désert qui l'a toujours hantée. La solitude de tout le monde, amplifiée par l'argent, la célébrité. Mais justement, elle croyait que l'argent, la célébrité, la beauté, la protégeraient du sort de tout le monde.

A cette période, les animaux deviennent pour Brigitte un remède à la déception causée par les hommes :

« J'adore les animaux. Je les préfère souvent aux humains. Lorsqu'un animal vous aime, il vous aime pour ce que vous êtes pour lui, et non pour ce que vous êtes. J'ai beaucoup de chiens chez moi. Savez-vous pourquoi ? Un jour, je suis allée à l'endroit où on met les animaux errants et j'ai vu tous ces magnifiques chiens qui avaient été tués par injections. J'ai mis quinze chiens derrière et dix chats devant dans ma Rolls et j'ai fermé la séparation vitrée, de sorte qu'ils ne puissent pas se battre. Et je les ai tous conduits à ma ferme dans les environs de Paris.

« Ils sont tellement heureux là-bas, et ils m'adorent parce qu'ils savent que sans moi, ils seraient morts. Ils le savent. »

Le divorce entre BB et Sachs sera prononcé trois ans après leur rencontre. Brigitte, cette fois, a dérogé à la loi des sept ans. Peut-être parce que le temps, désormais, passe plus vite.

En 1969, Brigitte a trente-cinq ans — âge auquel toutes les femmes s'interrogent. Elle tourne son quarante-troisième film : *les Femmes*. Le réalisateur en est Jean Aurel, qui avait été évincé du tournage de *la Bride sur le cou* au profit de Vadim. Elle retrouve aussi Cecil Saint-Laurent pour scénariste. Cette histoire d'écrivain célèbre et couvert de femmes qui embauche une secrétaire très particulière ne fera pas recette, encore moins que *Shalako*. Brigitte nue et aimée par Maurice Ronet a beau montrer des formes toujours splendides et le même sourire éblouissant, le film ne tiendra que six semaines et ne fera que 81 725 entrées sur Paris.

Les Femmes a porté malheur à Brigitte. Elle doit se ressaisir. Elle ne va pas manquer de le faire.

Une bien jolie poupée

Brigitte ouvre les années soixante-dix par un coup d'éclat. Jean-Pierre Cassel est cette fois son partenaire dans *l'Ours et la Poupée*, un film de Michel Deville. Brigitte retrouve un ton qui lui a le plus souvent réussi, celui de la comédie légère mêlée d'émotion. Cassel est l'ours, un violoncelliste casanier, campagnard et encombré d'enfants ; Brigitte est la poupée, une jeune femme seizième et branchée qui se préoccupe peu des cœurs qu'elle brise. De la rencontre entre la 2CV de l'ours et la Rolls de la poupée naît d'abord la haine puis bien sûr l'amour...

Brigitte, naturellement, est ravissante en poupée soixante-dix dans cette comédie de mœurs. Minijupe noire, bas noirs, cape noire et grand chapeau à bords flottants sur cheveux coupés au carré mais toujours très blonds : c'est une nouvelle Parisienne qui fait son entrée, la BB de Boisrond remise au goût du jour mais tout aussi convaincante.

Loin de vouloir la « changer », Deville n'hésite pas à tirer parti de la panoplie de charme de Brigitte. Il ne lésine pas sur les scènes « mouillées » qui ont fait sa réputation ; cette fois, c'est dans la variante baignoire ronde et bain moussant.

La rencontre BB-Deville se révèle heureuse. Brigitte s'entend très bien avec lui : « Il sait tellement ce qu'il veut qu'il finit toujours par l'obtenir, dans une atmosphère de calme, de détente, déclare-t-elle à Gilles Jacob. Clouzot obtenait le même résultat, mais d'une façon brutale, tendue, angoissée. C'est plus fatigant. (...) Je n'aime pas les metteurs en scène qui trouvent qu'on pourrait toujours mieux dire sa réplique : à la cinquantième prise, on sort quelque chose de mécanique. Avec Michel Deville, on répète très peu. J'aime bien. Quelquefois, il dit : "On va tourner ce plan, ça nous servira de répétition." Et rien que d'entendre "moteur", il se passe quelque chose. »

L'Ours et la Poupée marque aussi le début d'une collaboration qui sera importante pour Brigitte : Nina Companeez, qui signe le scénario, sera le metteur en scène du dernier film de Bardot, quelques années plus tard.

« Les dialogues sont fantastiques : il n'y a pas un mot d'explication, c'est toujours en situation et tchac ! Paf ! Ça part ! C'est la première fois qu'un film me correspond aussi bien. C'est vraiment comme si c'était moi dans la vie. Nina ne me connaissait pas quand elle l'a écrit et pourtant j'ai eu l'impression de me sentir toute nue, tant les dialogues m'allaient comme un gant et tant j'ai vécu des situations analogues. »

Michel Deville, de son côté, garde un excellent souvenir de ce tournage :

« Brigitte Bardot sortait alors d'une expérience américaine et de quelques films français qui n'avaient pas très bien marché. Il s'agissait de lui permettre de changer, de faire autre chose.

« C'était très intimidant de tourner avec BB. Ce qui m'a le plus frappé, c'est son infinie simplicité, et son immense conscience professionnelle. On s'attend, quand on tourne avec une star de cette envergure, à des problèmes.

« Or, c'était tout le contraire... On a tourné un peu en studio, et dans une maison — la maison de l'ours — située dans un beau jardin, en Normandie. C'était l'été, et pendant la fête du 15 août, elle est retournée à Saint-Tropez. Et quand elle est revenue, elle nous a dit : "Ah, finalement, j'étais presque contente, pressée de revenir. Je me sens heureuse ici..."

« J'ai été frappé par son exactitude, son application. Elle

apprenait bien son texte. Ce sont des choses élémentaires, mais qui ne sont pas si fréquentes. Les comédiens, dès qu'ils sont un peu vedettes, apprennent au dernier moment. Elle, elle travaillait.

« Elle logeait dans un village voisin. Un assistant du film, un stagiaire, allait la chercher le matin. Un jour, ce garçon ne s'est pas réveillé. Brigitte attendait au bord de la route, ennuyée d'être en retard sur le plateau. Elle est partie à pied, a fait du stop, et puis elle est arrivée, très fâchée : "Michel, ce n'est pas de ma faute, il n'est pas venu."

« Je ne connais pas d'autres acteurs qui auraient fait du stop en pleine campagne comme BB, pour être simplement à l'heure. C'est tout Bardot, ça. Elle avait de bonnes raisons de dire : "Bon, eh bien j'attends, puisqu'on ne vient pas me chercher..." Les comédiens, quand ils tournent, redeviennent bébé. Il faut s'occuper d'eux, les réveiller, les débarbouiller. Ils se font prendre en charge. Pas elle ! Conscience professionnelle : ne pas être en retard, surtout ne pas être en retard...

« Une autre fois, on tournait dans un champ ; elle s'était trompée, elle avait fait un grand détour. Elle est arrivée presque en larmes : "Michel, j'étais à l'heure, je le jure..." BB qui pouvait tout se permettre ne se permettait rien.

« Quand un journaliste arrivait, elle me disait : "Protège-moi, cache-moi." Elle n'était pas faite pour ce métier, finalement.

« D'ailleurs, on m'avait prévenu : "Attention, BB, un film, ça l'amuse deux semaines, trois semaines, mais après..." En fait, ce qui la gênait le plus, ce n'était pas le travail : c'était ce milieu du cinéma, qui n'était pas le sien. Pendant le film, heureusement qu'elle se sentait en confiance, en amitié. Elle a gardé des relations avec la femme chez qui nous avons tourné en Normandie : cette femme lui apportait du lait, le matin. Ces prévenances la touchaient jusqu'aux larmes, parce qu'elle n'y était pas habituée. »

L'Ours et la Poupée est un pari réussi : quatorze semaines d'exclusivité sur Paris, 314 848 entrées. Les critiques ne sont pas toutes bonnes, mais dans l'ensemble, marquent une reconnaissance du talent de BB comédienne. Deville lui a-t-il permis de s'engager sur une nouvelle route, une seconde carrière ?

301

Fidèle à sa décision de recommencer à tourner davantage, Brigitte jouera deux autres films en cette année 1970. On peut déplorer que le projet de lui confier le rôle d'Odette dans une adaptation de *A la recherche du temps perdu* tournée par Visconti n'ait pas abouti car elle aurait trouvé là un personnage à sa mesure. En fait, Brigitte va suivre son habituel chemin en tournant avec Guy Casaril un film plus facile, *les Novices*. Au départ, il s'agit d'exploiter à nouveau la recette *Viva Maria* en opposant BB à Annie Girardot. Le tandem Bardot-Girardot est beaucoup moins explosif que le couple Bardot-Moreau, qui illustrait bien les deux faces de la séduction féminine. L'idée même des *Novices* a quelque chose de la caricature, avec Bardot bonne sœur en cavale atterrissant dans un bordel. Brigitte en cornette a un peu l'air d'une pub pour porno « soft » de luxe.

Et pourtant, ça marche : 342 476 entrées sur Paris. Brigitte en nonne, on ne peut pas manquer ça...

Le troisième film tourné en 1970 est une réussite : il s'agit de *Boulevard du rhum*, de Robert Enrico, avec Lino Ventura.

« Moi, dit Enrico, ce n'était pas du tout Bardot en tant que Bardot que je voulais. Je cherchais qui pourrait interpréter en France le personnage de Clara Bow, et il n'y avait pas grand monde... Clara Bow est une des grandes stars du muet américain, les stars du muet c'est la gestuelle, et la gestuelle c'est Brigitte. Le sujet est tiré du livre de Jacques Pécheral, qui était un personnage étonnant, véritable aventurier ; ce livre raconte sa vie, c'est sa jeunesse... C'est l'histoire d'un type qui est "bootlegger" sur le Boulevard du Rhum, la route du trafic d'alcool avec les Etats-Unis, en passant par Cuba, au temps de la prohibition. Ça se passe en 1920, à l'époque de la plus grande gloire de Clara Bow à l'écran.

« Le héros du film, joué par Lino Ventura, voit Clara Bow au cinéma, et il tombe amoureux de son image. Il consacre son temps, au détriment des livraisons qu'il a à faire et des patrons qui l'ont engagé, à voir tous les films de Clara Bow qui passent dans la mer des Caraïbes. Il fallait une femme qui incarne immédiatement le sex-symbole, le mythe ; je me suis dit, cette femme-là il n'y en a qu'une, c'est Bardot.

« Je l'ai proposée à la Gaumont qui m'a répondu : "Oui, mais le rôle n'est peut-être pas assez important pour elle."

« C'est vrai que le premier rôle, c'était Ventura, mais le

personnage qu'il incarne ne pense qu'à cette femme, elle est le moteur de toute l'histoire. Et puis je trouvais que c'était rendre un hommage à Bardot de lui faire interpréter une star du muet... J'ai finalement obtenu un rendez-vous avec Brigitte.

« Je ne la connaissais pas du tout. Je lui ai raconté le thème du film, les personnages. Je lui ai dit : "En plus, il y a un truc amusant pour vous. On va tourner vos films de l'époque du muet, qu'on verra au cours du film, à l'intérieur."

« J'ai essayé de décrire, à travers le livre de Pécheral d'abord et par les renseignements que j'ai pris par ailleurs, la vie de Clara Bow. C'était une star complètement folle : elle avait des amants qu'elle mettait aux enchères pour les vendre à ses copines ! C'était un film amusant à faire à cause des lieux. On a tourné à Paris, en Espagne, au Mexique et à Belize.

« Belize, c'est l'ex-Honduras britannique, la pointe de l'Amérique du Sud. Pécheral en parlait dans son bouquin, et puis c'est un des rares endroits, à part Cuba, qui ait gardé quelque chose de l'atmosphère des années vingt. C'est une ville à l'anglaise, avec des maisons de bois ouvragées, l'architecture pain d'épice de l'époque. J'y suis allé en repérage.

« Pour arriver jusque-là, j'avais fait quatorze heures d'avion jusqu'au Mexique, puis 5 000 kilomètres de repérage, et presque 1 500 pour atteindre Belize. On avait dû prendre un petit avion, sans visa, alors exceptionnellement on nous avait autorisée à rester deux heures sur le territoire, accompagnés par un policier. Belize, c'est un port. Je suis entré dans un bistrot, un bistrot de marins. Au mur, il y avait deux photos. L'une de Marilyn Monroe, l'autre de Brigitte Bardot ! Ça m'a conforté dans l'idée que le choix que j'avais fait était idéal...

« Au tournage, elle s'amusait. Elle était dans une forme fantastique à partir du moment où elle était entourée de gens qui l'aimaient bien. Elle adorait se balader avec les techniciens de l'équipe, parler avec eux des prochaines scènes.

« Elle avait besoin d'avoir un contact direct, simple, du genre :
— Qu'est-ce que vous faites ce soir ?
— Ben, nous, on va manger dans un restaurant...
— Bon, je viens avec vous.

« Après, on faisait une partie de cartes à laquelle elle participait...

« Et pourtant, le mythe fonctionnait : lorsqu'elle est arrivée au Mexique, elle a eu droit à la première page des journaux, comme le général de Gaulle. Près de trois cents personnes de la presse, télévision, radio, l'attendaient à l'aéroport. C'était incroyable. Quand Lino Ventura est arrivé, il y avait une vingtaine de journalistes.

« Dans le film, elle joue un double personnage, la vedette des films à l'intérieur du film : des morceaux de parodies de films muets, films d'aventure, en Afrique, en mer.

« Dans une de ces parodies de films muets, Brigitte-Clara était la reine des panthères, vivait dans un village africain, au milieu des rochers, avec les singes. Guy Marchand était l'un des explorateurs. On a tourné la scène du baiser final où lui repart vers la civilisation, et elle reste dans cette Afrique où elle a toujours vécu. Guy Marchand, l'explorateur, disait sans arrêt : "La scène n'est pas bonne, il faut la refaire." En fait, j'ai réalisé au bout de sept prises que d'avoir BB dans ses bras et l'embrasser le rendait fou... C'est vous dire que le mythe Bardot trotte aussi dans la tête des comédiens...

« Brigitte s'amusait parce que ce n'était pas un film dur, dramatique comme *le Mépris* ; elle aimait les changements de coiffures, de costumes ; elle portait des perruques courtes, frisées, et des robes des années vingt qui lui allaient si bien... C'est un film drôle, et elle a toujours été à l'aise dans la comédie.

« Elle interprétait un mythe ancien, et nous étions en 1971. Il y avait eu 1968 qui avait un peu transformé les gens, détruit le star-système. Le jeune cinéma était devenu à la mode, avec des acteurs inconnus, des sujets plus vrais, plus psychologiques, sur la vie quotidienne. Le mythe cinématographique se dégradait par là même.

« La confrontation entre le mythe et l'acteur a d'ailleurs été nette pendant le tournage. Je me souviens d'une scène dans un grand magasin de Mexico, très ancien, d'une architecture très belle. Il y avait beaucoup de monde, et Bardot tournait avec Lino Ventura. Lino Ventura est le contraire de la star, il hait le star-système, il préserve sa vie privée.

« Ventura devait détester, non pas Bardot elle-même, mais ce qu'elle symbolisait. Et Bardot, elle, ça devait l'énerver de voir son partenaire, qui est amoureux d'elle dans l'histoire, être aussi distant. D'ailleurs, il n'existe aucune photo de Bardot et de Ventura en dehors des photos de tournage. Dans *Boulevard du rhum* il n'y a pas un seul baiser Ventura-Bardot, je n'ai pas pu l'obtenir... Ils représentaient l'un et l'autre, deux extrêmes. Ce qui était bon pour le film, d'ailleurs...

« Elle était très isolée, Bardot, à cause de son mythe. A la veille de Noël, elle était seule avec deux ou trois copines... Elle m'a demandé : "Qu'est-ce que tu fais ? J'aimerais bien que tu nous sortes"... Je l'ai emmenée à une fête où il y avait des gens du tournage... J'étais touché, et puis un peu gêné parce que Noël, c'est une fête de famille ; alors finalement, je l'ai ramenée dans la famille.

« Le dernier jour du film, elle a fait quelque chose de formidable. Sur le plateau, elle avait fait amener une immense hotte en osier, de deux mètres de haut, remplie de cadeaux pour toute l'équipe. C'était Noël... »

Quelque chose, désormais, a changé pour Brigitte. Le mythe est entré dans l'histoire. Qu'elle ait accepté de jouer le rôle d'une ancienne star est symptomatique. Le film est un hommage, non seulement à Clara Bow mais aussi à Bardot qui représente un moment de l'histoire du cinéma.

Lors d'une interview réalisée par Paul Giannoli pour *Candide*, elle affirme que le meilleur moment de la vie, pour elle, se situe entre trente et trente-cinq ans. Elle ajoute : « La beauté physique, c'est le piège. Elle attire et elle prend, mais après il faut aussi pouvoir la garder. »

Elle nie l'angoisse devant le passage du temps : « J'ai mon système. Je vis au jour le jour, à l'année l'année. »

Pourtant, vieillir n'est pas encore acceptable, pour elle : elle affirme se représenter la vieillesse comme « quelque chose qui arrive aux autres femmes ».

La notion de couple durable lui est toujours étrangère : « Tout ce qui est amour est fluidité, transformation constante. Ce qui était vrai une heure ne l'est plus l'heure suivante. Si je veux penser à mes amours passées (si tant est que j'en aie envie) je préfère mon petit cinéma intérieur, parce qu'il y a des séquences que je peux couper, d'autres que je peux passer au ralenti. De toute façon, je ne vis absolument pas dans le passé, le présent seulement m'intéresse. Je suis intensément occupée. »

Elle qui affirme ne pas aimer le cinéma consomme de la pellicule fantasmatique à usage interne. Elle réécrit intérieurement l'histoire — sa propre histoire — et elle peut, comme un metteur en scène, accélérer le temps, l'arrêter, ou revenir en arrière.

Elle proclame que l'amour est éphémère, se désole qu'il en soit ainsi. « Le mot collection est affreux. Pendant que vous y êtes, parlez aussi de trophées. Je n'aime pas comme on chasse. Je ne cherche pas à faire un score. Il fut un temps où certains journaux m'attaquaient en disant à leurs lecteurs : "C'est une mangeuse d'hommes" ou bien "Il les lui faut tous." Tous ! Alors que je n'en voulais qu'un seul. »

Se battre pour garder un amour lui semble illusoire : « Chaque amour a la durée qu'il mérite et je crois qu'elle est inscrite dès la première minute de cet amour. Il n'existe pas de trucs pour prolonger. Si on essaie, ce n'est qu'un sursis. »

Pourtant, la seule façon de pouvoir vieillir en beauté, c'est le couple : « Quand on est deux à changer en même temps, c'est peut-être comme si on ne changeait pas, non ? Mais ce dont je suis sûre, c'est qu'il y a un âge où les signes extérieurs, les manifestations de l'amour deviennent indécents, parce que laids. »

Parce que le mythe ne vieillit pas, Brigitte accepte-t-elle d'y accéder en toute conscience avec *Boulevard du rhum* ? Pourtant, cette éternité-là l'effraie tout autant que les dégradations du temps : « Indestructible... Ce serait à la fois merveilleux et épouvantable. Finalement c'est un rêve qui me fait beaucoup plus peur qu'il ne m'attire. De toute façon, je serais très, très, très vieille à l'intérieur. Alors... »

Le personnage Bardot, qui affirme toujours détester les analystes et les psychiatres, préfère garder ses contradictions : les ressorts des sentiments doivent rester secrets.

Don Juane ou pétroleuse ?

Brigitte dit détester le MLF. La liberté de Brigitte n'est pas la liberté de tourner le dos aux hommes et à la séduction,

306

mais son contraire : c'est la liberté de la séduction, d'aller jusqu'au bout de ses manœuvres, de ses triomphes, malgré la morale traditionnelle.

La soumission volontaire et réfléchie, ce n'est plus de l'esclavage. Les deux prochains films de Brigitte vont illustrer ce paradoxe, pirouette moderne par laquelle les femmes d'aujourd'hui tentent de concilier les plaisirs de la féminité traditionnelle et ceux de leur nouvelle vie « comme un garçon ». Pétroleuse ou Don Juane, tels sont les rôles que les années soixante-dix offrent aux femmes.

Brigitte jouera d'abord le premier, dans un film intitulé, justement, *les Pétroleuses*, et où elle va retrouver Christian-Jaque, qui fut le metteur en scène de *Babette s'en va-t-en guerre*. Christian-Jaque lui redonne ce rôle de soldate à froufrous qui lui avait très bien réussi et la place à côté d'une « meilleure-copine-et-rivale ».

On a choisi, cette fois, Claudia Cardinale. Choix redoutable, car si Moreau et Girardot incarnaient une féminité très différente de celle de Brigitte, Claudia Cardinale, elle, joue avec les mêmes atouts : rondeur, gentillesse, sensualité, passion... Les noms de ces deux actrices réunis sur une affiche incitent tout de suite aux paris : qui gagnera ? La blonde ou la brune ?

Ce film est à nouveau un festival Bardot, avec rappels de ses succès précédents, comme si le réalisateur avait voulu lui rendre un hommage en la faisant se parodier elle-même. Le Nouveau-Mexique, les chapeaux de cow-boy, le désert indien sont un clin d'œil *Shalako*. Le père du personnage joué par Bardot est un hors-la-loi en cavale, comme dans *Viva Maria*. Claudia Cardinale joue d'ailleurs le rôle d'une Maria dans ce film... Ainsi Christian-Jaque réalise-t-il un film de star en regroupant tous les éléments de la panoplie aimée du public.

Dans cette rivalité entre deux sex-symboles, Brigitte ne semble pas douter de l'emporter. « CC vient après BB, naturellement ! » déclare-t-elle. Pourtant, cette parodie de western ne réussit guère mieux que *Shalako*. La critique est très dure, comme en témoigne ces propos de J.-L. Passek dans *Cinéma 72* : « Au départ, l'idée était probablement de faire rire en parodiant un genre (le western) qui en a vu d'autres par deux Calamity Jane de bazar. Le résultat laisse davantage pantois qu'il ne consterne. Cardinale en garçon manqué (remarquablement manqué, que les voyeurs se rassurent) a au moins le mérite de faire consciencieusement son travail. Mais Brigitte Bardot, qui a l'air d'un chat que l'on jette dans une baignoire d'eau froide chaque fois qu'on lui demande de faire quelques moulinets ou de grimper sur un gentil cheval — en selle, ce n'est plus elle mais sa doublure qui prend les risques — prouve une fois de plus que son savoir-faire est des plus limités. Celle qui aurait pu être notre Judy Holliday n'est désormais plus qu'une paire d'initiales que les marchands du temple se disputent encore — pour combien de temps ? »

Le film a sans doute souffert d'un changement *in extremis* de réalisateur. Au départ, il devait être réalisé par Guy Casaril, le metteur en scène des *Novices*, qui partit au bout de quelques jours, en désaccord avec les producteurs. Le film est difficile à défendre, mais Passek a enterré Bardot trop tôt, pour ne pas avoir tenu compte de la force de la légende. Comme l'écrit François Nourrissier : « Il est amusant de constater que la gloire de Bardot n'a rien eu à voir avec la qualité des rôles qu'on lui a confiés. Même mal utilisée, même lorsqu'on abuse d'elle, elle règne. C'est elle, seulement elle, que les gens vont voir. Non pas écouter, juger, peser — mais voir, tout simplement. »

Brigitte est désormais Marianne. Jean-Jacques Servan-Schreiber annonce que la France devrait être aussi fière d'elle que du bordeaux et du roquefort : comme eux, elle rapporte beaucoup d'argent. Vue comme une statue ou comme un fromage, elle est indéboulonnable en tant qu'institution. De plus, Brigitte n'apparaît plus comme l'incarnation d'une avant-garde sulfureuse, mais au contraire comme la tradition même. Ainsi Jean Dutourd écrit dans *France-Soir* en 1973 : « Elle dit modestement qu'elle a eu la chance d'arriver quand l'image de la femme a changé. Elle se trompe : son succès vient précisément de ce qu'elle a une beauté française très traditionnelle. Son visage rond se trouve dans toute la peinture française : chez Renoir, chez Fragonard, dans les gravures d'Abraham Bosse et jusque dans les portraits de Clouet. Elle figure dans les miniatures du Moyen Age. Loin d'être moderne, elle nous rappelle, quand on la voit, que la femme, c'est très ancien, cela existe depuis très longtemps, et cela ne change pas.

« Au moral, c'est la même chose. Ses jugements, ses sentiments, ses goûts semblent venir du fond des temps. Ses idées sont rangées dans sa tête comme des piles de draps (entrelardés de sachets de lavande) dans une armoire normande. Elle pense et elle parle comme une femme d'autrefois. Et pas n'importe quelle femme : comme une Française. »

On est ébahi de découvrir à quel point la vision a changé dans les années soixante-dix : Brigitte est, cette fois, entrée dans l'histoire. Elle scandalise moins. Elle déclare, maintenant, qu'une Rolls, après tout, c'est pratique et confortable, et qu'elle n'hésite plus à aller acheter ses robes chez Dior. Elle vend l'appartement de l'avenue Paul-Doumer et s'installe dans un véritable appartement de star, avec une énorme baignoire ronde encastrée et beaucoup de miroirs.

L'époque aussi a changé. L'érotisme déferle au cinéma. Les films pornos apparaissent. Les hommes lisent *Playboy* chez leur coiffeur. Brigitte se dit dépassée par la situation : c'est la vie des autres qui lui apparaît scandaleuse. Elle qui s'est dévêtue avant tout le monde — très pudiquement, en fait — voit maintenant des touristes se faire rôtir nus sur la plage, près de la Madrague.

Que le temps du scandale soit maintenant terminé apparaît avec son prochain film. Depuis *les Pétroleuses*, deux ans se sont écoulés pendant lesquels Brigitte a semblé vouloir abandonner le cinéma. Et puis, non ; elle y revient, pour un dernier film avec Jane Birkin, mis en scène par... Vadim : *Don Juan 73*. Jean Cau collabore maintenant au mythe Bardot en participant au scénario. Vadim fait jouer à Brigitte le personnage de Jeanne, une séductrice détruisant les hommes qui tombent entre ses mains.

Pourtant, le mythe de Bardot-vampire, Bardot-androgyne poussé à l'extrême ne séduit ni la critique ni le public. Martin Even, dans *le Monde*, juge : « Promenade désenchantée d'une femme qui dit : "Je suis encore jeune, je suis encore belle", mais qui séduit sans ardeur des compagnons sans intérêt, par mécanique, parce que c'est le jeu. Elle ne vampe pas, elle s'accroche... »

En fait, Brigitte Bardot ne pense qu'à décrocher. Elle s'est maintenant trouvé d'autres centres d'intérêt : la chanson, la télévision, les animaux.

François Bernheim s'est occupé de Bardot chez Barclay. Il se souvient du choc de sa première rencontre avec la star des stars du cinéma français : « En 1970, j'étais directeur artistique chez Barclay. Un jour, celui-ci m'appelle dans son bureau. J'ai ouvert la porte, je suis entré... Et alors, cette vision incroyable... Brigitte Bardot était assise sur le bureau, en fait à demi allongée, tout en noir, minijupe, cuissardes, grand chapeau... Magnifique, vraiment la quintessence de la vamp.. A vous couper le souffle...

« Les séances d'enregistrement étaient un vrai bonheur. Son seul petit caprice, c'était d'avoir du champagne pendant qu'on enregistrait. Pourquoi pas ? Elle connaissait ses chansons sur le bout des doigts. Elle avait le sens de la mesure, donc elle démarrait quand il fallait et s'arrêtait au moment où il fallait. Elle chantait juste immédiatement... C'était, évidemment, très agréable...

« Ce qui était drôle, c'était d'aller faire les magasins avec elle. Elle n'aimait pas conduire parce que les gens l'embêtaient. Tout à coup, elle disait : "Viens, on va faire des courses. Où est ta voiture ?" "En bas." "Formidable, viens." A l'époque, j'avais une Dauphine absolument pourrie, un vrai tas de boue. Les occupants des autres voitures, aux feux rouges, voyaient BB et écarquillaient les yeux. Puis, regardant la voiture, ils se disaient "Non, ce n'est pas possible." Je tremblais en conduisant. J'avais peur, très peur. Vous vous rendez compte, vous promenez Bardot, sublime, et vous vous dites : "Faut pas que j'aie un accident, faut pas que je l'abîme..." C'est d'ailleurs bien pour ça qu'un jour j'ai eu un accrochage ! J'adorais cette fille : elle était très agréable, et tellement jolie... N'empêche que c'était très difficile pour moi de détacher la star de la femme. Si j'essaie de définir ce qui pour moi faisait son charme... Je dirais peut-être la voix. Je trouve que c'est une voix formidable, une façon de s'exprimer inimitable... Je me souviens quand on m'appelait dans le couloir de Barclay : "Bernheim, c'est Bardot au téléphone..." Dès les premières phrases, c'était du Bardot... Même maintenant où elle ne travaille plus, elle reste une star. Une star, c'est une dimension. C'est une phrase qui n'est pas pareille, une attitude qui n'est pas pareille, que personne d'autre n'aurait à sa place. Une star, c'est quelqu'un qui a des réactions très étranges, et puis qui suscite aussi, chez les gens, des réactions très étranges. »

En 1973, Brigitte va tourner son dernier film : *l'Histoire très bonne et très joyeuse de Colinot Trousse-Chemise*. La réalisatrice en est Nina Companeez, scénariste de *l'Ours et la Poupée*, qui avait, un an plus tard, préfacé un livre sur Bardot en forme de « Lettre à Brigitte » : « Tu ne déranges pas l'harmonie de la nature quand tu es au milieu d'elle. Tu n'y es pas en promeneuse. Tu fais partie d'elle. Tu es évidente, pure et naturelle comme elle », écrivait-elle.

Après sa collaboration avec Michel Deville, Nina Companeez a commencé une carrière de réalisatrice avec *Faustine et le bel été*. « La première fois que je l'ai vue, dit Nina Companeez, c'était pour *l'Ours et la Poupée*. On a organisé un dîner chez Mag Bodard, la productrice du film. Brigitte est venue. Moi, je suis quelqu'un de très difficile. Même si j'aime les gens, je vois leur défauts tout de suite. Je fais d'eux une espèce de radiographie immédiate qui n'est même pas critique, qui est sensible. Des choses me parviennent immédiatement qui me font dire, "ça, j'aime" ou, "ça, je n'aime pas". Brigitte, quand je l'ai rencontrée, je l'ai acceptée et respectée tout de suite. Je l'ai trouvée nette, brutale dans sa netteté. Elle a créé le scandale par la vérité, parce qu'il y a quelque chose de brutal dans sa façon d'assener la vérité... C'est incroyable, d'ailleurs, qu'une pareille honnêteté provoque des scandales ; ça en dit long sur le monde. Brigitte a un instinct fulgurant pour juger les gens en face desquels elle se trouve. Ça ne l'a jamais empêchée de s'entourer de gens médiocres, avec une lucidité totale sur ses propres faiblesses, sur le besoin qu'elle avait de la médiocrité des autres, sur le confort que ça pouvait lui apporter.

« Je me suis très bien entendue avec elle sur le plan humain. Quand Antenne 2 a fait de Brigitte un portrait en trois épisodes, elle a demandé que je parle d'elle. Brigitte sait que j'ai d'elle une idée qui lui plaît, qui lui convient. On ne se voit guère parce qu'on est aussi sauvages l'une que l'autre, mais elle a une confiance totale en moi, et moi en elle. Ce qui me paraît impressionnant chez Brigitte, c'est son authenticité par rapport à la nature. Autant Bardot me semblait dans une soirée, dans la vie sociale, en représentation, déplacée, autant elle s'intégrait à la nature. Je pense que sa nudité a été scandaleuse parce qu'elle a été aussi évidente et nette que la nature. Il n'y a aucune perversité dans l'érotisme de Bardot. Elle est sensuelle comme l'eau peut être sensuelle. Elle n'a d'ailleurs pas du tout aimé l'arrivée au cinéma de films comme *le Dernier Tango*. Elle me disait : "Je me sens vraiment couvent des Oiseaux, quand je vois ces choses-là."

« Elle me faisait toujours penser à Marilyn. Ces deux femmes ont fait carrière en tant que mythe érotique. Or, ce qui me frappe chez elles, c'est l'innocence de leur regard ; quelque chose de très confiant, de très enfantin. Surtout chez Marilyn, d'ailleurs ; Bardot a davantage de défenses.

« Quand j'ai tourné *Colinot*, elle était nue dans la dernière scène, enfin presque nue. Elle tenait un drap en satin avec lequel elle se cachait. C'était une scène d'initiation amoureuse, où elle expliquait que le sentiment est beaucoup plus important que le reste. Je me souviens qu'elle dégageait une telle noblesse, une telle sagesse... Comme une déesse de la mythologie, qui serait le véhicule d'une pensée très profonde et très belle.

« Je pense que c'est une amoureuse. Qu'elle a toujours été amoureuse. Qu'elle a souhaité le sentiment, main dans la main. Si Brigitte a accepté de faire *Colinot* avec moi, c'est parce qu'elle gardait un bon souvenir de notre travail pour *l'Ours et la Poupée*. Le temps du tournage prévu pour Brigitte était très court. Elle devait jouer le rôle d'une femme, au XVe siècle, qui enseignait à un jeune homme, Colinot (joué par Francis Huster), la philosophie de l'amour. C'était un beau rôle pour celle qui apparaissait comme la grande prêtresse de l'amour au cinéma.

« A l'époque, elle portait un maquillage des yeux très appuyé, avec un trait noir qui entourait tout l'œil ; j'avais l'impression que c'était une espèce de masque, pour se protéger. J'ai eu du mal à lui faire accepter d'être filmée sans ce maquillage, le visage comme à nu, car je trouvais qu'elle aurait ainsi plus de pureté.

« C'était un film en costumes et elle portait de ces grandes coiffures moyenâgeuses, très encombrantes. A un moment donné, elle s'est regardée dans une glace avec cette immense coiffe sur la tête et elle a dit : "Mais pourquoi est-ce que je fais

312

tout ça ?" Ça lui paraissait vain, absurde, elle n'y croyait plus, pourquoi faire toujours un film, puis un autre ? Elle avait envie de vivre, tout simplement.

« Alors, elle a décidé, avant même d'avoir terminé le film, qu'elle ne tournerait plus. Elle s'en est tenue à cette décision. J'ai été un peu désolée de l'avoir entraînée dans une aventure qui ne lui a pas apporté beaucoup de satisfaction, bien qu'elle ne m'en ait pas voulu... »

Ces fétiches de star que sont le maquillage et la coiffure protégeaient Brigitte. Certains metteurs en scène avaient lutté pour les lui faire abandonner. Elle les détestait, mais elle ne pouvait s'en passer. Le jour où elle n'en a plus besoin, Brigitte cesse de tourner. Elle a la force d'exister par elle-même, pour elle-même. Elle est ce qu'elle a toujours voulu devenir : pleinement, simplement, un être humain.

Elle n'a plus besoin du public, et même, il lui fait horreur. Elle lui donnera encore de ses nouvelles, de temps en temps. Trois petits tours et puis s'en va, comme pour vérifier que, au-delà de ses murs, on l'attend toujours, que si elle le voulait, elle pourrait revenir.

La croisade des animaux

On n'a pas cru tout de suite au départ définitif de Bardot. Certains prennent ces adieux pour une coquetterie ; d'autres pensent qu'elle reviendra sur les écrans poussée par la nécessité financière ; d'autres encore, qu'elle fera un retour de comédienne débarrassée, au bout de quelques années de silence, d'un mythe devenu trop lourd à porter et qui d'ailleurs ne lui correspond plus vraiment.

« Si elle voulait revenir, elle n'aurait aucune difficulté, même aujourd'hui, dit Christine Gouze-Rénal. Elle reçoit encore beaucoup d'offres, les Américains sont intéressés. Moi, je referais un film avec elle demain, bien entendu, si elle le souhaitait... Mais je ne la pousserai certainement pas

313

parce que, avec Brigitte, l'amitié passe avant mon intérêt professionnel... »

Ceux qui s'imaginent que Bardot devra revenir pour l'argent se trompent. Elle a sagement investi ce qu'elle a gagné, même s'il est difficile de savoir comment. La boutique de Saint-Tropez qui lui appartient, et qui vend des objets pour bardophiles, n'est qu'une petite partie de ce qu'elle possède, et les fameuses laveries automatiques dont on l'avait faite propriétaire ne sont qu'une légende — pourtant si tenace que même les impôts, affirme-t-elle, ont essayé de les trouver, ces laveries fantômes. Interrogée sur ce qu'elle a fait de son argent, elle a toujours refusé de répondre. A Paul Giannoli qui lui disait qu'on lui croyait « un gros magot à gauche », elle répond avec son sens de la repartie et de l'esquive qu'il serait plutôt situé à droite. Mais elle assure vivre aujourd'hui très simplement, et n'avoir pas acheté une robe depuis dix ans...

De temps en temps, elle se prête à une publicité, en Angleterre, aux États-Unis ou même en France, chose étrange, pour les pantalons Karting... Mais une pub, c'est si vite fait...

Après ses adieux au cinéma, elle ne disparaît pas de la vie publique française, démontrant — s'il était encore nécessaire — que Bardot, ça a toujours été, ça sera toujours autre chose qu'une actrice de cinéma.

En 1974, lorsqu'elle a quarante ans, on dit qu'elle écrit ses Mémoires, pour les éditions Laffont. Le bruit court toujours, autorisé par elle-même, avec un changement d'éditeur : dix ans plus tard, Le Seuil serait l'heureux élu. Mais les « Mémoires d'avenir » n'ont pas encore paru.

Peut-être paraîtront-ils un jour. Mais, pour l'instant, lorsque Brigitte a choisi de raconter sa vie, l'image — la télévision — a encore une fois été le moyen choisi. Comme si, décidément, malgré ses protestations fréquentes, c'était là son mode d'expression naturel...

Lors d'un entretien accordé à l'*Express* au moment de la sortie de *Don Juan 73*, elle déclare :

« Je n'ai jamais éprouvé un immense plaisir à jouer, ça n'a jamais été la base de mon existence. C'est une profession. Quand je vais au studio, je dis : "Je vais au bureau." Je n'en ai pas marre du cinéma, mais le cinéma en a peut-être marre de moi. J'ai vingt ans de cinéma derrière moi... Je suis toujours "célèbre", mais je sens quelque chose... On me fiche davantage la paix maintenant qu'il y a dix ans. J'ai eu des échecs terribles... C'est toujours triste quand ce n'est pas de soi-même qu'on quitte quelqu'un. Voilà pourquoi je partirai. Pour que ce ne soit pas le cinéma qui me quitte. Je me conduis toujours ainsi dans la vie : je pars avant d'être quittée. C'est moi qui décide. »

Partir la première, partir pour ne pas être abandonnée : cette réaction de petite fille fière qui se croit laide et qui veut tout faire pour être malgré tout la plus belle, Brigitte l'a toujours eue. Elle est la clé de bien des énigmes de son comportement.

Brigitte Bardot tient alors des propos étonnants sur sa façon d'envisager l'avenir : « Je voudrais être fermière, dit-elle à Jean-Pierre de Lucovitch. Je n'ai pas envie de vieillir mal. D'être triste parce que j'ai une ride ou un cheveu blanc. Alors, à quarante ans, je vais me retirer dans ma ferme. Je vais la chercher dans le Vaucluse. Là-bas, les rapports que j'aurai avec les êtres seront vrais. Au début, on dira : "Tiens, il y a BB qui est venue s'installer là." Et puis après, on dira : "Tiens, il y a Brigitte, de la ferme Untel, qui vient faire son marché." Et les amis qui viendront me voir ne viendront pas pour être à Saint-Tropez *gratis pro Deo*, mais parce qu'ils aiment la nature et qu'ils ont envie de me voir. »

Pourtant, Brigitte ne trouvera pas sa ferme du Vaucluse, son jardin d'Eden. L'a-t-elle d'ailleurs vraiment cherchée ? Pourquoi n'est-elle allée au bout d'aucun de ses rêves, elle qui avait plus que tant d'autres les atouts pour y parvenir ? Ce qui l'a fait reculer devant une carrière de danseuse, qui l'a empêchée de mener jusqu'au bout une véritable expérience de comédienne, qui l'a fait se cabrer devant le couple, la maternité, est-ce le poids d'un destin trop lourd à porter, est-ce cette « maladie du bonheur » qui la rend nonchalante, trop attachée à vivre le moment pour accepter la part de sublimation nécessaire à toutes les grandes réussites ? S'agit-il d'une rébellion contre une gloire dont elle a toujours le sentiment qu'elle ne dépend pas de son désir mais de celui des autres ?

Lors d'une interview donnée à Denis Taranto pour *Match* durant l'été 1984, elle déclare : « Un jour, Günther Sachs m'a dit : « Brigitte, tu es comme un superbe voilier au milieu d'une baie, dont les voiles vacillent. S'il n'y a personne pour souffler, il restera là, sans bouger. »

« J'ai une force fantastique. Je peux déplacer des montagnes, mais c'est le vent qui manque au voilier. Et ce vent, il faut bien qu'il vienne de quelque part. Le drame de ma vie, c'est que je ne peux pas souffler dessus. »

Cette passivité, cette perpétuelle attente, ce désir d'une impulsion venue de l'extérieur, qui la paralyse, a certainement été, paradoxalement, une des raisons de son succès. Cette demande émanant d'un être apparemment parfait, complet, c'est la séduction de l'éternel féminin. Aux hommes, Brigitte dit : « Animez-moi, faites-moi vivre. » Quoi de plus flatteur pour eux, quel sentiment de puissance... et quelle peur aussi, devant cette responsabilité énorme, cette force permanente exigée...

Elle déclare à Lucien Bodard (dans *Elle*, en 1982) : « Je cherche l'être avec qui je pourrais rester toujours, mais c'est presque impossible. Car s'il est intelligent, au bout de quelque temps, il trouve que c'est trop de travail. »

Brigitte a-t-elle, comme le dit Bodard, « cassé des hommes » ? Sans doute la séduction portée à ce point a-t-elle en elle-même quelque chose de meurtrier. Mais Brigitte, elle aussi, a absolument besoin des hommes pour survivre.

A l'instar de beaucoup de femmes célèbres, menant une vie qui ajoute à la féminité certains privilèges traditionnellement masculins, elle s'enferme dans une attitude contradictoire :

« Une femme est faite pour rendre la vie d'un homme agréable, pas pour travailler toute la journée et faire des surgelés en vitesse le soir avant de s'installer devant la télé, le nez sur les informations ; c'est dramatique. Une femme, c'est fait pour composer des bouquets de fleurs, faire une popote qui sent bon. Le travail, d'accord, mais pas à n'importe quel prix. Aujourd'hui, il n'y a que l'argent qui compte. »

Le cinéma quitté, Brigitte ne devient pas du jour au lendemain « Greta Bardot », selon le mot de Dominique Jamet. On parle d'abord d'une émission qu'elle animerait sur Antenne 2, « Au pied du mur », et qui donnerait le coup d'envoi de sa grande croisade en faveur des animaux.

Pourtant, au dernier moment, elle va reculer. Est-ce la peur d'affronter à nouveau le public ? Retardée, l'émission n'aura lieu, finalement, qu'une seule fois, le 25 février 1975, en présence d'André Jarrot, ministre de la Qualité de la vie. Brigitte Bardot n'y parle pas seulement de la condition des animaux en général, elle s'attaque plus particulièrement à la prolifération de petits zoos, dans lesquels des animaux emprisonnés, placés dans des conditions de vie artificielles, lui paraissent malheureux. Elle défend le principe des réserves, plus proches des conditions naturelles d'habitat. Son argumentation est soutenue par un film montrant des animaux mornes derrière des barreaux.

L'émission suscite une vive polémique. La Fédération nationale des parcs zoologiques proteste en arguant que les réserves ne sont pas la meilleure solution, car les animaux y sont mal surveillés. Certains, ne supportant pas cette vie communautaire, s'entre-tuent.

Brigitte est également critiquée pour le choix même de sa cause. A Europe 1, Yvan Levaï lui demande pourquoi, comme d'autres femmes, elle ne s'occupe pas plutôt des enfants et des filles-mères. « On ne peut pas tous faire la même chose, répond Brigitte. Moi, je défends un sujet qui, pour le moment, n'a pas de défenseur. On m'attaque, je réponds. Je ne suis que le porte-parole d'un animal qui, lui, ne peut rien dire. »

Il semble curieux qu'on lui reproche tant la cause qu'elle défend. Elle rappelle que, par ailleurs, elle s'occupe de prisonniers et il arrive que certains, réconfortés pendant leur captivité par ses attentions lointaines, débarquent à la Madrague tout prêts à s'installer. Brigitte doit alors les éconduire gentiment... Elle s'occupe également de vieilles dames, leur rendant visite à leur domicile ou dans un foyer, leur portant des cadeaux.

Cependant, Brigitte dame d'œuvres n'échappe pas davantage à la critique que lorsque sa cambrure insolente menaçait prétendument la paix des familles. Décidément, la France l'aime toujours. Le moindre de ses faits et gestes provoque articles et polémiques, et il semble que tant qu'elle continuera à l'aimer, elle continuera à la méconnaître.

En 1973, la bande de chiens recueillie par Brigitte dans un chenil où ils attendaient la mort et qu'elle installe dans sa propriété de Bazoches — devenue une sorte de mini-réserve — a été abattue. Brigitte remue ciel et terre, organise une

pétition. Le préfet des Yvelines proteste dans *France-Soir* :
« Les chiens étaient libres d'errer à leur guise, au grand
mécontentement des autres habitants du village et en infrac-
tion avec la réglementation en vigueur. Leur disparition
éventuelle n'est imputable qu'à la légèreté de leur maître. »

Permettre aux animaux une vie libre n'est qu'une utopie de
plus. Mais Brigitte ne peut l'admettre et se sent mal com-
prise.

Et si le Misanthrope était une femme ?

L'année 1975 est dure pour Brigitte : son père, Pilou,
meurt le 5 novembre. Il est enterré au cimetière de Saint-
Tropez, à côté des grands-parents. Brigitte, ensuite, se retire
un peu plus du monde pour se consacrer davantage aux
animaux. Elle crée, en mai 1976, la Fondation Bardot, dont
l'objectif est la défense des animaux, particulièrement des
bébés-phoques. Elle a vu des films sur la chasse aux bébés-
phoques, des images terribles qui montrent comment le
bébé-phoque est assommé, sous les yeux de la mère qui crie
d'une façon poignante.

Dans un premier temps, Brigitte projette de se rendre sur
la banquise de Terre-Neuve, durant la chasse aux phoques.
Au dernier moment, elle y renonce. Elle donne une conférence de presse au cours de laquelle elle semble terrifiée par
la foule et les journalistes. En septembre 1976, elle dissout la
Fondation Bardot : elle avait pourtant prévu d'y consacrer
une grande partie de ses ressources. Il semble que, une fois
encore, elle ait agi spontanément, sur un coup de cœur, sans
prendre conscience de l'engagement à long terme que cela
représenterait, de la lourdeur des structures bureaucra-
tiques.

Pourtant, elle n'abandonne pas sa lutte. Elle se rend finalement à Terre-Neuve en avril 1977, accompagnée du sculpteur Miroslav Brozek et de l'écologiste suisse Franz Weber,

afin de tourner un film qui sera largement diffusé par la télévision. On y voit Brigitte câlinant un bébé-phoque. Elle en ramènera d'ailleurs un avec elle, qui ira poursuivre sa carrière au parc aquatique d'Antibes. Et elle fait une description terrible de la chasse au phoque, insistant sur la douleur de la mère et sur le fait que le bébé-phoque serait parfois écorché encore vivant.

Brigitte, même après avoir quitté le cinéma, prête à l'occasion son image, toujours très forte. On comprend qu'elle ait accepté de tourner, pour le Tourisme Français, un spot publicitaire vantant les beautés traditionnelles de la France et destiné à être montré aux Etats-Unis. On est surpris qu'elle ait tourné un autre spot pour la firme anglaise de parfumerie Goya.

Brigitte, très habillée et chapeautée, apparaît ainsi à la télévision britannique et dans d'autres pays d'Europe (mais pas en France), affirmant pour le compte des populations esbaudies que l'homme de sa vie porte l'eau de toilette Zendiq. On peut supposer que la présence de Michel Deville dans l'équipe de tournage a été déterminante. Encore une fois, Brigitte se trouve en terrain de connaissance. Ces tournages publicitaires ont-ils pour but de la rassurer, de lui prouver son pouvoir de séduction toujours intact ? Dans le cas du film sur les bébés-phoques, l'impact est certain. La ressemblance entre le regard à la fois tendre, innocent et tragique de Bardot et celui de Chouchou, l'animal aux yeux émouvants, est irrésistible.

On ne peut pas reprocher à Brigitte d'utiliser la cause des animaux pour attirer à nouveau l'attention sur elle. L'amour des animaux est chez elle un trait profond et sincère, depuis l'enfance. Il ne lui a pas été facile d'affronter le spectacle du massacre des bébés-phoques : ne supportant pas de voir les animaux souffrir, elle a dû s'y prendre à deux fois pour aller jusqu'au bout de son projet. Pour elle qui déteste l'avion, parvenir jusqu'à la banquise en hélicoptère était déjà un acte de courage évident.

La cause des bébés-phoques a manifestement été aidée par son action, même si, à l'époque du voyage, la presse canadienne (et parfois française) s'est montrée quelque peu hostile ou méprisante. En 1978, le Conseil de l'Europe l'invite à participer à un débat sur la chasse au phoque. Depuis, plusieurs pays ont interdit l'importation des peaux de phoques.

Cette campagne, cependant, est contestée par les Canadiens et particulièrement par les esquimaux du Groenland, pour qui la désaffection du public pour les objets en peau de phoques a des conséquences graves. Les Inuits du Groenland déclarent : « Non, nous ne massacrons pas de bébés-phoques. Nous ne tuons que des phoques adultes et de manière artisanale. La vente des peaux à la bourse de Copenhague nous permet tout juste de survivre[1]. »

Les Inuits ne tuent pas les phoques au gourdin, mais au harpon — lorsque le phoque vient respirer par un trou de la banquise — ou au fusil à lunettes.

Quant au gouvernement canadien, il affirme que la pêche au phoque constitue la base économique de nombreux villages bordant l'Atlantique, à une saison où aucune autre activité ne peut être entreprise sous ce climat. Le projet d'installation d'usines de confection de fourrure synthétique, auquel Brigitte s'est intéressée, s'est révélé impossible en raison de l'isolement de ces villages durant les mois d'hiver. Les Canadiens font observer que les phoques ne sont pas à l'heure actuelle une espèce animale menacée. Ils affirment que le gourdin est encore le moyen le plus rapide de tuer. Une brochure officielle au Canada décrit en ces termes la façon la plus « efficace » de tuer un phoque :

« La chasse au phoque est une activité commerciale. Le revenu du chasseur dépend de la qualité des peaux qu'il présente. La meilleure qualité, celle qui rapporte le plus, s'obtient lorsque les peaux sont enlevées d'un seul tenant, au moyen d'une incision droite et nette sur le ventre de l'animal.

« Les couteaux spéciaux des chasseurs de phoques sont tranchants comme un rasoir et les chasseurs s'enorgueillissent de la vitesse et de la précision avec lesquelles ils travaillent. Les chasseurs de phoques et autres experts reconnaissent qu'il serait impossible d'enlever rapidement et correctement la peau d'un phoque encore conscient.

« On a remarqué qu'après avoir été assommés, certains jeunes phoques subissent un "réflexe de natation" qui les fait s'agiter. Ce mouvement automatique est dû à une pression

1. *Le Monde.*

du fluide rachidien sur la moelle épinière. Les profanes pourraient croire que l'animal assommé se tord de douleur alors qu'en fait il n'en est rien. Ces spasmes musculaires automatiques sont des signes certains que l'animal est mort. »

Les Canadiens, par ailleurs, ont beau jeu de critiquer les méthodes employées en Europe pour tuer les animaux, qui ne sont pas au-dessus de tout reproche malgré le progrès obtenu avec la « loi Bardot » prescrivant l'utilisation du pistolet pour l'abattage des bœufs. Il n'en reste pas moins que la description de la façon « légale » et « humaine » de tuer les phoques fait froid dans le dos. De plus, s'il s'agit d'une nécessité de survie pour les esquimaux, la chasse au phoque est également pratiquée à grande échelle par des navires canadiens et norvégiens de près de cent cinquante tonneaux. La peau des phoques n'est pas seule utilisée : la graisse, l'huile et la viande de phoque sont des produits de consommation courante dans le Grand Nord.

Mais il n'est pas question pour Brigitte d'attirer l'attention sur les erreurs du voisin en négligeant celles de son pays. En France même, elle intervient fréquemment pour dénoncer un scandale ou ce qu'elle juge tel : ainsi, la chasse aux palombes. En mai 1985, elle se rend en Gironde pour participer à une manifestation de la Fédération française des sociétés de protection de la nature. Elle se fait très mal accueillir, car la chasse est une tradition régionale. Les gendarmes découvrent même une bombe artisanale, avant qu'elle n'explose. Jean Rolin, dans *Libération*, décrit le ton de la manifestation :

« En dépit de tout ce qui les oppose, les manifestants de Lesparre et ceux de Soulac ont en commun d'avoir placé Brigitte Bardot au centre de leur dispositif imaginaire et symbolique. Du côté de Soulac, parmi d'autres rodomontades, ce sont des menaces plus ou moins appuyées de la rouler dans le goudron et la plume, des cris d'"Au cul, BB !", des dessins censés représenter la vedette, son cordon de la Légion d'honneur autour des reins "puisque c'est par là qu'elle l'a mérité". »

Devant pareille hostilité, on comprend pourquoi Brigitte n'est pas allée plus loin, n'occupant aucun poste officiel, ne profitant pas de ce tremplin pour se faire une position politique — après tout, aux États-Unis, Shirley Temple s'est bien reconvertie dans la diplomatie.

Même ainsi, les animaux occupent une grande partie de son temps. Il lui arrive de traverser la France pour s'occuper d'un refuge pour chiens ; lorsqu'elle apprend un abus, elle n'hésite pas à se servir de son nom pour y mettre un terme. Elle écrit même des lettres de protestation à des chefs d'État...

Et elle reçoit un très important courrier. Ce qui n'est pas d'ordre, d'ailleurs, à lui remonter le moral.

« Le problème, dit Alain Bougrain-Dubourg, réalisateur de l'émission sur les animaux « Terre des bêtes » à la télévision, c'est que toutes ces lettres sont extrêmement déprimantes. Il s'agit toujours de raconter des choses affreuses, des malheurs terribles... Tout ce courrier est une souffrance pour Brigitte... »

La souffrance des animaux continue à passer avant tout...

« Lorsque Lech Walesa est venu à Paris, dit encore Alain Bougrain-Dubourg, il a demandé à rencontrer Brigitte. Celle-ci, de son côté, était très contente de cette perspective. Et puis, au dernier moment, elle n'est pas venue au rendez-vous. Il y avait un toutou qui était malade... »

L'amour des animaux serait-il devenu pour Brigitte Bardot une compensation à la haine des hommes ? Elle se déclare elle-même misanthrope. Les interviews données ces dernières années montrent une évolution en ce sens.

En 1983, Brigitte se décide à raconter la vérité sur sa vie dans la biographie *Telle quelle*, trois émissions pour Antenne 2 réalisées par Alain Bougrain-Dubourg, qu'elle a rencontré lors de la campagne pour les bébés-phoques et qui est alors très proche d'elle.

Son fils Nicolas, qui commence une carrière musicale, participe à l'entreprise.

Pourtant, ce retour devant la caméra n'est pas facile pour elle. Lors d'une interview donnée à *Paris-Match* en 1984, elle explique à Denis Taranto : « Cela m'a rendue malade. Il y a des jours où je ne pouvais pas tourner. Lorsque je voyais arriver l'équipe, les câbles, les caméras, les spots, je préférais me tirer. Personne ne savait où j'étais. J'avais des planques où je me réfugiais des heures. Et puis d'autres jours j'étais de bonne humeur et cela m'amusait. »

Brigitte affirme avoir accepté cette série télévisée pour établir la vérité sur ce qu'elle a été et expliquer ce qu'elle est devenue aujourd'hui. Elle affirme aussi que cette espèce de « *Vie privée 2* » sous forme documentaire est utile pour sa campagne en faveur des animaux, et lui permet d'expliquer les motifs de son action.

La Brigitte de *Telle quelle* frappe comme toujours par sa spontanéité, la force de sa personnalité. Très simplement habillée, ses longs cheveux en liberté, elle y a l'apparence d'une femme refusant de prolonger par des artifices l'illusion d'une éternelle jeunesse. Pour elle, pas d'opérations esthétiques, elle n'empêche pas les années de marquer son visage.

Si elle manifeste une grande colère à l'égard de tous ceux dont elle estime qu'ils ont gâché sa jeunesse, elle donne le sentiment d'une femme pleine d'énergie, qui se trouve bien dans sa nouvelle vie.

Cette impression, malheureusement, est démentie par l'interview donnée à *Match* en 1984, où ses propos sont marqués par un état dépressif. Brigitte se dit seule, avec un besoin de chaleur et d'amour. « C'est dur... Je pleure toute la journée... Cela arrive assez souvent, et je repars. »

On peut se demander ce qui a motivé ces confidences. Denis Taranto, heureux auteur d'une interview qui a fait beaucoup de bruit, affirme l'avoir obtenue parce qu'il a téléphoné au bon moment, alors que Brigitte avait besoin de parler à quelqu'un. Elle a demandé, comme toujours, à relire ses propos, mais en a retranché très peu, à la surprise du journaliste. C'est donc qu'elle voulait faire connaître son désarroi et sa solitude.

On retrouve le même ton dans un article récent paru dans *le Figaro-Magazine*. Le masque de la star tombe. C'est l'heure des bilans :

« Je n'ai plus de parents, je n'ai pas de mari. J'ai mes chiens et mes chats », déclare-t-elle. Pour la première fois de sa vie, elle dira avoir passé seule Noël 1985, et s'interroge sur les raisons de cette solitude. On pourrait lui répondre que les stars sont toujours seules. *Une vie de solitude* (*A Lonely Life*), c'est le titre de l'autobiographie de Bette Davis.

« Je ne la cache pas, ma misanthropie, dit encore Brigitte à Jean-Louis Remilleux. Elle existe, et elle est justifiée ! Regardez l'humanité... Elle est horrible. La masse des gens n'a plus rien d'humain. Ils sont tous hyperprotégés par les lois, uniquement intéressés par leur Sécu, leur retraite, leurs petits « avantages acquis », comme ils disent. Moi, j'aime la vérité... Mes chiens, mes chats, ils sont vrais. Les enfants qui m'écrivent, de neuf à quinze ans, auxquels je réponds toujours, ceux-là aussi sont vrais. Les petits vieux auxquels je vais rendre visite de temps en temps à la maison de retraite, les platanes, à Saint-Tropez, sont vrais. »

Le souci de la vérité reste le trait primordial du caractère de Brigitte Bardot. Dans une époque qui a de plus en plus de mal à distinguer le vrai du faux, dont les critères moraux s'estompent, où le clinquant fait souvent figure d'art, la période où Brigitte révolutionnait les mœurs en affirmant le droit de montrer son corps, de vivre en suivant son désir, semble un lointain souvenir.

Sur le terrain de sa nouvelle maison de Saint-Tropez, la Garrigue, Brigitte Bardot a fait bâtir une chapelle consacrée à la Vierge. « Elle me protège », dit-elle de la douloureuse. Elle a besoin d'être à l'écart d'une époque qu'elle réprouve. Elle vit de plus en plus recluse, entourée de ses animaux.

« Je ne me suis jamais mise nue sur une plage devant tout le monde, marchant avec un sac à dos, des chaussettes et un chapeau ! On m'a vue très pudiquement nue dans certains films. De dos, et encore ! » dit-elle en se demandant comment ses films ont pu tellement choquer...

Brigitte porte toujours les vêtements de sa période hippie, gilet afghan brodé, bottes, vaste jupe et panier d'osier. En couverture du *Figaro-Magazine,* elle montre un sourire d'enfant, des boucles blondes de petite fille et une fleur dans ses cheveux. Mais ce n'est pas *Sunset Boulevard* pour celle qui a su dépasser la simple apparence. Un sondage réalisé par l'IFRES pour *le Quotidien de Paris* en 1984 révèle qu'elle est toujours célèbre et aimée du public.

Brigitte Bardot, curieusement, n'évoque la beauté que pour vingt-sept pour cent des Français, même si soixante pour cent d'entre eux trouvent justifié qu'elle ait été le sex-symbole des sex-symboles. Et quarante-cinq pour cent de nos compatriotes aimeraient lui voir assumer un poste officiel pour la défense des animaux. Officiel, voilà le mot. Le gouvernement lui a décerné la Légion d'honneur — ce qui signifie tout simplement qu'elle est désormais galvaudée, affirme-t-elle, toujours iconoclaste, même à son égard.

Brigitte ne désire pas prolonger l'illusion jusqu'au bout. Très peu de stars sont parvenues, idoles vivantes de la féminité, jusque dans la vieillesse.

Brigitte Bardot ne s'affirme pas éternelle, plus forte que le temps, plus forte que tout. Elle n'est pas parfaite, surhumaine, et ne cherche pas à l'être. Crier sa solitude est encore une façon de briser l'image derrière laquelle on voudrait l'escamoter. Elle joue, comme elle l'a toujours fait, avec la fonction d'idole pour la rejeter ensuite et proclamer qu'elle est humaine, trop humaine. Peut-être que cela nous gêne, et que nous préférerions qu'elle se taise, disparaisse derrière des murs et des lunettes noires pour entretenir le culte de celle qu'elle fut.

Un jour, la star doit disparaître. Comme le dit Baudrillard : « La mort des stars n'est que la sanction de leur idolâtrie rituelle. Il faut qu'elles meurent, il faut qu'elles soient déjà mortes. Il le faut pour être parfaite et superficielle. »

La mort la plus « star », c'est la mort violente, James Dean ou Marilyn, l'accident ou le suicide. Quand la mort même est encore spectacle, don affreux de soi qui laisse le spectateur pantois, honteux, fasciné, amoureux. Don ultime et, en même temps, suprême dérobade de quelqu'un qui n'a jamais été tout à fait là. Car la star, bien sûr, ne meurt pas. La personne s'efface, le reflet reste. Et la star, la quintessence de la star, c'est le reflet.

Mais il y a en Bardot autre chose que l'artificialité hiératique de la star : la chair vivante, éclatante, du sex-symbole. Elle a su partir au moment où cette chair immortelle donnait les premiers signes de la mortalité, où le fantasme ne coïncidait plus avec sa représentation. Abandonner avant qu'on ne l'abandonne, se dérober aux regards avant qu'ils ne se détournent.

Elle n'a pas pour autant totalement disparue de la scène publique. L'identification de Garbo à sa splendeur passée, le désir de sauvegarder son humanité secrète tout en préservant jusqu'au bout le souvenir émerveillé d'une image éblouissante, ne convient pas à Bardot l'ambiguë, qui a toujours aimé se décaler de son mythe, apparaître là où on ne l'attend pas.

Cette Bardot-là, la femme Bardot, l'Eve tentatrice à la fois menaçante et démunie, ressurgit à intervalles réguliers. Car elle refuse de se taire, de se figer dans une mort vivante, une retraite totale qui satisferait ceux qui préfèrent adorer jusqu'au bout un fantôme. Criant la détresse d'un sex-symbole mûrissant, interpellant ceux qui l'ont à la fois vilipendée et adorée, qui la regrettent aujourd'hui, qui voudraient encore du rêve passé, de l'impossible éphémère, elle dit : « Regardez ce que vous m'avez fait, regardez comme je souffre à cause de vous ! » Forçant les regards, exigeant qu'on voie ce qu'elle est devenue. Une femme. Une femme pas comme les autres, mais presque. Rien qu'une femme avec la ride au coin du sourire, le trouble au fond de l'œil. Rien qu'une femme avec ses exigences et ses détresses. Hors du star-système, elle incarne la femme de cinquante ans, son inquiétude face à la solitude, son désir d'aimer encore : problèmes très actuels.

Bardot a toujours été la passion, elle l'est encore. Une passion dont le public suivra le chemin jusqu'au bout, par la télévision, les journaux. Entre elle et lui s'est tissée une histoire qui a la force des amours contrariées, pimentées par la rancune ou le regret, où la frustration relance perpétuellement le désir.

Elle a toujours fait passer sa vérité avant tout le reste. Jusqu'au bout, elle nous la jettera en pleine figure. Après tout, c'est aussi ce qui a fait d'elle davantage qu'une jolie fille de plus sur la surface de la terre. Cette imperfection revendiquée est le luxe suprême de celle que l'on aurait voulu voir incarner la perfection. C'est encore la liberté — cette liberté qui a toujours fait sa gloire.

Je remercie les personnes interrogées au cours de l'enquête, et qui ont bien voulu me confier leurs souvenirs et leurs commentaires :

Cécile Aubry, Yves Barsacq, François Bernheim, Michel Boisrond, Alain Bougrain-Dubourg, Claude Bourgat, Antoine Bourseiller, Pierre Braunberger, Jean-François Calvé, Leslie Caron, Nina Companeez, Danièle Delorme, Michel Deville, Anne Dussart, Robert Enrico, Serge Gainsbourg, Mme Gaudin (cours Hattemer), Daniel Gélin, Paul Giannoli, Christine Gouze-Rénal, Olga Horstig, Sam Lévin, Cécilia Malbois, Louis Malle, Michèle Maurin du Conservatoire national de danse, François Nourrissier, Jean-Claude Pascal, Jean-Marie Rivière, France Roche, Denis Taranto, Pierre-André Tarbès, Fred Salem.

Je remercie également l'équipe des éditions Olivier Orban pour leur aide précieuse tout au long de mon enquête : Catherine Blanchard, Patrick de Bourgues, Dominique Patry, documentaliste, Sophie Delaporte.

Je remercie enfin tous les journalistes et les photographes qui, depuis plus de trente ans, ont contribué par leurs articles, leurs enquêtes, leurs portraits, à l'élaboration du mythe de BB.

Bibliographie

Dirk Bogarde, *Snakes and Ladders*, Granada
Jean Baudrillard, *De la séduction*, Galilée
Jacques Chancel, *Radioscopie*, Robert Laffont
Ray Coleman, *John Lennon*, Futura
Nina Companeez, *le Livre de Brigitte Bardot*, Frontières
Tony Crawley, *Bardot*, Henri Veyrier
Sacha Distel, *les Pendules à l'heure*, Carrère-Lafon
Françoise Ducout, *les Séductrices du cinéma français*, Henri Veyrier
Marguerite Duras, *Outside, papiers d'un jour*, Albin Michel
Jean-Pierre Elkabbach, *Actuel 2*, Albin Michel
Bernard Franck, *les Rats*, Grasset
Jean-Luc Godard, *Jean-Luc Godard par Jean-Luc Godard*, Belfond
Peter Haining, *The Legend of Brigitte Bardot*, Comet
Joëlle Monserrat, *Brigitte Bardot*, PAC
François Nourrissier, *Brigitte Bardot*, Grasset
Glenys Roberts, *Bardot*, St. Martin's Press
Roger Vadim, *Mémoires du diable*, Stock

Les photos illustrant le cahier central proviennent des agences :

page 1 : Sipa press, Keystone
page 2 : Sipa press (Patrick Moran), Keystone
page 3 : Keystone, Sipa press (Edward Quinn)
page 4 : Keystone
page 5 : Sipa press (Edward Quinn)
page 6 : Sipa press (Morin)
page 7 : Keystone
page 8 : Sipa press, Keystone

Cet ouvrage a été composé par Eurocomposition (Sèvres)
et imprimé par la Société Nouvelle Firmin-Didot Mesnil-sur-l'Estrée
pour le compte des Éditions Olivier Orban
14, rue Duphot, 75001 Paris

Achevé d'imprimer le 5 mai 1986

N° d'édition : 368 – N° d'impression : 4563
Dépôt légal : mai 1986

Imprimé en France